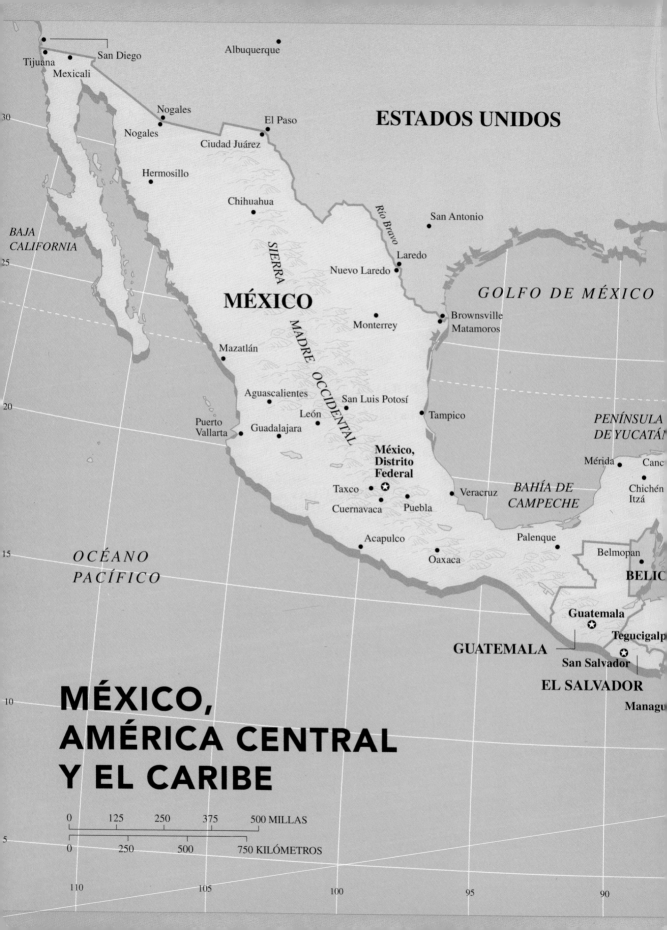

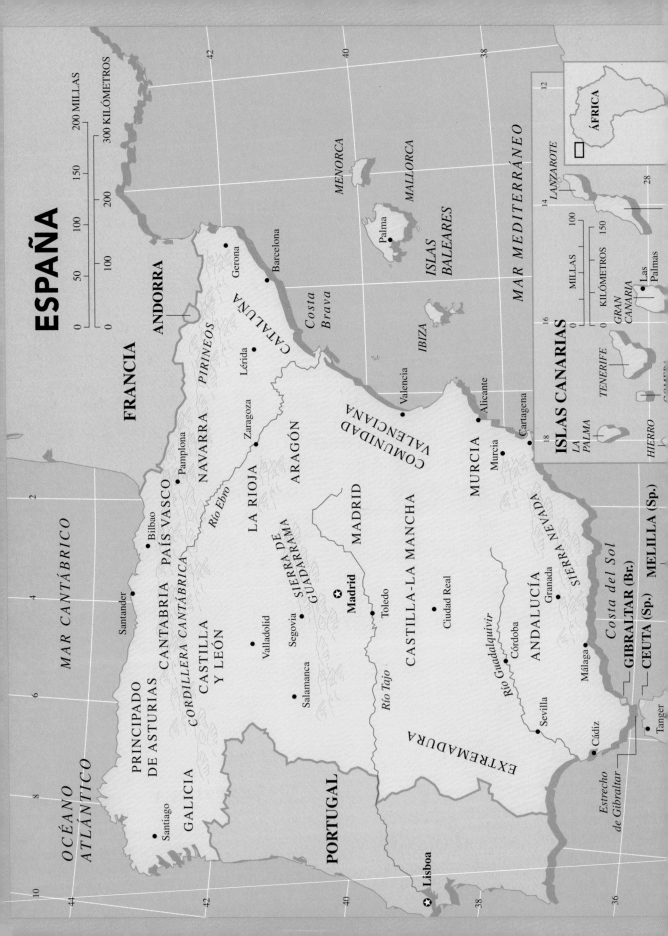

# En contacto:
# Gramática en acción

Loyola University Edition

Ninth Edition

Mary McVey Gill |Brenda Wegmann |Teresa Méndez-Faith

CENGAGE
Learning·

Australia • Brazil • Japan • Korea • Mexico • Singapore • Spain • United Kingdom • United States

CENGAGE
Learning·

**En contacto: Gramática en acción: Loyola University Edition**

En contacto: Gramática en acción: Novena Edición
Mary McVey Gill |Brenda Wegmann |Teresa Méndez-Faith

© 2012 Cengage Learning. All rights reserved.

Senior Project Development Manager:
 Linda deStefano

Market Development Manager:
 Heather Kramer

Senior Production/Manufacturing Manager:
 Donna M. Brown

Production Editorial Manager:
 Kim Fry

Sr. Rights Acquisition Account Manager:
 Todd Osborne

For product information and technology assistance, contact us at
**Cengage Learning Customer & Sales Support, 1-800-354-9706**

For permission to use material from this text or product,
submit all requests online at **cengage.com/permissions**
Further permissions questions can be emailed to
**permissionrequest@cengage.com**

This book contains select works from existing Cengage Learning resources and was produced by Cengage Learning Custom Solutions for collegiate use. As such, those adopting and/or contributing to this work are responsible for editorial content accuracy, continuity and completeness.

**Compilation © 2013 Cengage Learning**
ISBN-13: 978-1-285-90612-6

ISBN-10: 1-285-90612-8

**Cengage Learning**
5191 Natorp Boulevard
Mason, Ohio 45040
USA
Cengage Learning is a leading provider of customized learning solutions with office locations around the globe, including Singapore, the United Kingdom, Australia, Mexico, Brazil, and Japan. Locate your local office at:
**international.cengage.com/region.**

Cengage Learning products are represented in Canada by Nelson Education, Ltd.
For your lifelong learning solutions, visit **www.cengage.com/custom.**
Visit our corporate website at **www.cengage.com.**

Printed in the United States of America

# Brief table of Contents

# CAPÍTULO 2

# Vejez y juventud

## METAS

En este capítulo vamos a aprender a...

- ▶ expresar respeto y cortesía; a despedirnos
- ▶ hablar de la familia, la vejez y la juventud
- ▶ describir situaciones o eventos en el pasado
- ▶ expresar la duración de una situación o evento

© Bob Daemmrich/The Image Works

Tres generaciones de una familia colombiana

## LENGUA VIVA

Expresiones de respeto y cortesía

Despedidas

## GRAMÁTICA

El pretérito

El imperfecto

Contraste entre el pretérito y el imperfecto

**Hace** + expresiones temporales

## VOCABULARIO

La familia

La vida y la muerte

## LECTURAS

«La familia: tradición, cambios y nuevos retos»

«Las vecinas» de Ana Alomá Velilla

«La última despedida» de Ana María Salazar

# Presentación del tema

## Pequeño perfil de la juventud española

Siempre hay diferencias entre las generaciones, y el mundo hispano no es excepción. ¿Qué dicen los jóvenes españoles acerca de sus padres y abuelos? A continuación hay algunos ejemplos.

SILVIA R: «Los mayores pueden ser muy intolerantes. Creen que poseen la verdad absoluta».

DANIEL G: «En la publicidad, hay un concepto de que la juventud es buena, que todo debe ser joven y bello, pero la realidad es otra. Cuando vas a una entrevista de trabajo, te dicen que no tienes experiencia».

CARLOS V: «En la generación de mis padres, hay muchos divorcios. Pero nos critican a nosotros porque nos casamos muy tarde o ni nos casamos».

MARICRUZ M: «Tenemos una responsabilidad moral de cuidar a nuestros abuelos. Los abuelos están muy presentes en la familia. Lo que pasa es que cada vez estamos más ocupados y no tenemos mucho tiempo para atenderlos».

© Nessi/AgeFotostock

Google Busque «INJUVE valores e identidades» para aprender más sobre la juventud española.

Según un estudio español del 2008*, los valores y actitudes de los jóvenes están cambiando. Son más liberales que sus padres o abuelos y solo uno de cada diez va a la iglesia regularmente. Como es difícil encontrar trabajo, son más pragmáticos con respecto a los estudios y viven con sus padres hasta una edad más avanzada. En general, los españoles de hoy se casan más tarde y tienen menos hijos. Pero una cosa no cambia: según el estudio, para los jóvenes el aspecto más importante de la vida es la familia.

### 2-1 Preguntas.

1. Según lo que dicen los jóvenes españoles, ¿están contentos con todas las ideas y actitudes de sus padres y abuelos? Explique.

2. ¿Qué comentarios pueden referirse también a las diferencias entre jóvenes y mayores en este país? Explique.

3. Para los jóvenes españoles, ¿es muy importante la religión, en general? ¿Van muchos a la iglesia regularmente? Y ¿la gente joven que usted conoce?

4. ¿Por qué viven los jóvenes españoles con sus padres hasta una edad más avanzada? ¿Existe la misma costumbre ahora en este país? Para usted, ¿es buena o mala esta costumbre? ¿Por qué?

*Instituto de la Juventud Española (INJUVE), Sondeo de opinión y situación de la gente joven: Valores e identidades. Madrid, 2008.

# VOCABULARIO ÚTIL

## LA FAMILIA

### COGNADOS

| | |
|---|---|
| el esposo (la esposa) | |
| divorciarse (de) | |
| el divorcio | |

### LA FAMILIA NUCLEAR

| | |
|---|---|
| el hermano (la hermana) | brother (sister) |
| el hijo (la hija) | son (daughter) |
| el marido | husband |
| el padre (la madre); los padres | father (mother); parents |
| el pariente (la parienta) | relative |

### LA FAMILIA EXTENSA

| | |
|---|---|
| el abuelo (la abuela) | grandfather (grandmother) |
| el bisabuelo (la bisabuela) | great-grandfather (great-grandmother) |
| el nieto (la nieta) | grandson (granddaughter) |
| el primo (la prima) | cousin |
| el sobrino (la sobrina) | nephew (niece) |
| el tío (la tía) | uncle (aunt) |

### VERBOS

| | |
|---|---|
| casarse (con) | to get married (to) |
| crecer (zc) | to grow, grow up |
| morir (ue) | to die |
| nacer (zc) | to be born |

### OTRAS PALABRAS

| | |
|---|---|
| casado(a) | married |
| joven | young |
| la juventud | youth |
| los mayores, la gente mayor | older people, elders |
| la muerte | death |
| el nacimiento | birth |
| la niñez | childhood |
| unido(a) | close, united |
| el valor | value; valor |
| la vejez | old age |
| viejo(a) | old |

> **¡OJO!**
>
> **la boda, el casamiento** *wedding (celebration, party)* **/ el matrimonio** *matrimony, marriage; married couple*
>
> **estar embarazada** *to be pregnant* **/ estar avergonzado(a)** *to be embarrassed*
>
> **pedir** *to ask for, request (something)* **/ preguntar** *to ask (a question); (with **por**) to inquire about*
>
> **soltero(a)** *single* **/ solo(a)** *alone* **/ solo, solamente** *only* **/ único(a)** *unique; only*

Note that, in Spanish, **el esposo de mi madre** or **la esposa de mi padre** are usually preferred to **el padrastro** *(stepfather)* or **la madrastra** *(stepmother)*.

## PRÁCTICA

**2-2 Antónimos.** Dé el antónimo de la palabra o expresión subrayada.

1. El señor Martínez está <u>divorciado</u>.
2. Para mucha gente la <u>niñez</u> no es la mejor época de la vida.
3. Miguel de Unamuno <u>nació</u> en España.
4. Me voy a <u>divorciar</u>.
5. Nuestro gato es muy <u>viejo</u>.
6. Hay mucha gente <u>soltera</u> aquí.
7. Todo cambió después <u>del nacimiento</u> de su hija.
8. Juan siempre está <u>con mucha gente</u>.
9. ¿Carmen se siente <u>orgullosa</u> después de todo? No creo.
10. No sé nada del <u>casamiento</u> de Juan y Ana.

 **2-3 Hablando de la familia.** Entreviste a un(a) compañero(a) sobre su familia. Después, su compañero(a) lo (la) entrevista a usted. (Puede inventar una familia ficticia si prefiere.) Esté preparado(a) para hacer un comentario sobre la familia de su compañero(a).

1. ¿Viven tus padres? ¿tus abuelos? ¿tus bisabuelos? Si es así *(If so)*, ¿dónde viven?
2. ¿Tienes hermanos o eres hijo(a) único(a)? Si tienes hermanos, ¿cómo se llaman? (Si no tienes hermanos, ¿tienes primos? ¿Cómo se llaman?)
3. ¿Eres padre o madre? Si es así, ¿cuántos hijos tienes? ¿Cómo se llaman? (Si no tienes hijos, ¿tienes sobrinos? ¿Cómo se llaman?)
4. ¿Qué hacen tus hermanos (o primos)? ¿Dónde viven? ¿Están casados?
5. ¿A qué parientes ves a menudo? ¿Dónde?
6. ¿Crees que tu familia es una familia unida o no? ¿Son muy independientes las personas de tu familia? Explica.

# LENGUA VIVA

Jessica Jones es una estudiante
norteamericana que está en Colombia.

Miguel Gutiérrez es un señor mayor
de Bucaramanga, Colombia.

© 2009 Jupiterimages;
© Jose Luis Pelaez Inc/
Blend Images LLC

## Audioviñetas: En el autobús

CD 1,
Track 4

**Conversación 1: Expresiones de respeto y cortesía.** Jessica Jones, una estudiante norteamericana, viaja de Bucaramanga, Colombia, a Bogotá, la capital, en autobús. En el autobús conoce al señor Miguel Gutiérrez.

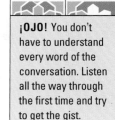

**¡OJO!** You don't have to understand every word of the conversation. Listen all the way through the first time and try to get the gist.

**2-4** Escuche la **Conversación 1.** Describa al señor Gutiérrez. Indique **V** (verdad) o **F** (falso).

El señor Gutiérrez...

\_\_\_\_ **1.** es un joven de unos treinta años.

\_\_\_\_ **2.** tiene una familia grande.

\_\_\_\_ **3.** está divorciado.

**2-5** Escuche la **Conversación 1** otra vez. Escoja la mejor respuesta.

**1.** La familia del señor Gutiérrez es...
   a. grande y unida.       c. de Bogotá.
   b. pequeña pero unida.

**2.** La nieta del señor Gutiérrez...
   a. vive en Cartagena.       c. vive en Canadá.
   b. vive en Bogotá.

**3.** Casi todos los otros familiares del señor Gutiérrez...
   a. están en Bucaramanga.   c. están en Bogotá.
   b. están en Medellín.

**4.** Otra expresión para **No hay de qué** es...
   a. No hay permiso.       c. De nada.
   b. No, gracias.

🔊 **Conversación 2: Despedidas.** Jessica habla de su familia al señor Gutiérrez.

CD 1,
Track 5

**2-6** Escuche la **Conversación 2.** Describa a Jessica. Indique **V** (verdad) o **F** (falso).

Jessica...

_____ **1.** nació en Boston pero creció en Canadá.

_____ **2.** tiene varios hermanos y hermanas.

_____ **3.** quiere casarse con su novio canadiense.

**2-7** Escuche la **Conversación 2** otra vez. Escoja la mejor respuesta.

**1.** El hermano de Jessica tiene quince años y estudia...

    a. en la escuela secundaria.

    b. en la Universidad de Alberta.

    c. en la Universidad de Bogotá.

**2.** Jessica opina que en tiempos pasados las familias norteamericanas eran más...

    a. independientes.

    b. ricas.

    c. grandes.

**3.** Para el señor Gutiérrez, es triste ver a una mujer...

    a. sin dinero.

    b. sin padres.

    c. sin hijos.

**4.** Según el señor Gutiérrez, en sus tiempos todo era diferente y los jóvenes...

    a. no tenían tantos problemas.

    b. no tomaban tanto alcohol.

    c. no eran corteses.

**5.** Al final de la conversación, el señor Gutiérrez le dice a Jessica...

    a. Hasta pronto, si Dios quiere.

    b. Hasta el viernes.

    c. Hasta mañana.

# En otras palabras

## Para expresar respeto y cortesía

In Hispanic society, it is important to show respect for someone considerably older than oneself. The forms **don** and **doña** are used with a first name to indicate respect (**don Miguel, doña Carmen**); they are generally used with people you know well. The words **señor, señora,** and **señorita** are used in direct address to show respect or deference, and the **usted** form is normally used with these titles.

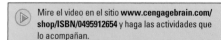

Mire el video en el sitio **www.cengagebrain.com/shop/ISBN/0495912654** y haga las actividades que lo acompañan.

Another very important way to indicate respect is to use polite expressions. Here are a few very common polite expressions useful in interaction with people of all ages:

> **Con permiso.** *(when passing in front of someone, breaking away from a conversation temporarily, eating something in front of someone, and so forth; used when asking someone's permission to do something)*
>
> **Perdón. Perdóneme. Disculpe. Discúlpeme.** *(formal, when you've said or done something for which you are apologizing)*
>
> **¡Salud!** *Cheers! or Gesundheit! (literally, Health!)*
>
> **¡Buen provecho!** *Enjoy your meal!*
>
> **Por favor. Gracias. Mil (Muchas) gracias. De nada. No hay de qué.**

Rafael y Javier están en casa de Javier. A la hora de irse, ¿qué dicen?

## Despedidas

Here are some ways to end a conversation; as you will see, some are more polite, or formal, than others.

**1.** on the street, at school, and so forth

> **Adiós. Hasta luego. Hasta la vista. Hasta la próxima (vez). Hasta mañana (otro día, el viernes, la semana que viene,** etc.).
>
> **¡Chau!** *(used mainly in the Southern Cone of South America)*
>
> **Bueno, nos vemos.** *Well, see you (informal).*
>
> **Feliz fin de semana.**
>
> **Tengo que irme, pero te llamo mañana (la semana que viene,** etc.). (**tú** *form*)
>
> **¡Que le (te) vaya bien!** *(to someone who is leaving)*

**2.** at a party

> **Fue un gusto conocerlo(la). Fue un gusto hablar con usted.** *(formal)*
>
> **Gracias por venir.**
>
> **Con permiso, necesito tomar algo (tengo que ir a preparar el café,** etc.).

# PRÁCTICA

**2-8 Situaciones.** ¿Qué dicen las personas representadas en los siguientes dibujos?

1.

2.

3.

4.

5.

6.

 **2-9 ¿Qué se dice?** Inventen una breve conversación para cada situación.

1. **Estudiante A:** You are racing home because an important football game is starting soon. You see **Estudiante B** on the street. Try to have a short conversation and explain that you don't have time to talk. Excuse yourself politely.

   **Estudiante B:** You see **Estudiante A** on the street and you want to have a chat. (You aren't interested in football.)

2. **Estudiante A:** You are sitting next to **Estudiante B** on the plane. B tells you about himself (herself) and you do the same. The plane arrives. Tell **B** it was a pleasure meeting him or her and end the conversation politely.

   **Estudiante B:** Chat with **Estudiante A** for a while. When the plane lands, wish **A** a pleasant trip and end the conversation.

# GRAMÁTICA Y VOCABULARIO

## The Preterit Tense

The preterit is used for completed past actions, in general. It expresses a past act, state, or series of acts viewed as a completed unit in time.

| | |
|---|---|
| Mi mamá nació y creció en Guatemala. Pero pasó la mayor parte de su vida en El Salvador. | *My mother was born and grew up in Guatemala. But she spent most of her life in El Salvador.* |
| El año pasado mi bisabuelo cumplió ochenta años y tuvimos una gran celebración. | *Last year my great-grandfather was eighty years old (turned eighty) and we had a big celebration.* |

### Regular Verbs

Here are the preterit forms of regular verbs. Notice that the endings for -**er** and -**ir** verbs are the same. Also, notice that the **nosotros** forms of -**ar** and -**ir** verbs are the same in the preterit as in the present.

| hablar | | comer | | vivir | |
|---|---|---|---|---|---|
| hablé | hablamos | comí | comimos | viví | vivimos |
| hablaste | hablasteis | comiste | comisteis | viviste | vivisteis |
| habló | hablaron | comió | comieron | vivió | vivieron |

### Stem-Changing Verbs

1. Stem-changing -**ar** and -**er** verbs in the present are regular in the preterit (**encuentro** but **encontré; pierdes** but **perdiste,** etc.).

2. Stem-changing -**ir** verbs show the following changes in the third-person singular and plural of the preterit. The other forms are regular.

| e to i: pidió, pidieron | o to u: durmió, durmieron |
|---|---|
| prefirió, prefirieron | murió, murieron |
| siguió, siguieron | |
| sintió, sintieron | |
| sirvió, sirvieron | |

## Spelling-Changing Verbs

Some verbs have spelling changes in the preterit.

1. Changes in the first-person singular only (to preserve the sound of the infinitive), for verbs ending in **-gar, -car, -zar:**

   **g** to **gu:** lle**gu**é, pa**gu**é, ju**gu**é
   **c** to **qu:** to**qu**é, bus**qu**é, expli**qu**é
   **z** to **c:** empe**c**é, go**c**é, comen**c**é

2. Changes in the third-person singular and plural (for verbs that have stems ending in vowels):

   a. a **y** is inserted between two vowels

   | leyó, leyeron | creyó, creyeron |
   |---|---|
   | oyó, oyeron | construyó, construyeron |

   b. the stem **e** is dropped, as in the verbs **reír** *(to laugh)* and **sonreír** *(to smile)*

   | rio, rieron | sonrió, sonrieron |
   |---|---|

For other examples of these kinds of verbs, see Appendix E.

## Irregular Verbs

The following verbs are irregular; they all take the same endings, however.

| andar: | anduv | |
|---|---|---|
| estar: | estuv | |
| haber: | hub | -e |
| hacer: | hic | -iste |
| poder: | pud | -o |
| poner: | pus | -imos |
| querer: | quis | -isteis |
| saber: | sup | -ieron |
| tener: | tuv | |
| venir: | vin | |

**Conducir, decir,** and **traer** are also irregular and use the same endings as those above except in the third-person plural:

| | | | |
|---|---|---|---|
| conducir: | conduj | } | -e |
| | | | -iste |
| decir: | dij | | -o |
| | | | -imos |
| traer: | traj | | -isteis |
| | | | -eron |

The irregular form **hay** is from the verb **haber** and becomes **hubo** in the preterit.

| | |
|---|---|
| Hay muchos accidentes en esa calle. | *There are many accidents on that street.* |
| Hubo un accidente grave ayer. | *There was a serious accident yesterday.* |

The third-person singular of **hacer** is **hizo. Ser, ir,** and **dar** are also irregular. Notice that **ser** and **ir** have exactly the same forms in the preterit.

| ser, ir | | dar | |
|---|---|---|---|
| fui | fuimos | di | dimos |
| fuiste | fuisteis | diste | disteis |
| fue | fueron | dio | dieron |

Núria Pompeia

## VOCABULARIO ÚTIL

### LA VIDA Y LA MUERTE

#### LA EDAD

| | |
|---|---|
| anciano(a) | *elderly* |
| cumplir (veinte) años | *to turn (twenty) years old* |
| ¿Qué edad tienes (tiene usted)? | *What is your age?* |
| tener (veinte) años | *to be (twenty) years old* |
| ¿Cuántos años tienes (tiene usted)? | *How old are you?* |

#### LA MUERTE

| | |
|---|---|
| el antepasado (la antepasada) | *ancestor* |
| el cementerio | *cemetery* |
| el entierro | *burial, funeral* |
| la memoria, el recuerdo | *memory* |
| el velorio | *wake, vigil* |
| el viudo (la viuda) | *widower (widow)* |

#### OTRAS PALABRAS

| | |
|---|---|
| llorar | *to cry* |
| reír(se) | *to laugh* |
| rezar | *to pray* |
| el vecino (la vecina) | *neighbor* |

## PRÁCTICA

**2-10 Personajes famosos.** Haga oraciones acerca de los siguientes personajes famosos, usando el pretérito.

> ⚙ **MODELO** Miguel de Cervantes: escribir el *Quijote* y ser pobre toda la vida
> *Miguel de Cervantes escribió el Quijote y fue pobre toda la vida.*

1. Felipe II: construir El Escorial; mandar la Armada Invencible a Gran Bretaña
2. El Greco: nacer en Grecia; morir en Toledo; pintar *Vista de Toledo*
3. Cristóbal Colón: crecer en Italia; ir a las Américas en 1492
4. Hernán Cortés: explorar la costa de México; conocer a doña Marina y casarse con ella
5. Vasco Núñez de Balboa: hacer un viaje a través del istmo de Panamá y descubrir el océano Pacífico

**2-11 De la cuna a la tumba** *(From cradle to grave).* El autor mexicano Octavio Paz observó que mientras el tema de la muerte «quema los labios *(burns the lips)*» del norteamericano, es un tema frecuente entre los hispanoamericanos: ... «[la vida y la muerte] son inseparables. La civilización que niega *(denies)* la muerte niega la vida».

**Paso 1.** Complete las siguientes oraciones, usando los verbos entre paréntesis en el pretérito. Después, conteste las preguntas.

Cuando (1) _____ (morir) don Esteban, padre de mi mejor amiga,
(2) _____ (ir/nosotros) a su casa por la noche para asistir al velorio.
(3) _____ (tener/yo) que ayudar a mi amiga a servirles café y dulces a los amigos. Todos (4) _____ (hablar/ellos) y (5) _____ (recordar) bien a don Esteban pues (6) «_____ (ser/él) un hombre que jamás (7) _____ (hacer) mal a nadie». Al amanecer *(At dawn),* la gente (8) _____ (empezar) a irse. Al día siguiente, los amigos (9) _____ (volver) a reunirse para ir al cementerio. El día después del entierro, (10) _____ (comenzar) el novenario. Durante nueve noches nos reunimos en casa de doña Esperanza, la viuda, y (11) _____ (rezar) por el alma *(soul)* de su marido. Al noveno día, fin del novenario, (12) _____ (hacer/nosotros) una gran cena y (13) _____ (venir) vecinos y amigos. Algunos (14) _____ (traer) a sus hijos, a quienes, como es costumbre en los novenarios, doña Esperanza les (15) _____ (dar) dulces y caramelos. Ayer (16) _____ (ser) dos de noviembre. Yo (17) _____ (ir) con mi familia a visitar a una tía que había pasado a mejor vida *(who had "gone to a better life")* y allí (18) _____ (ver/nosotros) a doña Esperanza y su familia. Ellos, como nosotros, (19) _____ (llegar) al cementerio muy temprano, (20) _____ (llevar) flores para sus muertos y (21) _____ (estar) allí todo el día. Después, (22) _____ (volver) a sus casas contentos y consolados *(consoled).*

**Paso 2.** Conteste las preguntas.

1. ¿Qué pasa durante un velorio?
2. ¿Qué es un novenario?
3. ¿Qué hace mucha gente hispana el 2 de noviembre?
4. ¿Qué piensa usted de la observación de Octavio Paz que la civilización que niega la muerte niega la vida?

**2-12 Descripción de una vida.** Trabaje con un(a) compañero(a). Descríbale la vida de una persona que conoce o de una persona famosa (consultando la Internet o algún libro de referencia si es necesario). Use el tiempo pretérito.

**MODELOS** *Mi abuela Elizabeth nació en Ohio. Se casó con mi abuelo en 1959. Fue pintora...*

*El actor Martin Sheen nació en 1940 como Ramón Estévez. Hizo* Apocalypse Now *en 1979. Tuvo cuatro hijos, entre ellos Charlie Sheen y Emilio Estévez. En el año 2000 ganó el premio Golden Globe al mejor actor para la serie de televisión* The West Wing. *En 2008 hizo* The Way . . .

**2-13 ¿Qué hiciste ayer?** Entreviste a un(a) compañero(a). Averigüe *(Find out)* por lo menos cinco cosas que hizo ayer. Después su compañero(a) lo (la) entrevista a usted.

## The Imperfect Tense

### Formation of the Imperfect

To form the imperfect of regular verbs, drop -**ar, -er, -ir** from the infinitive and add the following endings.

**¡OJO!** Notice that the irregular form **hay** (from the verb **haber**) is regular in the imperfect: **Había muchos jóvenes en la fiesta.**

| hablar | | comer | | vivir | |
|---|---|---|---|---|---|
| hablaba | hablábamos | comía | comíamos | vivía | vivíamos |
| hablabas | hablabais | comías | comíais | vivías | vivíais |
| hablaba | hablaban | comía | comían | vivía | vivían |

There are only three irregular verbs in the imperfect: **ser, ir,** and **ver.**

| ser | | ir | | ver | |
|---|---|---|---|---|---|
| era | éramos | iba | íbamos | veía | veíamos |
| eras | erais | ibas | ibais | veías | veíais |
| era | eran | iba | iban | veía | veían |

### Uses of the Imperfect

The imperfect emphasizes duration of time in the past. It is used:

- to describe a state of events that existed for some time in the past or for actions that occurred repeatedly (habitual past actions)

  Mi papá y mi abuelo siempre me decían que la vida era dura.

  *My father and grandfather always told me that life was hard.*

- to tell that something *used to happen* or *was happening* (even though the action may have ended later)

  Íbamos a la casa de mis primos todos los veranos.

  *We would (used to) go to my cousins' house every summer.*

- to describe mental or emotional states, including plans or intentions

  Isabel estaba contenta porque su tía Maribel iba a visitarlos.

  *Isabel was happy because her Aunt Maribel was going to visit them.*

- to describe what was going on when another action occurred (The latter action is usually in the preterit.)

| | |
|---|---|
| Tomaba una siesta cuando llegó tío Jorge. | *I was taking a nap when Uncle Jorge arrived.* |

- to tell time in the past or the age of a person

| | |
|---|---|
| Eran las nueve de la mañana cuando me dieron la noticia del nacimiento de mi hija. | *It was nine o'clock in the morning when they gave me the news of my daughter's birth.* |
| Paula, tenías dieciocho años cuando te conocí, ¿no? | *Paula, you were eighteen years old when I met you, right?* |

Expressions often used with the imperfect include: **siempre**, **todos los días** (**todos los meses**, etc.), **frecuentemente**, and **a menudo.**

## PRÁCTICA

**2-14 «Hija, esposa, madre y abuela».** Mire los siguientes dibujos humorísticos, de la revista *Vanidades*\* y conteste las preguntas.

© Mary Grosso

1. En general, ¿trabajaban las mujeres de ayer fuera de la casa?
2. ¿Compraban comida preparada o cocinaban?
3. Después de ir a la escuela, ¿adónde iban los niños?
4. ¿Jugaban Nintendo los niños? ¿Veían muchos programas de televisión? ¿Pasaban más tiempo afuera?
5. ¿Cómo eran las abuelas? ¿Qué hacían?

---

\*Elizabeth Subercaseaux, «Hija, esposa, madre y abuela», *Vanidades*, 24 de mayo de 1994, páginas 76–77. Dibujo por Marcy Grosso.

**2-15 ¿Qué hacías en tu niñez?**

**Paso 1.** Entreviste a un(a) compañero(a) leyéndole en voz alta *(out loud)* las preguntas de la columna A. Turnándose, su compañero(a) lo (la) entrevista a usted leyéndole, en voz alta, las preguntas de la columna B. Tome apuntes *(notes)*.

> ⚙ **MODELO** A: *En tu niñez, ¿con quiénes jugabas? ¿Con tus primos? ¿con los otros niños que vivían cerca? ¿Dónde jugaban generalmente?*
> B: *No tengo primos. En mi niñez, jugaba mucho con mi hermana Lisa. Jugábamos en el parque.*

| A | B |
|---|---|
| **1.** En tu niñez, ¿con quiénes jugabas? ¿Con tus primos? ¿con los otros niños que vivían cerca? ¿Dónde jugaban generalmente? | **1.** ¿Vivías en un pueblo o en una ciudad? ¿Cómo se llamaba el lugar? ¿Te gustaba? |
| **2.** ¿A qué parientes considerabas interesantes o importantes? ¿Por qué? ¿Cuántos años tenían? | **2.** ¿Tenías contacto con personas muy mayores? ¿Qué pensabas de ellas? |
| **3.** ¿Qué edad tenías cuando saliste por primera vez con un(a) muchacho(a)? ¿Adónde fueron? ¿Al cine? ¿a un restaurante? ¿a un baile? | **3.** ¿Adónde ibas generalmente los sábados por la tarde cuando tenías diez u once años? ¿Con quiénes? ¿Qué hacían allí? |
| **4.** ¿Tenías un perro o un gato? ¿Cómo se llamaba? ¿Cómo era? | **4.** ¿Te gustaba ir a la escuela? ¿Cómo se llamaba tu maestro(a) favorito(a)? ¿Cómo era? |

**Paso 2.** Escriba un breve resumen sobre estos aspectos del pasado de su compañero(a).

> ⚙ **MODELO** *Amy no tiene primos. Cuando era niña jugaba mucho con su hermana Lisa en el parque...*

# Preterit versus Imperfect

## Contrast between the Preterit and the Imperfect

**1.** The choice between the preterit and the imperfect may depend upon how the speaker or writer views a situation. If he or she is focusing on just the beginning or end of an action or sees it as definitely completed, the preterit is used. But to emphasize its duration, the imperfect is used. Compare:

José llamó a Juana y empezó a decirle algo.

*José called Juana and began to tell her something. (beginning of an action that is viewed as completed)*

José llamó a Juana y, cuando
entré, empezaba a
decirle algo.

José called Juana and, when I came in,
was beginning to tell her something.
(incomplete action; something else is
going to happen)

2. In general, the preterit is used to narrate and the imperfect to describe. Often when telling a story, the speaker or writer sets the stage with the imperfect, describing what was going on, then switches to the preterit to relate the action. For example:

> **Había** mucha gente en la fiesta. Gustavo y sus amigos **estaban** contentos. **Bailaban** y **tomaban** cerveza. De repente *(Suddenly),* **se abrió** la puerta y **entraron** los padres de Gustavo, furiosos.

Even though two of the first four verbs are action verbs, they are all in the imperfect because the intention of the writer is obviously to describe the scene. Why are the last two verbs in the preterit?

3. The imperfect is always used to tell time or the age of a person in the past (and usually to express emotional or mental states), since these are description, not narration of action:

Eran las tres en punto cuando
salimos.

It was exactly three o'clock when
we left.

Abuelita tenía veinte años
cuando se casó.

Grandma was twenty when she
got married.

Marta salía con José pero
realmente quería a Adolfo.

Marta was dating José but really
loved Adolfo.

4. To express a repeated or habitual action in the past, the imperfect is generally used.

Visitábamos a mis abuelos
todos los veranos.

We visited my grandparents every
summer.

5. However, when there is a reference to a specific number of times, the preterit is used since it is clear that the action is completed. Compare:

Cuando vivía cerca de Santiago,
iba al centro (todos los días,
mucho).

When I was living near Santiago,
I used to go downtown (every day,
a lot).

Cuando vivía cerca de Santiago,
solo fui al centro tres veces.

When I lived near Santiago, I only
went downtown three times.

> ¡**OJO!** It is possible, however, to use the preterit in the first example if the repeated action is considered complete: ¿**Fuiste al centro el mes pasado?** —**Sí, fui al centro muchas veces.**

## Verbs with Different Meanings in the Preterit and Imperfect

Some verbs have distinct differences in meaning depending upon whether they are used in the preterit or imperfect. The meaning intended determines which of the two tenses must be used.

| Verb | Imperfect | Preterit |
|------|-----------|----------|
| conocer | *to know, be acquainted with*<br>Conocíamos a la familia Toruño. | *to meet for the first time*<br>Conocimos a la familia Toruño (el mes pasado). |
| saber | *to know*<br>Sabía que mi esposa estaba embarazada. ¡Era obvio! | *to find out*<br>Ayer supe que mi esposa estaba embarazada. ¡Qué alegría! |
| querer | *to want*<br>Querían adoptar un niño. | *to try*<br>Quisieron adoptar un niño. |
| no querer | *not to want*<br>No querían adoptar un niño. | *to refuse*<br>No quisieron adoptar al niño. |
| poder | *to be able*<br>Cuando era joven, tío Pepe podía correr cuatro kilómetros sin problemas. | *to manage or succeed in*<br>Después de mucha práctica, tío Pepe pudo correr cuatro kilómetros. |
| no poder | *to not be able*<br>El año pasado tío Pepe no podía correr cuatro kilómetros. | *to try and fail*<br>El pobre tío Pepe no pudo correr cuatro kilómetros. |

**¡OJO!** Notice that in the examples the preterit refers to a specific, limited time in the past, while the imperfect refers to a general time frame in the past.

## PRÁCTICA

**2-16 Una abuela cuenta la historia de su vida.** Escoja el pretérito o el imperfecto de los verbos.

Soy Victoria González, del Paraguay, y tengo noventa y cinco años. Mi niñez fue muy triste. Mi mamá (1) murió / moría cuando yo (2) tuve / tenía unos cuatro años, y mi hermano y yo (3) fuimos / íbamos a vivir con una amiga de ella. (4) Fuimos / Éramos muy pobres. (5) Supimos / Sabíamos que (6) hubo / había una escuela cerca de la casa, pero no (7) podíamos / pudimos ir porque (8) tuvimos / teníamos que trabajar. Cuando yo (9) tuve / tenía unos once o doce años (10) trabajé / trabajaba por tres años en casa de unos señores ricos. Allí me (11) trataron / trataban muy mal. Recuerdo que todas las noches lloraba y pedía consuelo a Dios. Un día (12) conocí / conocía a José, un joven alegre y muy bueno. (13) Decidí / Decidía dejar la casa donde (14) viví / vivía

y me (15) escapé / escapaba con él. (16) Vivimos / Vivíamos diez años juntos.
(17) Tuvimos / Teníamos tres hijos. Esos (18) fueron / eran los años más felices
de mi vida.

**2-17 Recuerdo de la niñez.** Complete el siguiente párrafo con las formas
apropiadas del pretérito o del imperfecto.

Cuando yo (1) _____ (ser) pequeña, frecuentemente (2) _____ (pasar)
los fines de semana con mis abuelos. Generalmente los domingos nosotros
(3) _____ (ir) a una plaza y allí ellos siempre me (4) _____ (contar) historias
acerca de su juventud. Un día mi abuela me (5) _____ (decir) que ellos
prácticamente (6) _____ (crecer) juntos, porque sus padres (7) _____ (ser)
vecinos y amigos. Ella solo (8) _____ (tener) dieciocho años cuando se
(9) _____ (casar), pero ya (10) _____ (saber) cocinar muy bien. Me
(11) _____ (explicar) que en aquellos días muy pocas mujeres (12) _____ (ir)
a la universidad o (13) _____ (trabajar) fuera de casa. Las mujeres casi no (14)
_____ (salir) excepto para ir al mercado o a la iglesia. Yo (15) _____ (nacer)
cincuenta años más tarde, y eso fue una suerte.

**2-18 Sor Juana.** Cambie al pasado el siguiente párrafo sobre la vida de la poeta de
la Nueva España (hoy México), Sor Juana Inés de la Cruz. (Cambie solamente los
verbos en negrilla [*in bold*].)

Sor Juana Inés de la Cruz, la gran poeta mexicana, (1) **nace** en 1651 cerca de
la Ciudad de México. (2) **Es** hija natural *(illegitimate)* de padres españoles.
(3) **Aprende** a leer a los tres años. A los siete años (4) **quiere** *(she wanted)* ir a la
universidad vestida de muchacho porque las muchachas no (5) **pueden** entrar,
pero su mamá no le (6) **da** permiso y no (7) **puede** hacerlo. Poco después (8) **va**
a la capital a vivir con unos parientes y a los catorce años estos la (9) **hacen** dama
de compañía *(lady in waiting)* en la corte del virrey *(viceroy's court)*. En esa época,
las mujeres (10) **tienen** dos opciones: casarse o entrar en el convento. Aunque
(11) **es** brillante, hermosa y muy popular por su personalidad carismática, Juana
(12) **decide** dejar la vida social y entrar en un convento. Allí (13) **escribe** prosa y
poesía, y su fama de intelectual (14) **crece** por el mundo entero. Cuando el obispo
*(bishop)* de Puebla la (15) **critica** porque (16) **pasa** mucho tiempo estudiando
y escribiendo, Sor Juana (17) **escribe** una brillante defensa del derecho *(right)*
de la mujer a participar en actividades intelectuales y culturales. Sin embargo
*(However),* pocos años antes de su muerte Sor Juana (18) **tiene** una profunda
crisis espiritual. Entonces (19) **abandona** sus estudios, (20) **vende** su biblioteca de
cuatro mil libros y (21) **empieza** a dedicarse a los estudios religiosos. (22) **Muere**
en 1695 durante una epidemia, pero sus obras siguen viviendo y proclamando su
imaginación, su valentía *(courage)* y su brillantez.

Busque «Sor Juana Inés de
la Cruz» para ver ejemplos
de su poesía.

Cuando Joaquín cumplió ochenta años, salió a comer con sus hijos; después, cuando llegó a casa, unos cien amigos y familiares lo esperaban allí. ¡Qué sorpresa!

**2-19 Buenas intenciones.** Muchas veces tenemos la buena intención de hacer algo que al final no hacemos; por ejemplo, ayudar a un(a) amigo(a), estudiar para un examen o terminar algún trabajo. ¿Tenía usted la semana pasada la intención de hacer algo que al final no hizo? ¿Qué? ¿Por qué no lo hizo?

⚙ **MODELOS** *Pensaba llamar a mi abuela, pero no llevaba mi teléfono celular. Quería empezar un programa de karate, pero perdí la información sobre las clases.*

 **2-20 Cuéntame, amigo(a)...** Cuéntele a un(a) compañero(a):

1. algo bueno o valiente o inteligente que hizo alguna vez, o
2. algo muy tonto que hizo alguna vez, o
3. algo muy arriesgado *(risky)* o peligroso que hizo alguna vez

Después, su compañero(a) le va a hacer dos o tres preguntas; por ejemplo: ¿Qué edad tenías cuando pasó eso? ¿Supieron tus padres (profesores) que lo hiciste?

## *Hacer* + Time Expressions

**1.** To indicate that an action began in the past and continues into the present, use:

---

**hace** + time period + **que** + clause in present tense

or

clause in present tense + (**desde**) **hace** + time period

---

| | |
|---|---|
| Hace muchos años que viven en Lima. <br> Viven en Lima desde hace muchos años. | *They have been living in Lima for many years (they still are).* |
| Hace seis meses que no como carne. <br> No como carne desde hace seis meses. | *I haven't eaten meat for six months (and do not eat meat now).* |

**¡OJO!** The verb is in the present tense in Spanish because the situation is viewed as current (they are still living in Lima, I still do not eat meat).

**2.** To ask how long an action or situation has (had) been going on, use:

---

**¿Cuánto tiempo hace que (no)...?**

or

**¿Hace mucho tiempo que (no)...?**

---

| | |
|---|---|
| ¿Cuánto tiempo hace que está casado? | *How long has he been married?* |
| ¿Hace mucho tiempo (unos años) que está casado? | *Has he been married for a long time (for a few years)?* |
| ¿Cuánto tiempo hace que no trabajas? | *How long have you not been working?* |

**3. Hace** can also mean *ago* when the main verb is in the past tense.

| | |
|---|---|
| Mi sobrino nació hace tres meses. <br> Hace tres meses que nació mi sobrino. } | *My nephew was born three months ago.* |
| ¿Cuánto tiempo hace que se divorciaron? | *How long ago did they get divorced?* |

## PRÁCTICA

 **2-21 Entrevista.** Entreviste a un(a) compañero(a). Averigüe *(Find out)* cuánto tiempo hace que su compañero(a) hace las siguientes cosas. Siga el modelo.

⚙ **MODELO** saber usar una computadora
A: *¿Cuánto tiempo hace que sabes usar una computadora?*
B: *Hace unos quince años que sé usar una computadora.*

**1.** conocer a su mejor amigo(a)
**2.** vivir en esta ciudad
**3.** manejar un automóvil
**4.** saber hablar español
**5.** asistir a la universidad

 **2-22 Hace mucho que no...** Trabaje con un(a) compañero(a). Averigüe varias cosas que su compañero(a) no hace desde hace mucho tiempo. Use la imaginación.

⚙ **MODELOS** A: *¿Patinas sobre hielo?*
B: *Sí, hace una semana patiné sobre hielo.*
A: *¿Hablas a menudo con tu abuelo?*
B: *No, hace mucho tiempo que no hablo con mi abuelo.*

**Ideas:** jugar al Wii con tu hermano(a) o primo(a), sacar fotos de tu familia, ver a tus tíos, ir a una reunión familiar (a una boda, a un entierro), visitar a tus abuelos, bailar, ver una película con tu familia...

# EN CONTACTO

## ▷ Videocultura: Tres generaciones de una familia ecuatoriana

La familia Cruz Barahona vive y trabaja en la Hostería San Jorge, cerca de Quito, Ecuador. Mire el video y conteste esta pregunta: ¿Por qué funciona bien esta hostería?

**Vocabulario:** dedicarse a *to dedicate oneself to, do for a living*; en vivo *live (e.g., a performance)*; la hostería *resort hotel, inn*; marcado(a) *noticeable*; ser partícipe en *to take part in, be partners in*

> **You Tube** Busque «negocios familiares». ¿Qué productos o servicios son presentados?

© Heinle, Cengage Learning

**2-23 Comprensión.** Conteste las siguientes preguntas después de ver el video.

1. ¿Quién es Jorge Cruz Barahona?
2. ¿Cómo participa su esposa en la hostería?
3. ¿Qué trabajo le corresponde a su padre? ¿a su madre?
4. ¿Qué diferencias piensa Jorge que hay entre las familias ecuatorianas y las familias norteamericanas?

 **2-24 Puntos de vista.** Compare sus opiniones con las de dos o tres compañeros(as).

1. ¿Está usted de acuerdo con las observaciones de Jorge sobre la familia norteamericana? Explique.
2. ¿A usted le gustaría pasar una semana en esta hostería? ¿Por qué sí o por qué no?

**3.** ¿Conoce usted a alguien que participe en un negocio *(business)* familiar? Si es así, ¿cómo funciona?

**4.** ¿A usted le gustaría tener un negocio con su familia? ¿Por qué sí o por qué no?

## Síntesis

**2-25 Familias famosas.** Trabaje con dos o tres compañeros. Su profesor(a) les va a dar (¡en secreto!) el nombre, una foto o una página de Internet de una familia famosa. Los otros estudiantes de la clase deben adivinar *(guess)* cuál es la familia, haciendo preguntas que puedan contestarse con sí o no.

> ⚙ **MODELO** *¿Es grande la familia? ¿Es de Estados Unidos?*
> *¿Trabajan juntos los miembros de la familia?*

**2-26 Mentiras inocentes.** Trabaje con varios compañeros. Cada persona debe escribir cuatro afirmaciones *(statements)*; tres son verdaderas y una es una mentirita *(small or harmless lie)*. Escriba sobre su pasado: cosas que usted o su familia hicieron o que hacían ayer, la semana pasada, hace un año... Los otros compañeros tratan de adivinar la mentira. Mencione algunos parientes o celebraciones familiares.

> ⚙ **MODELO** *Nací en Tokio. Mi hermano se casó con una española*
> *hace dos años y celebramos la boda en Granada. El semestre*
> *pasado hablaba con mi abuela por teléfono todos los días.*
> *Fui a África con mis padres el verano pasado.*

**2-27 Celebración familiar.** Descríbale a un(a) compañero(a) una celebración o reunión familiar (por ejemplo, una boda, un aniversario o una cena). Puede hablar de su familia o de una familia que usted conoce. Incluya las respuestas a las siguientes preguntas:

**1.** ¿Qué celebraron o por qué se reunieron?

**2.** ¿Dónde estaban?

**3.** ¿Quiénes fueron o asistieron?

**4.** ¿Qué hicieron? ¿Bailaron? ¿Sacaron fotos? ¿Comieron alguna comida especial?

**5.** ¿Estaban contentos todos?

**6.** ¿Ocurrió algo extraño? ¿bueno? ¿malo? ¿Qué pasó?

> Google  Busque «tarjetas virtuales» para ver tarjetas en español para celebraciones familiares, como bodas, cumpleaños o bautismos.

# Composición

## Una foto familiar

Busque una fotografía de una escena de familia, de la suya *(yours)* si es posible. Va a escribir un párrafo sobre la foto. Podría usar algunas de sus respuestas a las actividades 2-3 y 2-27. Utilice las listas de vocabulario de este capítulo y siga estas instrucciones:

1. Escriba una oración que describa la escena. Si lo prefiere, ¡invente los contextos! ¿Dónde estaban las personas de la foto? ¿Quiénes son? (Si no es su foto, use la imaginación.)

2. ¿Cuándo ocurrió la escena? Por ejemplo, ¿en qué día? ¿Qué pasaba ese día?

3. ¿Qué cosas veían esas personas que no se pueden ver en la foto? ¿Qué escuchaban?

4. ¿Quién sacó la foto?

5. Escriba una oración final. Si usted está en la foto o sacó la foto, ¿cómo se sentía ese día? ¿Estaba contento(a)? ¿aburrido(a)? Si no es su foto, use la imaginación para describir cómo se sentían las personas que se ven.

**Opción:** Hay sitios en Internet donde puede subir *(upload)* la foto y compartir la composición con la clase. Otra posibilidad: describa un video corto. Puede ser un video que usted encontró en Internet o que hizo con el teléfono celular o una videocámara.

**3-16 Reunión de amigos.** Conozca a sus compañeros de clase.

1. Haga una pregunta que se pueda contestar con un adjetivo o con una descripción y escríbala en una tarjeta. (Por ejemplo, **¿Cómo es tu compañero de cuarto?** o **¿Cómo era la última película que viste?**)

2. Levántese y hágale la pregunta a un(a) compañero(a). Su compañero(a) le hace una pregunta a usted. Intercambien las tarjetas.

3. Busque a un(a) nuevo(a) compañero(a) y hágale la pregunta que recibió de su primer(a) compañero(a).

4. Haga y conteste por lo menos seis preguntas. ¿Cuál es la pregunta más interesante de todas?

# Ser and Estar

## Ser versus Estar

**Ser** is used:

1. to link the subject to a noun

   Yo soy mexicano (pintor, demócrata, un amigo de Enrique).

   *I am Mexican (a painter, a Democrat, a friend of Enrique).*

   Remember that if the noun is unmodified and indicates a religion, occupation, nationality, or political affiliation, the indefinite article is omitted, as discussed in Chapter 1, page 19.

2. with **de** to indicate origin

   ¿De dónde era Simón Bolívar? —Era de Venezuela.

   *Where was Simón Bolívar from? —He was from Venezuela.*

   Esta tarjeta postal es de Puerto Rico.

   *This postcard is from Puerto Rico.*

3. with **de** to tell what something is made of

   ¿Son de maíz estas tortillas?

   *Are these tortillas (made of) corn?*

   Este reloj es de plata.

   *This watch is (made of) silver.*

4. with **de** to indicate possession

   El coche nuevo es de mi jefe.

   *The new car is my boss's.*

5. to express time of day or date of the month

   ¿Son las dos? —No, es la una y media.

   *Is it two o'clock? —No, it's one-thirty.*

   ¿Qué fecha es hoy? —Es el primero de diciembre.

   *What is the date today? —It's December 1.*

**¡OJO!** For a review of how to tell time in Spanish, see Appendix B.

**6.** to indicate where an event takes place

| | |
|---|---|
| La boda fue en la catedral de Guadalupe. | *The wedding was in the Cathedral of Guadalupe.* |
| La fiesta será en casa de Ana. | *The party will be at Ana's house.* |

**Estar** is used:

**1.** to express location or position of people, places, or objects (but not of events)

| | |
|---|---|
| Mis padres están en Honduras. | *My parents are in Honduras.* |
| Cuzco, la antigua capital inca, está en Perú. | *Cuzco, the former Inca capital, is in Peru.* |
| ¿En qué calle está el Teatro Colón? | *What street is Colón Theater on?* |

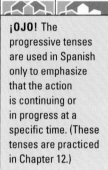

**¡OJO!** Most weather expressions use **hacer**; many of them are reviewed in Chapter 9.

**2.** with certain weather expressions

| | |
|---|---|
| Está nublado (claro). | *It's cloudy (clear).* |

**3.** with a present participle (**-ando** or **-iendo**) to form the progressive tenses

| | |
|---|---|
| ¿Qué estás leyendo, Ricardo? | *What are you reading, Ricardo?* |
| A pesar de la economía, estamos saliendo adelante. | *In spite of the economy, we are managing (moving ahead).* |

**¡OJO!** The progressive tenses are used in Spanish only to emphasize that the action is continuing or in progress at a specific time. (These tenses are practiced in Chapter 12.)

## Ser and Estar with Adjectives

**1.** **Ser** is used with an adjective to express a quality considered to be normal or characteristic of the subject.

| | |
|---|---|
| ¿Cómo es mi abuelo? —Es amable y trabajador. | *What's my grandfather like? —He's kind and hardworking.* |
| El agua de este río es fría. | *The water in this river is (usually) cold.* |
| Mi jefa es muy simpática. | *My boss is very nice.* |

**2.** **Estar** is used with an adjective to express the state or condition that the subject is in.

| | |
|---|---|
| ¿Cómo está mi abuelo? —Está deprimido. No puede adaptarse a este clima. | *How's my grandfather? —He's depressed. He can't adapt to this climate.* |
| ¡Uy! El agua del baño está fría. | *Wow! The bathwater is cold (now).* |
| Mi jefa está enferma. | *My boss is sick.* |

**3.** Often the use of **estar** emphasizes that the state or condition is different from the normal or expected. So it sometimes means *to have become* or *to look, appear, feel,* or *taste,* and frequently implies an emotional reaction. Compare:

| | |
|---|---|
| Tu hijo es alto. | *Your son is tall.* |
| ¡Qué alto está tu hijo! | *How tall your son is (looks, has become)!* |
| El guacamole es delicioso. | *Guacamole is delicious (in general).* |
| ¡Felicitaciones! Este guacamole está delicioso. | *Congratulations! This guacamole is (tastes) delicious.* |

4. Some adjectives have one meaning when used with **ser** and another when used with **estar**.

| | Con ser | Con estar |
|---|---|---|
| aburrido(a) | *boring* | *bored* |
| despierto(a) | *bright, alert* | *awake* |
| divertido(a) | *amusing* | *amused* |
| listo(a) | *smart, clever* | *ready* |
| loco(a) | *silly, crazy (by nature)* | *insane, crazy (by illness)* |
| malo(a) | *bad, evil* | *sick, in poor health* |
| nuevo(a) | *newly made, brand new* | *unused, like new* |
| verde | *green (color)* | *green (unripe)* |

## PRÁCTICA

**3-17 «Sin fronteras» en Canadá.** «Sin fronteras» es un programa de radio en español que se transmite desde Edmonton, Canadá. Escoja el verbo correcto para cada oración.

«Sin fronteras» (1. es / está) un programa en español que Ingrid de la Barra y Sergio Muñoz comenzaron para transmitirle a la comunidad de habla hispana música, noticias y comentarios relacionados con su cultura. El programa no (2. es / está) nuevo, pero tiene un nuevo nombre. Al principio, el nombre del programa (3. era / estaba) «Onda hispánica», pero lo cambiaron a «Sin fronteras» para representar una idea importante: los latinos de diferentes países están unidos por sus tradiciones, música e historia. Dice Ingrid: «Mi marido y yo (4. somos / estamos) chilenos, pero junto con nosotros participa un equipo de latinoamericanos muy dedicados. Ellos (5. son / están) de Argentina, Chile, Colombia, El Salvador y Venezuela. Todos (6. son / están) voluntarios, y no reciben pago *(pay)*. Sin embargo, todos los sábados por la tarde llegan a nuestra casa para grabar *(record)* y (7. son / están) allí hasta las 10:00 u 11:00 de la noche. Al terminar, (8. somos / estamos) bien cansados, pero felices, porque es un trabajo muy útil y al mismo tiempo creativo».

Provided by Ingrid de la Barra

**¡OJO!** Desde 1999, es posible escuchar «Sin fronteras» en un sitio Web durante toda la semana, algo muy útil para los estudiantes de español.

### 3-18 Punto de vista hispano.

**Paso 1.** El siguiente mapa, basado en un mapa de un libro de texto puertorriqueño, muestra la historia de Estados Unidos desde una perspectiva hispana. Complete el párrafo con las formas apropiadas de **ser** o **estar.** Use el tiempo presente.

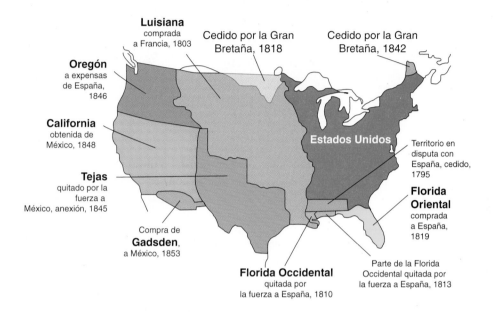

**Luisiana**
comprada
a Francia, 1803

Cedido por la Gran
Bretaña, 1818

Cedido por la Gran
Bretaña, 1842

**Oregón**
a expensas
de España,
1846

**California**
obtenida de
México, 1848

**Estados Unidos**

Territorio en
disputa con
España, cedido,
1795

**Tejas**
quitado por la
fuerza a
México, anexión, 1845

**Florida
Oriental**
comprada
a España,
1819

Compra de
**Gadsden**,
a México, 1853

Parte de la Florida
Occidental quitada por
la fuerza a España, 1813

**Florida Occidental**
quitada por
la fuerza a España, 1810

Vamos a imaginarnos que (1) ___es___ el año 1802. James Monroe y Robert Livingston, representantes del presidente Jefferson, (2) ___están___ en París; (3) ___Están___ negociando la compra de Luisiana de Francia. Los territorios de Texas y California (4) ___Son___ inmensos y en este momento (5) ___están___ en manos de los españoles. Los estados actuales *(present)* de Nevada, Arizona y Utah (6) ___están___ en el territorio de California. El territorio de Oregón incluye Idaho y Washington; España (7) ___es___ uno de los países que lo ocupan (también hay rusos e ingleses en esa región). Pronto empezará una guerra de independencia entre España y sus colonias americanas; Texas y California pasarán a (8) ___ser___ territorios de México.

**Paso 2.** Preguntas.

1. ¿De qué país compró Estados Unidos Luisiana?
2. Según el mapa, ¿cuándo obtuvo Estados Unidos el territorio de Florida Occidental? ¿de Texas?
3. ¿En qué territorio estaba el estado actual de Utah? ¿de Idaho?
4. En su opinión, ¿qué trataban de mostrar los autores del texto?

© Mary McVey Gill

En general, Carlos es una persona alegre y paciente.

© Alana Budak

Pero ahora está cansado y frustrado... ¡otro problema con el coche!

**3-19 Entrevista.** Use las siguientes ideas para entrevistar a un(a) compañero(a) y conocerlo(la) mejor. Hagan y contesten preguntas con **ser** o **estar**, según el contexto.

⚙ **MODELOS** enojado(a) con alguien ahora
A: *¿Estás enojado con alguien ahora?*
B: *No, no estoy enojado con nadie.*

una persona divertida, en general
A: *¿Eres una persona divertida?*
B: *Sí, soy una persona divertida.*

1. listo(a) para trabajar ahora
2. una persona paciente o impaciente
3. alegre hoy (¿deprimido[a]?) (¿por qué?)
4. generoso(a), en general
5. cansado(a) ahora (¿por qué?)
6. un(a) estudiante típico(a) o único(a) (¿en qué sentido?)
7. nervioso(a) a veces (¿cuándo?)
8. de buen (mal) humor ahora (¿por qué?)

**3-20 ¡Qué pesado(a)!** Trabaje con un(a) compañero(a). Descríbale a su compañero(a) a una persona que a usted no le gusta para nada. ¿Quién es? ¿Cómo es? ¿Qué está haciendo ahora, probablemente?

**Vocabulario coloquial:** pesado *boring, dull;* fatal *awful;* no estar en nada *to be out of it;* un nerdo *nerd;* creerse el (la) muy muy *to think he's (she's) hot stuff;* ser un cero a la izquierda *to be a jerk, a real zero*

# CAPÍTULO 4

# Amor y amistad

## METAS

En este capítulo vamos a aprender a…

- ▸ hacer, aceptar o rehusar *(decline)* una invitación
- ▸ hablar de amigos, novios, reuniones y citas
- ▸ expresar intenciones o planes futuros
- ▸ comparar personas, lugares y cosas

© eStock Photo/Alamy

«Son ricos los que tienen amigos». —proverbio

### LENGUA VIVA
Invitaciones

### GRAMÁTICA
El tiempo futuro
El condicional
Comparaciones
El superlativo

### VOCABULARIO
Amor y amistad
Características personales

 ### LECTURAS
«Los altibajos de la vida humana»
«Primer e-mail» de Lucía Scosceria
«El contrato nupcial» de Aleida

# Presentación del tema

## Nuevas tendencias y viejas costumbres

Como en otras partes del mundo, hay cambios recientes en las relaciones humanas —el amor y la amistad— en el mundo hispano. Hay más igualdad entre los sexos que en tiempos pasados. Muchas mujeres trabajan en una variedad de profesiones, aunque las profesiones tradicionalmente femeninas tienen menos prestigio y pagan *(pay)* peor. En un sondeo reciente de jóvenes de España, el 81 por ciento dijo que acepta a los amigos homosexuales cercanos y el 76 por ciento apoya el matrimonio entre homosexuales (legalizado en España en 2005).* También,

como en otros lugares, mucha gente se comunica por redes sociales como Facebook o MySpace: se puede hacer amistades, buscar pareja, hacer citas o compartir pasatiempos o intereses por Internet. Sin embargo, los jóvenes siguen saliendo en grupos, chicos y chicas juntas, en la misma clase de «red social» de antes. Sigue la costumbre de la tertulia, una reunión de amigos en un lugar determinado a una hora determinada. Y los cafés son instituciones sagradas *(sacred)*: parece que siempre hay tiempo para «tomar un cafecito» con un amigo.

© Anna Pérez

You Tube Busque «amor y amistad» para ver videos musicales sobre este tema.

### 4-1 Preguntas.

1. ¿Existe una total igualdad profesional entre hombres y mujeres ahora en España y Latinoamérica? ¿en Estados Unidos o Canadá? ¿Tienen las mujeres los mismos derechos que los hombres aquí ahora? ¿Tienen los homosexuales o «gays» los mismos derechos que los heterosexuales?

2. ¿Han cambiado las relaciones humanas en la sociedad estadounidense o canadiense? Apoye sus respuestas con algunos ejemplos.

3. ¿Qué redes sociales en Internet utiliza usted? ¿Cómo las utiliza: para comunicarse con los amigos? ¿para compartir pasatiempos o intereses? ¿Las utiliza a menudo?

*Instituto de la Juventud Española (INJUVE), Sondeo de opinión y situación de la gente joven: Valores e identidades. Madrid, 2008.

# VOCABULARIO ÚTIL

## AMOR Y AMISTAD

### COGNADOS

amoroso(a)

romántico(a)

sincero(a)

### VERBOS

| | |
|---|---|
| acompañar | to accompany, go with |
| amar | to love |
| apoyar | to support |
| cambiar | to change |
| compartir | to share |
| cuidar | to take care of |
| evitar | to avoid |
| prometer | to promise |
| romper con | to break (up) with |

### ADJETIVOS

| | |
|---|---|
| cariñoso(a) | affectionate, loving |
| débil | weak |
| dominante | dominating |
| enamorado(a) (de) | in love (with) |
| fuerte | strong, intense |

### OTRAS PALABRAS

| | |
|---|---|
| la amistad | friendship |
| el cariño | affection |
| el compadre (la comadre) | very close friend who is often a godparent of one's child |
| el derecho | right |
| la (des)igualdad | (in)equality |
| el noviazgo | engagement |
| la pareja | pair, couple; partner |
| las tareas (del hogar) | (house)work |
| la tertulia | regular meeting of friends or acquaintances (at a fixed place and time) |

> **¡OJO!**
>
> **actual** *present, current;* **actualmente** *currently /* **verdadero(a)** *true, actual*
>
> **la envidia** *envy;* **los celos** *jealousy;* **tener celos** *to be jealous;* **celoso(a)** *jealous*
>
> **la citá** *date, appointment /* **la fecha** *date (calendar)*
>
> **contigo, conmigo** *with you* **(tú),** *with me*
>
> **tomar una decisión** *to make a decision*

## PRÁCTICA

**4-2 El Día de San Valentín.** Escoja las palabras apropiadas para completar las siguientes oraciones.

Ayer fue el Día de San Valentín. Tenía una (1) (fecha / cita) con mi novia Carmen, y la invité a cenar. Después de (2) (acompañarla / apoyarla) a hacer unas compras, fuimos a un restaurante, donde (3) (prometimos / compartimos) una paella. Después fuimos a bailar. Carmen es muy inteligente y sociable, y la (4) (cuido / amo) mucho. Su único defecto es que a veces tiene (5) (celos / envidia) y no quiere que hable con otras chicas. Para (6) (evitar / romper) problemas, no le digo nada si otra chica me llama. Estamos muy (7) (enamorados / débiles) y esperamos casarnos algún día.

 **4-3 Busco a…** Hable con sus compañeros. Hágale solo una pregunta a cada persona. Busque a un(a) compañero(a) que conteste afirmativamente.

> ⚙ **MODELO** estar enamorado(a)
> A: *¿Estás enamorado(a)?*
> B: *Sí, estoy… (No, no estoy…)*

(Si la respuesta es afirmativa, el (la) estudiante **B** firma *[signs]* abajo.)

|  | **Firma** |
|---|---|
| **1.** estar enamorado(a) |  |
| **2.** compartir un secreto con un(a) amigo(a) |  |
| **3.** cuidar a un(a) familiar de vez en cuando (por ejemplo, a un[a] hermanito[a]) |  |
| **4.** sentir envidia o tener celos de vez en cuando |  |
| **5.** evitar hacer las tareas del hogar |  |
| **6.** tener una cita esta semana |  |
| **7.** conocer a una persona muy dominante |  |
| **8.** pensar romper con su novio(a) o anunciar su noviazgo |  |
| **9.** tener que tomar una decisión importante pronto |  |
| **10.** ser cariñoso(a) |  |

# LENGUA VIVA

Julia Gutiérrez, estudiante colombiana de la Universidad de los Andes

Alberto García, joven de Bogotá, Colombia

Mike Martin, estudiante estadounidense en Bogotá, Colombia

## Audioviñetas: Dos invitaciones

CD 1, Track 9

**Conversación 1: Para hacer una invitación; para rehusar** *(decline)* **una invitación.** Julia está en casa cuando recibe una llamada de Alberto, un amigo.

**4-4** Escuche la **Conversación 1**. Conteste esta pregunta: ¿Va Julia a llamar a Alberto después de las vacaciones, según su opinión? ¿Por qué sí o por qué no?

**4-5** Escuche la **Conversación 1** otra vez. ¿Qué expresiones se usan para hacer una invitación?

_____ **1.** ¿Te gustaría ir a…?          _____ **4.** ¿Quieres ir a…?

_____ **2.** ¿Qué te parece si vamos a…?          _____ **5.** ¿Quisieras ir a…?

_____ **3.** Si estás libre hoy…          _____ **6.** ¿Me querrías acompañar a…?

**4-6** Escuche la **Conversación 1** una vez más. Escoja la mejor respuesta.

**1.** Alberto quiere…

    a. ir al cine.          b. ir al teatro.          c. ir a una ópera.

**2.** *El día que me quieras* es…

    a. una película con Carlos Gardel.

    b. una película con música rock.

    c. una ópera.

**3.** El mes que viene Julia va a…

    a. seguir con los exámenes.

    b. ir a la playa.

    c. visitar a sus papás.

**4.** Una manera cortés de rehusar una invitación es…

    a. Otro día, quizás.          b. No tengo tiempo para ti.          c. No quiero ir.

**Conversación 2: Para aceptar una invitación:** Julia recibe otra llamada telefónica.

CD 1,
Track 10

**4-7** Escuche la **Conversación 2.** Conteste esta pregunta: ¿Está contenta Julia por la llamada?

**4-8** Escuche la **Conversación 2** otra vez. ¿Qué cosas o qué personas se mencionan?

_____ **1.** Salma Hayek

_____ **2.** *Camila*

_____ **3.** María Luisa Bemberg

_____ **4.** *Bodas de sangre*

_____ **5.** Alfonso Cuarón

_____ **6.** *El norte*

_____ **7.** Pedro Almodóvar

_____ **8.** *La vida sigue igual*

**4-9** Escuche la **Conversación 2** una vez más. ¿Qué expresiones se usan para aceptar una invitación?

_____ **1.** Sí, con mucho gusto.

_____ **2.** Sí, me encantaría.

_____ **3.** ¡Qué buena idea!

_____ **4.** Encantado.

_____ **5.** De acuerdo. Tengo todo el día libre.

_____ **6.** No veo la hora de salir.

## En otras palabras

### Invitaciones

Everyone has different tastes and preferences, so when you invite someone to do something with you, sometimes they accept and sometimes not. There are many ways to extend, accept, and decline invitations.

Mire el video en el sitio **www.cengagebrain.com/shop/ ISBN/0495912654** y haga las actividades que lo acompañan.

¿Adónde quiere ir Rafael? ¿A quiénes invita?

© Anna Pérez

## Para hacer una invitación

**¿Le (Te) gustaría ir a… (conmigo)?** *Would you like to go to . . . (with me)?*

**¿Qué le (te) parece si vamos a…?** *How about if we go to . . . ?*

**Si está(s) libre hoy, vamos a…** *If you're free today, let's go to . . .*

**¿Quiere(s) ir a…?**

**¿Quisiera(s) ir a…?** *Would you like to go to . . . ? (slightly formal)*

**¿Me querría acompañar a…?** *Would you like to go with me to . . . ? (formal)*

## Para aceptar una invitación

**Sí, ¡con mucho gusto!**

**Sí, me encantaría.** *Yes, I'd love to (literally, "It would delight me").*

**Encantado(a).** *I'd love to (literally, "Delighted").*

**¡Cómo no! ¿A qué hora?**

**¡Listo(a)! ¡Gracias por la invitación!**

**Ah sí, ¡qué buena idea!**

**¡No veo la hora de salir!** *I can't wait (to go out)!*

**De acuerdo, ¡tengo todo el día libre!**

## Para rehusar *(decline)* una invitación

**Lo siento, pero tengo mucho que hacer esta semana. La semana que viene, tal vez.**

**¡Qué lástima! Ya tengo otros planes.**

**Me encantaría (gustaría), pero no voy a poder ir.**

**¡Qué pena!** *(What a shame!)* **Esta tarde tengo que estudiar (ir de compras, etcétera).**

**Otro día tal vez; estoy muy ocupado(a) hoy.**

**cibernovio** *Internet boyfriend;* **ausente** *absent*

## PRÁCTICA

 **4-10 Entre amigos.** Escoja a un(a) compañero(a) de clase e invítelo(la) a hacer las siguientes cosas. Su compañero(a) debe aceptar o rehusar como lo haría cualquier amigo(a).

1. ¿Quieres acompañarme a ver la nueva película de Pedro Almodóvar (o la película _____)?
2. ¿Te gustaría ir a jugar al tenis (o _____) esta tarde?
3. ¿Quisieras ir a ver una ópera de Wagner el viernes?
4. ¿Quieres ir a un concierto de Daddy Yankee conmigo?

 **4-11 Breves encuentros.** Inicie breves conversaciones relacionadas con las siguientes situaciones.

1. **Estudiante A:** Usted invita a un(a) amigo(a) a tomar una copa o un café.
   **Estudiante B:** Usted acepta la invitación y sugiere una hora.

2. **Estudiante A:** Usted invita a un(a) amigo(a) a una fiesta que empieza a las diez de la noche.
   **Estudiante B:** Usted quiere ir pero tiene que trabajar al día siguiente y no acepta la invitación.

# GRAMÁTICA Y VOCABULARIO
## The Future Tense
### Formation of the Future Tense

#### Regular Verbs

To form the future tense of regular verbs, the endings shown in bold in the following chart are added to the infinitive.

| hablar | | comer | | vivir | |
|---|---|---|---|---|---|
| hablaré | hablaremos | comeré | comeremos | viviré | viviremos |
| hablarás | hablaréis | comerás | comeréis | vivirás | viviréis |
| hablará | hablarán | comerá | comerán | vivirá | vivirán |

## Irregular Verbs

The regular endings **-é, -ás, -á, -emos, -éis,** and **-án** are added to the following irregular verb stems to form the future tense.

| Infinitive | Stem | Ending |
|------------|-------|--------|
| caber | cabr- | |
| decir | dir- | |
| haber | habr- | |
| hacer | har- | é |
| poder | podr- | ás |
| poner | pondr- | á |
| querer | querr- | emos |
| saber | sabr- | éis |
| salir | saldr- | án |
| tener | tendr- | |
| valer | valdr- | |
| venir | vendr- | |

## Use of the Future Tense

**1.** The future tense refers to an action that *will, shall,* or *is going to* take place.

¿Crees que Alberto cambiará?  *Do you think Alberto will (is going to) change?*

¿Saldrás con Felipe?  *Will you go out with Felipe?*

**2.** The future tense is also used to express possibility or probability in the present. Notice some of the different English translations.

El esposo de Gloria tendrá unos cincuenta años, ¿verdad?  *Gloria's husband must be (probably is) about fifty years old, isn't he?*

¿Dónde estarán mis llaves?  *Where are my keys? (Where can they be?)*

¿Cuál es la fecha de hoy? —Será el primero.  *What's the date today? —It must be the first.*

# PRÁCTICA

**4-12 La cita ideal.** Vamos a imaginar que usted puede tener una cita ideal con alguien muy especial. Tiene todo el dinero que necesita. ¿Qué hará en esa cita?

**Paso 1.** Haga preguntas, usando el tiempo futuro y la forma **usted** del verbo.

> ☼ **MODELO**  con quién salir
> *¿Con quién saldrá?*

1. comprar ropa nueva
2. estar nervioso(a)
3. tener lista una limusina
4. ir a cenar
5. ver una película o una obra teatral
6. decir algo al final de la noche
7. hacer una cita para otro día
8. ¿…?

**Paso 2.** Trabaje con un(a) compañero(a). Túrnense para hacer y contestar las preguntas anteriores, usando la forma **tú** del verbo. Haga preguntas adicionales.

> ☼ **MODELO**  con quién salir
> *¿Con quién saldrás? ¿Cómo es él/ella? ¿Por qué escogiste a esa persona?*

**4-13 Los buenos amigos.** A veces es difícil saber quiénes son los verdaderos amigos. ¿Quiénes son aquellos que nos apoyarán en las buenas y en las malas *(in good times and bad)*? Con un(a) compañero(a), haga una descripción del amigo verdadero, usando el tiempo futuro. Un buen amigo o una buena amiga…

> ☼ **MODELO**  aceptarme como soy
> *…me aceptará como soy.*

**Ideas:** decirme siempre la verdad, escuchar mis problemas, perdonar mis errores, querer lo mejor para mí, lamentar mis fracasos *(failures)*, saber celebrar mis éxitos, ser sincero(a) conmigo, no hablar mal de mí o hacerme sentir mal, estar a mi lado para apoyarme, hacerme compañía y comprenderme, ¿…?

**4-14 «Cosas que (nunca) haremos».**

**Paso 1.** En grupos de cinco o seis personas, cada persona menciona cinco cosas que hará en el futuro y cinco cosas que nunca hará.

> ⚙ **MODELOS** *Compraré un jeep (una casa en Hawai, un helicóptero), aprenderé a tocar el piano, tendré un robot para hacer las tareas del hogar… Nunca compraré cosméticos caros (un Winnebago, muebles para el patio), nunca aprenderé a jugar al golf, nunca tendré un perro pitbull…*

**Ideas:** casarme con…, vivir en…, ir a…, trabajar de…, aprender a…, leer…, tener…, usar…, ver…

**Paso 2.** En los mismos grupos, hagan una lista de tres cosas que harán y tres cosas que nunca harán. Comparen sus respuestas con las respuestas de los otros grupos.

Mirando los resultados, ¿pueden hacer algunas generalizaciones sobre su generación? ¿Creen que su generación será como la generación de sus padres? Por ejemplo, ¿creen que los jóvenes de hoy serán más o menos materialistas que sus padres? ¿tolerantes? ¿religiosos? ¿Se casarán más tarde? ¿Tendrán más niños? ¿Disfrutarán de más libertad? ¿Sufrirán más violencia? ¿Vivirán más?

# The Conditional

## Formation of the Conditional

### Regular Verbs

To form the conditional of regular verbs, the endings shown in bold in the following chart are added to the infinitive.

| hablar | | comer | | vivir | |
|---|---|---|---|---|---|
| hablar**ía** | hablar**íamos** | comer**ía** | comer**íamos** | vivir**ía** | vivir**íamos** |
| hablar**ías** | hablar**íais** | comer**ías** | comer**íais** | vivir**ías** | vivir**íais** |
| hablar**ía** | hablar**ían** | comer**ía** | comer**ían** | vivir**ía** | vivir**ían** |

### Irregular Verbs

The regular endings **-ía, -ías, -ía, -íamos, -íais,** and **-ían** are added to the stems of the same verbs that are irregular in the future tense (see p. 83).

## Use of the Conditional

¡**OJO!** The use of **gustar** in the conditional with an infinitive is very common, as you saw in **En otras palabras. Gustar** and verbs like it will be practiced in Chapter 7.

1. The conditional usually conveys the meaning *would* in English.

| | |
|---|---|
| Vamos a ir a comer. ¿Te gustaría acompañarnos? | *We're going to go eat. Would you like to go with us?* |
| ¿Qué harías tú? ¿Romperías con él? | *What would you do? Would you break up with him?* |

2. The conditional often refers to a projected action in the future, viewed or thought of from a time in the past.

| | |
|---|---|
| Juan dijo que cuidaría a su hermanito. | *Juan said he would take care of his little brother.* |
| Ella prometió que iría conmigo al baile. | *She promised she'd go to the dance with me.* |

¡**OJO!** Remember, however, that the imperfect can also convey the idea of *would,* but in the sense of *used to,* describing repeated action in the past: **Cuando era joven, iba al cine todos los sábados.** *When I was young, I would go to the movies every Saturday.*

Notice that if the present tense had been used in the first clauses of the preceding examples, the future would probably have been used in the second clauses:

| | |
|---|---|
| Juan dice que cuidará a su hermanito. | *Juan says he will take care of his little brother.* |
| Ella promete que irá conmigo al baile. | *She promises she'll go to the dance with me.* |

3. The conditional can express possibility or probability in the past.

| | |
|---|---|
| ¿Qué hora sería cuando entraron? —Serían por lo menos las cuatro de la mañana. | *What time was it (probably, could it have been) when they came in? —It must have been (was probably) at least four in the morning.* |

4. The conditional is sometimes used to show politeness or deference.

¡**OJO!** Be aware that **quiero** can sound a bit childish or impolite. As in English, the longer the phrase, the more polite it usually is.

| | |
|---|---|
| ¿Podrían ustedes ayudarme, señores? | *Could you help me, gentlemen?* |
| Señora, ¿podría decirme usted dónde está el correo? | *Ma'am, could you tell me where the post office is?* |
| ¿Nos podría traer dos cafés? | *Could you bring us two cups of coffee?* |

5. The conditional is also used with *if* clauses, which will be discussed in Chapters 9 and 11.

# PRÁCTICA

**4-15 ¡Más cortesía, por favor!** Siga los modelos.

> ⚙ **MODELOS** Quiero un vaso de agua. (Deme un vaso de agua.)
> *¿Me podría traer (dar) un vaso de agua, por favor?*
> ¿Qué hora es?
> *¿Me podría decir qué hora es?*

1. Quiero más pan.
2. ¿Dónde está el baño?
3. Páseme el agua mineral.
4. Quiero un café.
5. ¿Podemos pasar?

**4-16 Parejas famosas.** ¿Qué promesas hicieron estas personas antes de casarse?

> ⚙ **MODELO** Gabriel García Márquez a Mercedes / tratarla con mucho cariño siempre
> *Le prometió que la trataría con mucho cariño siempre.*

1. Julieta a Romeo / amarlo hasta la muerte
2. Marc Anthony a Jennifer López / cantarle canciones de amor
3. Lucy a Ricky Ricardo / hacerlo reír todos los días
4. Odiseo a Penélope / regresar de todos sus viajes
5. George Washington a Martha / no mentirle nunca
6. Don Quijote a Dulcinea / defender su honor siempre

 **4-17 El sexo opuesto.** ¿Cuáles son las ventajas y las desventajas de ser miembro del sexo opuesto?

**Paso 1.** Trabajen en grupos. Cada uno de los hombres completa esta frase: **Si yo fuera mujer…** Cada una de las mujeres completa esta frase: **Si yo fuera hombre…** Vocabulario: corbata *tie*, tacones *heels*, arreglar *to fix*

> ⚙ **MODELO** (no) llorar en el cine
> *Si yo fuera mujer, no lloraría en el cine (podría llorar en el cine).*

**Ideas:**

1. (no) pagar cuando saliera con un(a) chico(a)
2. (no) usar ropa incómoda (corbata, zapatos con tacones altos, etcétera)
3. (no) aprender a cocinar, arreglar un coche, hacer las tareas del hogar
4. (no) quedarse en casa y (no) salir a trabajar
5. (no) ser amoroso(a) (discreto[a], lógico[a])
6. (no) mirar tantas películas románticas (de terror, de ciencia ficción)

**Paso 2.** Después, describan al hombre (a la mujer) ideal: **Él (Ella) sería…** (**Tendría… Nunca… Sabría…**).

# Comparisons

## Comparisons of Equality

1. **Tan** + adjective or adverb + **como** means *as . . . as.*

| | |
|---|---|
| Miguelito es tan bueno como el pan. | *Miguelito is as good as gold (literally, "bread").* |
| Llegaré tan pronto como sea posible. | *I'll get there as soon as possible.* |

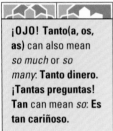

**¡OJO!** Adverbs, that is, words such as **pronto,** are words that tell *when, where, how,* and so forth. Note that adverbs do not show agreement with the subject. Many Spanish adverbs end in -**mente,** equivalent to -*ly* in English. These will be practiced in Chapter 9.

Notice the agreement of the adjective with the noun(s) before **tan**; the adjective agrees with the first noun(s) mentioned:

| | |
|---|---|
| Marisa es tan extrovertida como Eduardo. | *Marisa is as extroverted as Eduardo.* |
| Eduardo y Paco no son tan optimistas como Marisa. | *Eduardo and Paco are not as optimistic as Marisa.* |

2. **Tanto(a, os, as)** + noun + **como** means *as much (many) as.* **Tanto(a, os, as)** agrees with the noun it modifies.

| | |
|---|---|
| ¡Nadie hace tantas preguntas como tú! | *No one asks as many questions as you do!* |
| Tú tienes tantos amigos como yo. | *You have as many friends as I do.* |

**¡OJO! Tanto(a, os, as)** can also mean *so much* or *so many.* **Tanto dinero. ¡Tantas preguntas! Tan** can mean *so:* **Es tan cariñoso.**

3. Verb + **tanto como** means *as much as.*

| | |
|---|---|
| Nadie habla tanto como él. | *No one talks as much as he does.* |

## Comparisons of Inequality

1. **Más/menos** + adjective or adverb + **que:**

| | |
|---|---|
| Es más claro que el agua: deben tener los mismos derechos que nosotros. | *It's crystal clear (clearer than water): they should have the same rights we have.* |
| Natalia sale más a menudo que su hermana. | *Natalia goes out more often than her sister.* |
| Soy menos generoso que tú, cariño. | *I'm less generous than you are, dear.* |

2. **Más** (+ noun +) **que** means *more* (+ noun +) *than;* **menos** (+ noun +) **que** means *less/fewer* (+ noun +) *than:*

| | |
|---|---|
| Mi compadre José gana más (menos) dinero que su esposa. | *My good friend José earns more (less) money than his wife does.* |

**3.** Before a number, **de** is used instead of **que** to mean *than*:

Hay más de dos libras en
un kilogramo.

*There are more than two pounds
in a kilogram.*

**4.** Negatives (not affirmatives as in English) are used after **que** in comparisons:

Te quiero ahora más que nunca.

*I love you now more than ever.*

Lo admiramos más que a nadie.

*We admire him more than anyone.*

VALENTÍN, MI AMOR
¿ME QUIERES MUCHO,
MUCHO?

— CANTIDAD

1.

¿ME QUIERES MÁS QUE AYER
Y MENOS QUE MAÑANA?

— MÁS O MENOS

2.

¿Y LA SEMANA QUE VIENE, EL MES
QUE VIENE, ME QUERRÁS MÁS?

— SEGURO MI AMOR

3.

¿Y EL AÑO QUE
VIENE?

MUJER...¡EL AÑO QUE
VIENE YA ESTAREMOS
CASADOS!

4.

Núria Pompeia

## CARACTERÍSTICAS PERSONALES

El siguiente cuadro gráfico apareció en la revista peruana «Debate». Está basado en una encuesta *(survey)* de 401 amas de casa de Lima, Perú. Los números representan porcentajes del total. Nota: **optimista, pesimista** y **moralista** se usan con sustantivos masculinos o femeninos: **un hombre optimista / una mujer optimista.**

AUTOPERCEPCIÓN DEL AMA DE CASA    %

49 Moderna    45 Tradicional    76 Activa    21 Pasiva

61 Extrovertida    26 Introvertida    75 Independiente    22 Dependiente

97 Responsable    1 Irresponsable    87 Optimista    7 Pesimista

50 Sin prejuicios    44 Moralista    84 Pacífica    11 Agresiva

83 Cariñosa    10 Seca    87 Alegre    7 Triste

## PRÁCTICA

**4-18 Comparaciones tradicionales.** Complete las oraciones con las palabras que faltan.

⚙ **MODELO** Es ___*tan*___ celoso ___*como*___ Otelo.

1. Es _____ fuerte _____ Hércules.
2. Es _____ triste _____ la Llorona.
3. Tiene _____ hijos _____ la viejita que vivía en un zapato.
4. Es _____ viejo _____ Matusalén.
5. Tiene _____ dinero _____ el rey Midas.
6. Tiene pies _____ pequeños _____ los pies de Cenicienta (*Cinderella*).
7. Tiene _____ paciencia _____ Job.
8. Duerme _____ la Bella Durmiente.

 **4-19 En nuestra clase…** Su profesor(a) escoge a dos estudiantes de la clase. Con toda la clase, hagan por lo menos cinco comparaciones entre los estudiantes. Háganle preguntas a cada uno(a); por ejemplo, **¿Cuántas clases tienes este semestre? ¿Cuántos hermanos tienes? ¿Cuántas horas estudiaste anoche?**

⚙ **MODELOS** *Martín tiene menos clases que Ana. Ana cenó más tarde temprano anoche.*

**4-20 Comparaciones.** De acuerdo con el modelo, haga oraciones comparativas.

⚙ **MODELO** solteros / casados
*Los solteros son más (menos) felices que los casados.*

1. la ciudad donde vivimos / Los Ángeles
2. jóvenes / ancianos
3. América Ferrara / Jessica Alba
4. hacer snowboard / esquiar
5. Estados Unidos / México
6. gatos / perros
7. un galón / dos litros
8. un día / veinticinco horas

**4-21 Amigos famosos.** En las películas para niños hay muchos amigos (o enemigos) famosos: mire, por ejemplo, las listas que siguen. Haga por lo menos cinco oraciones, usando comparaciones.

⚙ **MODELOS**  Bob Esponja y Patricio Estrella
*Patricio no es tan inteligente como Bob.*
Tom y Jerry
*Tom es más oportunista que Jerry.*

**Amigos:**

Bob Esponja *(Sponge)* y Patricio Estrella
Pinocho y Pepe Grillo *(Jiminy Cricket)*
Blancanieves y los Siete Enanitos *(Dwarves)*
el Oso Yogi y Boo Boo
el Conejo Bugs y el Pato Lucas *(Daffy)*

**Enemigos:**

el gato Silvestre y Piolín *(Tweety)*
el Correcaminos y el Coyote
Peter Pan y el capitán Garfio *(Hook)*
Tom y Jerry
Harry Potter y Voldemort
Superman y Lex Luther

**4-22 Cuéntame, compañero(a).** Mire el gráfico en la sección de **Vocabulario útil** en la página 90. Cuéntele a un(a) compañero(a) cuatro o cinco cosas sobre su familia o sus amigos y usted, usando oraciones comparativas y los adjetivos del gráfico.

⚙ **MODELOS**  *Soy más extrovertido(a) que mi mamá.*
*Soy menos agresivo(a) que mi hermano.*
*No soy tan trabajador(a) como mi compañero(a) de cuarto.*

## Irregular Comparative Forms; The Superlative

### Irregular Comparative Forms

**Mejor** *(better)* and **peor** *(worse)* are used as comparative forms of **bueno** and **malo** and of **bien** and **mal.**

De las dos películas, ¿cuál es mejor?  *Of the two films, which is better?*
¿Te sientes mejor hoy? —No, peor.  *Do you feel better today? —No, worse.*

**Mayor** and **menor** are often used to describe people to mean *older* and *younger,* respectively; **más grande (pequeño)** usually refers to size rather than age. The feminine forms of **mejor, peor, mayor,** and **menor** are the same as the masculine forms; the plurals are formed by adding **-es.**

Cristina es mayor que su hermano pero es más pequeña.  *Cristina is older than her brother but she's smaller.*
¡Mis hermanas menores ya son más grandes que mi mamá!  *My younger sisters are already bigger than my mother!*

# The Superlative

| Adjective | Comparative | Superlative |
|---|---|---|
| bonito | más bonito | el más bonito |
| inteligentes | más inteligentes | las más inteligentes |

1. To form the superlative of adjectives, the following construction is used.

| Definite Article | Noun | *más/menos* | Adjective |
|---|---|---|---|
| los | hombres | más | importantes |
| la | mujer | menos | tradicional |

2. **De** is used to express English *in* or *of* after a superlative.

Es la decisión más importante de todas.
*It's the most important decision of all.*

Ella es la menos responsable del grupo.
*She's the least responsible one in the group.*

The noun is not always expressed, as in the preceding example: **la (persona) menos responsable.**

3. **Mejor** and **peor** usually precede, rather than follow, the nouns they modify.

El viernes es el mejor (peor) día de la semana.
*Friday is the best (worst) day of the week.*

4. The ending **-ísimo(a, os, as)** is used with adjectives or adverbs for the "absolute superlative."

¿Llegaron muy tarde?
—Sí, tardísimo.
*Did they arrive very late?*
*—Yes, extremely late.*

Esas rosas fueron carísimas.
*Those roses were very expensive.*

> **¡OJO!** If the **-ísimo** ending is added to a word ending in a vowel, the final vowel is dropped. If the word ends in **z,** change the **z** to **c.** A **c** may change to **qu** and a **g** to **gu** before a final **o** or **a** to preserve the **c** or **g** sound.
>
> feliz **felicísimo** (z → c)
> poco **poquísimo** (c → qu)
> largo **larguísimo** (g → gu)

www.nanicartoons.com

# PRÁCTICA

**4-23 Deducciones.** Haga sus propias deducciones, usando las terminaciones **-ísimo(a, os, as)**.

> ⚙ **MODELO** Esa casa es una mansión.
> *Es grandísima.*

1. Él no tiene ni un centavo.
2. Este libro cuesta doscientos dólares.
3. Esta ópera nunca va a terminar.
4. Ella tiene un millón de dólares.
5. Ese tren corre a 350 kilómetros por hora.

**4-24 Según Guinness.** La siguiente información se encuentra en el *Guinness Book of World Records* y está basada en hechos históricos documentados. Complete las oraciones con la información indicada.

1. La Paz, Bolivia, es _____ (*the highest capital city in the world*).
2. Casa Botín, en Madrid, es _____ (*the oldest restaurant in the world*). (Se abrió en 1725.)
3. Jeanne Louise Calment, de Francia, tenía 122 años cuando murió; era _____ (*the oldest person in history*).
4. Robert Wadlow, de Illinois, Estados Unidos, tenía casi nueve pies de altura; era _____ (*the tallest person in history*).
5. Octavio Guillén y Adriana Martínez tuvieron _____ (*the longest engagement in history*): 67 años. Se casaron a la edad de 82 años.
6. Juan Carlos Galbis hizo _____ (*the biggest paella in history*) en Valencia, España, en 1992 (cien mil personas la compartieron).
7. Después de escuchar la canción «Bésame mucho», _____ (*more than*) 39 000 personas se besaron (*kissed*) simultáneamente en la Plaza de la Constitución de Ciudad de México el Día de San Valentín de 2009.

**4-25 Categorías.** Comparen a las siguientes personas o las siguientes cosas, haciendo por lo menos una oración superlativa en cada caso.

> ⚙ **MODELO** tu madre, tu padre y otro pariente
> *Mi madre es más estricta que mi padre. Mi padre tiene menos prejuicios. Mi abuelo es el más estricto de todos.*

1. los Volkswagens, los Jaguares, los Toyotas, (los _____)
2. el fútbol americano, el béisbol, el golf, (el _____)
3. *Los piratas del Caribe, La señora Doubtfire, Frida,* (_____)
4. un viaje a Europa, un viaje a Hawai, un viaje al Gran Cañón, (un viaje a _____)

**4-26 La envidia.** Según Verónica Rodríguez, una trabajadora social peruana, la envidia es una emoción que todos compartimos. Para dar un ejemplo concreto y personal, ella describe a su prima y actual amiga Angélica María. Trabaje con un(a) compañero(a) para completar las siguientes oraciones.

Vocabulario: monja *nun*, calificaciones *grades*, duré *lasted*, habían mejorado *had improved*, rulos de alambre *wire rollers curlers*

Tengo muchos hermanos y muchos primos, y nos veíamos a menudo en las reuniones familiares. Mi prima Angélica María era (1) _____ *(the most intelligent of all)*. A las dos nos mandaron a una escuela religiosa en otro pueblo. Angélica María estudiaba mucho (2) _____ *(less than I did)* y se divertía (3) _____ *(much more)*. Se convirtió en la favorita de todas las monjas y de las personas (4) _____ *(most important of the town)* porque no solamente era linda, sino que también sabía bailar, recitar poesía, escribir y expresarse (5) _____ *(better than anyone)*. Todo el mundo decía que ella era (6) _____ *(the best student in the school)*. Como tenía las calificaciones (7) _____ *(highest)*, ella podía salir los sábados a bailar y a reunirse con sus primos y amigos. Yo solo duré en ese lugar tres meses porque mis calificaciones eran (8) _____ *(very, very bad)*. En una ocasión pensé que habían mejorado y que podría salir con mi prima. Pasé toda una noche con rulos de alambre en la cabeza, un verdadero tormento. Pero al día siguiente una de las monjas me dijo que mis calificaciones eran (9) _____ *(as bad as)* siempre y que no me permitirían salir. Lloré durante todo el fin de semana. La envidia me mataba.

 **4-27 Entre nosotros…** Trabajen en grupos y hagan por lo menos seis oraciones acerca de la gente de su grupo, siguiendo el modelo. Usen las siguientes ideas y otras de su propia invención. Estén preparados para presentarle la información a la clase.

⚙ **MODELO**  tener / trabajo bueno (malo)
*Susan tiene el mejor trabajo del grupo.*

**Ideas**

tener / apellido largo (corto)
tener / pelo largo (corto)
ser / alto (delgado, joven)
llevar / zapatos (in)cómodos
vivir / lejos de la universidad
viajar / lejos para ver a su familia
ver / película buena (mala) este mes

# EN CONTACTO

## ▷ Videocultura: Las amistades

Paula Castillo, Martín Pérez y Maribel Guzmán, tres jóvenes de Barcelona, España, hablan del tema de la amistad y del amor. Mire el video y conteste estas preguntas: ¿Qué hacen los amigos para divertirse? ¿Cómo encuentran el amor?

**Vocabulario:** es más difícil quedar *it's harder to agree (to get together)*; si el presupuesto lo permite *if the budget allows for it*; se te ha echado la mañana encima *the morning has flown by*; no lo pinten tan bien *don't make it look so nice*; aunque te duela *although it may be painful for you*; me metí a un chat *I joined a chat group*; ligar *to pick up, get a date (colloquial)*

> Google   Busque «Barcelona ocio» (**ocio** quiere decir *leisure time*) para ver algunas cosas que los tres amigos podrían hacer juntos este fin de semana.

© Anna Pérez

**4-28 Comprensión.** Conteste las siguientes preguntas después de ver el video.

1. ¿Qué hacen los amigos los viernes, en general? ¿los sábados por la noche? ¿Se ven mucho entre semana?
2. El chico dice que estuvo de novio (que tenía una novia) en el pasado pero que hubo un problema. ¿Cuál fue el problema?
3. ¿Tienen mucho en común los tres amigos? ¿De qué temas hablan? ¿Comparten los problemas? ¿Por qué no vieron al chico las dos chicas durante un tiempo (cuando «le veíamos poco el pelo»)?

 **4-29 Puntos de vista.** Compare sus opiniones con las de dos o tres compañeros.

1. Comparen un típico fin de semana de los tres jóvenes con uno de ustedes.
2. ¿Están de acuerdo con Paula en que es mejor hablar directamente a un(a) amigo(a), ser sincero(a) con él o con ella, aunque le duela lo que le diga? ¿Puede tener consecuencias negativas, a veces? Den ejemplos.
3. ¿Se ha metido en un chat para buscar pareja alguien del grupo? Si es así, describa la experiencia que tuvo. ¿Cómo le fue?

# Síntesis

 **4-30 El sábado que viene.** Su profesor(a) le dará una tarjeta y escribirá tres preguntas en la pizarra; por ejemplo:

1. ¿Qué hará este fin de semana?
2. ¿Dónde estará este domingo?
3. ¿A quién verá ese día?

Conteste con oraciones completas las preguntas de su profesor(a). Devuélvale la tarjeta a su profesor(a). Él (Ella) le dará la tarjeta de otro(a) estudiante. Busque al (a la) dueño(a) de la nueva tarjeta, haciéndoles preguntas a los otros estudiantes de la clase.

 **4-31 Las amistades.** Trabaje con un(a) compañero(a). Haga y conteste las preguntas que siguen. Esté preparado(a) para presentarle la información a la clase.

1. Entre tus amigos, ¿cuál es el (la) más generoso(a) y el (la) menos egoísta? ¿el (la) más alegre? ¿ el (la) más optimista?
2. ¿Cuál es el amigo o la amiga que ves más frecuentemente? ¿A cuál te gustaría ver más frecuentemente?
3. Entre tus amigos, ¿hay uno(a) que sea un poco irresponsable? ¿Cuál es la cosa más irresponsable que ha hecho?
4. Entre tus amigos, ¿hay uno(a) que sea muy inteligente y práctico(a)? ¿Cuál es el mejor consejo *(piece of advice)* que te ha dado?
5. ¿Cuál fue el momento más feliz que pasaste con tu mejor amigo(a)? ¿el momento más desagradable que pasaste con él o con ella?
6. De tus amigos de la escuela primaria, ¿quién era el (la) más simpático(a)? ¿el (la) más divertido(a)? ¿Por qué?
7. ¿Cuál fue el mejor regalo que recibiste de un amigo el año pasado? ¿el peor?

 **4-32 Comparando a los famosos.** Su profesor(a) les mostrará fotos de varias personas (o pueden mirar fotos que aparecen a lo largo de *[throughout]* **En contacto**). En grupos de tres personas, hagan por lo menos dos oraciones comparativas y dos oraciones superlativas acerca de las personas que ven. Usen el **Vocabulario útil** de la página 90 o algunos de los adjetivos que siguen: **joven, viejo(a), rico(a), famoso(a), atleta.**

> ⚙ **MODELOS**    *Carmen Lomas Garza es mayor que Marc Anthony.*
> *Cameron Díaz es la más famosa de todos.*

# Composición

## Los buenos amigos

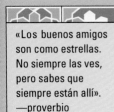

«Los buenos amigos son como estrellas. No siempre las ves, pero sabes que siempre están allí».
—proverbio

¿Cuáles son las cualidades de los buenos amigos? Piense en una persona que es o era un(a) buen(a) amigo(a). Puede referirse a las actividades 4-13 y 4-31.

**1.** Escriba una oración para presentar a su amigo(a). ¿Cómo se llama? ¿Dónde lo (la) conoció?

**2.** Escriba por lo menos cuatro oraciones para describir a esta persona. ¿Cómo es (era)? ¿Le hace reír y olvidarse de los problemas? ¿Qué tienen en común? ¿En qué se diferencian? Use tantas formas comparativas y superlativas (e.g., **más**, **menos**, **tan**, **tanto**, **mejor**, **peor**, etcétera) como le sea posible.

**3.** Escriba una conclusión. ¿Se lleva bien con esta persona ahora? ¿Ya no la ve? ¿La verá en el futuro?

**Opción:** Saque o busque fotos para ilustrar su párrafo; hay sitios en Internet donde puede subir (*upload*) y compartir la composición con la clase. Otra posibilidad: hacer una remezcla (*mash-up*). Incluya un video de su amigo(a) (del teléfono celular o de una videocámara) o una pequeña entrevista con él o ella.

**Tema alternativo: Una cita ideal.** Describa una cita ideal, usando el modo condicional y algunas ideas de la actividad 4-12. Incluya: con quién salir, adónde ir, qué hacer, qué llevar, qué decir al final de la cita. Opción: una remezcla con fotos, música, el menú de un restaurante, etcétera.

# CAPÍTULO 5

# Vivir y aprender

## METAS

En este capítulo vamos a aprender a...

▶ saludar y despedirnos por teléfono

▶ pedir o dar permiso y expresar prohibición

▶ hablar de la vida estudiantil

© Pedro Coll/age fotostock

La enseñanza, como la vida, debe ser una aventura.

### LENGUA VIVA

Saludos y despedidas por teléfono

Expresiones para pedir o dar permiso y expresar prohibición

### GRAMÁTICA

El tiempo presente del subjuntivo

El uso del subjuntivo con verbos que indican duda; emoción; voluntad, preferencia o necesidad; aprobación, desaprobación, consejos

El subjuntivo y el indicativo

### VOCABULARIO

La vida estudiantil

Los altibajos del estudiante

### LECTURAS

«Dos estilos de vida estudiantil»

«Hablan los estudiantes» (encuesta)

«La Academia: el *reality show* latinoamericano» de Armando Sánchez Lona

# Presentación del tema

## La vida universitaria

Hay algunas diferencias entre la vida universitaria en Estados Unidos o Canadá y en los países hispanos. En general, es muy común que los estudiantes hispanos se ayuden mutuamente (por ejemplo, que estudien juntos y se intercambien apuntes). En algunas carreras, no es obligatorio que asistan a clase, pero es necesario que aprueben un examen final, que algunas veces es oral. Es raro que haya un *campus*; las diferentes facultades de una universidad pueden estar en varias partes de la ciudad. Si un estudiante se especializa en medicina, por ejemplo, tiene todas sus clases en la facultad de medicina. La gran mayoría de los estudiantes hispanos viven con su familia, no en una residencia estudiantil. Se reúnen, generalmente, en los cafés, las plazas y en otros lugares públicos de la ciudad. No están aislados *(isolated)* ni separados de la comunidad.

© Anna Pérez

Google — Busque «Universidad Nacional Mayor de San Marcos Facultades». ¿Qué áreas académicas ofrece esta universidad peruana fundada en 1551? ¿En qué campo de estudio se especializa usted?

### 5-1 Preguntas

1. ¿Cuáles son algunas de las diferencias entre la vida universitaria en España o Latinoamérica y Estados Unidos o Canadá?
2. ¿Cree usted que en este país los estudiantes se ayudan con los estudios? ¿Hay mucha rivalidad? Dé ejemplos.
3. ¿Qué piensa usted de los exámenes orales? ¿Son más o menos fáciles que los escritos? ¿Por qué?
4. ¿Prefiere vivir en casa con su familia, en una residencia estudiantil o en un apartamento? ¿Por qué?

# VOCABULARIO ÚTIL

## LA VIDA ESTUDIANTIL

### COGNADOS

la carrera
la escuela secundaria
graduarse
la oficina administrativa

### OTRAS PALABRAS

| | |
|---|---|
| los apuntes | notes |
| la beca | scholarship |
| el campo | field |
| la cartera | small purse |
| los deberes, las tareas | homework |
| la enseñanza | education, teaching |
| el liceo | high school |
| el título | degree, title |

### LOS CAMPOS DE ESTUDIO

| | |
|---|---|
| la administración de empresas *(business)*, el comercio | la enfermería *nursing* |
| | la estadística |
| la antropología | la farmacia *pharmacology* |
| la arquitectura | la filosofía |
| el arte | la historia |
| las ciencias (e.g., la biología, la química, la física) | la ingeniería |
| | las letras *literature* |
| las ciencias de computación (la informática) | las matemáticas |
| | la medicina |
| las ciencias políticas | la nutrición |
| las ciencias sociales | la psicología |
| la contaduría *accounting* | la sociología |
| el derecho *law* | la terapia física |
| la economía | el trabajo social *social work* |
| la educación | |

### VERBOS

| | |
|---|---|
| aprobar (ue) (un curso o examen) | to pass (a course or exam) |
| devolver (ue) | to return (something) |
| especializarse en | to major (specialize) in |
| fracasar (en un curso o examen) | to fail (a course or exam) |

| | |
|---|---|
| **hacer un examen** (*also, in Mexico and parts of L. America*, **presentar un examen**) | *to take an exam* |
| **pagar la matrícula** | *to pay tuition* |
| **recoger** | *to pick up, collect* |
| **seguir (i) un curso** | *to take a course* |

### ¡OJO!

**la biblioteca** *library* / **la librería** *bookstore*

**el colegio** *elementary or secondary school (usually private)*

**la conferencia** *lecture* / **la lectura** *reading* / **el congreso** *conference or congress*

**la escuela** *elementary school (usually public)* / **la facultad** *school (department) of a university*

**las calificaciones** *grades;* **las notas** *grades (or notes);* **sacar buenas (malas) notas** *to get good (bad) grades* / **los apuntes** *notes;* **tomar apuntes** *to take notes*

**la residencia estudiantil** *dorm* / **el dormitorio** *bedroom*

## PRÁCTICA

**5-2 ¿Adónde va?** ¿Adónde va el estudiante cuando...?

⚙ **MODELO**  quiere cambiar de una carrera a otra
*Va a la oficina administrativa.*

1. necesita devolver un libro que sacó
2. desea comprar un libro de texto
3. termina la escuela primaria
4. quiere dormir (no vive con su familia y no tiene apartamento)
5. tiene que pagar la matrícula
6. desea hablar con el profesor que enseña el curso sobre literatura latinoamericana
7. necesita recoger algo en el laboratorio de química

 **5-3 La fórmula para sacar buenas calificaciones.** Discutan las siguientes preguntas. Estén preparados para compartir sus respuestas con la clase.

1. ¿Qué piensan de las siguientes «reglas» *(rules)* para sacar buenas notas? En su opinión, ¿cuáles son las tres recomendaciones más importantes? Pónganlas en orden, con el número 1 como la más importante, etcétera.

    _____ pasar mucho tiempo estudiando en la biblioteca o en algún lugar sin distracciones

    _____ escribir todas las fechas importantes (de los exámenes, etcétera) en el calendario

    _____ siempre hacer las tareas a tiempo (leer las lecturas, hacer el trabajo escrito, etcétera); no dejarlo todo para el último momento

    _____ asistir a todas las clases sin falta

____ impresionar a los profesores

____ tomar buenos apuntes en todas las clases

____ estudiar mucho para los exámenes finales

____ dormir ocho horas todas las noches

____ no participar en los deportes o en otras actividades

____ no trabajar en otros empleos (es decir, dedicarse solamente a los estudios)

**2.** ¿Cuáles de estas «reglas» pueden cumplir? ¿Cuáles no consideran importantes?

**3.** En su opinión, ¿en qué consiste el éxito en la universidad? ¿Consiste en sacar buenas calificaciones? ¿Hay otros factores importantes? Expliquen.

 # LENGUA VIVA

Julia Gutiérrez

Jessica Jones

## Audioviñetas: Mensajes telefónicos

CD 1,
Track 11

**Conversación 1: Para saludar y despedirse por teléfono; para pedir permiso.**
Jessica Jones vive ahora en Bogotá con su amiga Julia Gutiérrez; las dos asisten a la Universidad de los Andes de esa ciudad. Están en clase o trabajando casi todo el día; cuando llegan a casa, escuchan los mensajes que tienen en el contestador.

**5-4** Escuche, en la **Conversación 1,** los mensajes que Jessica recibe. ¿A quién llamará Jessica primero? ¿Por qué?

**5-5** Escuche la **Conversación 1** otra vez. En el primer mensaje para Jessica, ¿qué expresiones para pedir permiso se usan? (Hay dos.)

**1.** ¿Se permite... ?

**2.** ¿Me permites... ?

**3.** ¿Es posible que... ?

**4.** ¿Está bien que... ?

**5-6**  Escuche los mensajes otra vez y llene los formularios con la información que falta.

Mensaje 1:

Llamó: _____

_____ Favor de llamar          __ Volverá a llamar

*Quiere usar* _____

*Quiere llegar* _____

_____

Mensaje 2:

Llamó: _____

_____ Favor de llamar          __Volverá a llamar

*Tienen* _____

*Quiere saber si* _____

_____

Mensaje 3:

Llamó: _____

_____ Favor de llamar          _____Volverá a llamar

*Dejó* _____

*Puede recogerla* _____

_____

🔊 CD 1, Track 12  **Conversación 2: Para saludar y despedirse por teléfono; para expresar prohibición**

**5-7**  Escuche, en la **Conversación 2,** los mensajes que Julia recibe. ¿A quién llamará Julia primero? ¿Por qué?

**5-8**  Escuche los mensajes otra vez y llene los formularios con la información que falta.

Mensaje 1:

Llamó: _____

_____ Favor de llamar          __Volverá a llamar

*Pide permiso para* _____

_____

_____

Mensaje 2:

Llamó: _____

___ Favor de llamar       _____Volverá a llamar

*La extraña mucho. Quiere que Julia vuelva* _____

_____

_____

Mensaje 3:

Llamó: _____

___ Favor de llamar       _____Volverá a llamar

*Hay un problema:* _____

_____

_____

Mensaje 4:

Llamó: _____

___ Favor de llamar       _____Volverá a llamar

*Quiere saber* _____

_____

_____

# En otras palabras

## Para saludar y despedirse por teléfono

The way people answer the phone varies from country to country in the Hispanic world. In Mexico, people say **Bueno.** In Spain, they say **Diga** or **Dígame** or, less formally, **Sí.** In most places, people say **Hola** or **Aló.** If you are calling someone, you can say, **¿Está...** [name], **por favor?** You may hear the response: **¿De parte de quién?** To identify yourself, you can say, **Habla...** [your name]. Here are some ways to say good-bye on the telephone:

> Mire el video en el sitio **www.cengagebrain.com/ shop/ISBN/0495912654** y haga las actividades que lo acompañan.

© Anna Pérez

**Bueno, gracias por llamar.**

**Te llamo más tarde (mañana,** etc.).

**Volveré a llamar...** *I'll call back . . .*

**Adiós. Hasta luego.**

Rafael decide ir a Toledo y hace varias llamadas. Después de llamar a Sandra, ¿a quiénes llama?

## Para pedir y dar permiso y para expresar prohibición

Here are various ways to ask for and grant or deny permission and to express prohibition. All of these constructions are followed by an infinitive.

**1.** You want to ask permission to do something.

**¿Se permite (fumar, sentarse allí,** etcétera)?

**¿Se puede...?**      **¿Me permite...?**

**¿Podría (yo)...?**      **¿Es posible...?**

**2.** You give someone else permission to do something.

**Sí, puede(s)...**

**Sí, se permite...**

**3.** You tell someone that something is not allowed or permitted.

**Se prohíbe...**

**No se permite...**

**Eso no se hace.** *That's not allowed (done).*

There are some common expressions that require the subjunctive for expressing these concepts; for example, **Está bien que...**, **Está prohibido que...** You'll see these constructions later in the chapter, along with the forms of the subjunctive.

# PRÁCTICA

**5-9 ¿Qué dicen?** ¿Qué cree usted que están diciendo las personas que están en los siguientes dibujos? Invente dos oraciones para cada dibujo.

**1.**

**2.**

**3.**

**4.**

 **5-10 Conversaciones por teléfono.** Con un(a) compañero(a), invente conversaciones telefónicas para las siguientes situaciones. Un(a) estudiante hace el papel del (de la) estudiante A, y su compañero(a) hace el papel del (de la) estudiante B.

## Conversación 1

**Estudiante A:** You call a friend to see if he or she wants to go to the library to study with you. You can't remember what time the library closes. You think a good place to meet would be upstairs, on the second floor **(en el primer piso).** Together, you agree on a time and place to meet.

**Estudiante B:** Your friend calls to see if you want to go to the library to study with him or her. You remember that the library closes at 9:00. You think a good place to meet would be by the elevator **(cerca del ascensor).** Together, agree on a time and place to meet.

## Conversación 2

**Estudiante B:** You call a friend but he or she is not home. Your friend's roommate answers and asks who is calling. You give your name and say you'll call back later.

**Estudiante A:** You answer the phone when someone calls for your roommate. You take the caller's name and number to leave a message. You say your roommate will be home at around 10:00.

# GRAMÁTICA Y VOCABULARIO
## The Present Subjunctive Mood

Up to this point, the indicative mood has been practiced in this book. The indicative is used to state facts or make objective observations—most statements are in the indicative. (Statements in the indicative may or may not be true, but they are stated as truth.) The indicative is also used to ask simple questions. But now the subjunctive mood will be discussed: the mood of doubt, emotion, probability, personal will, arbitrary approval or disapproval. First, look at some examples of the subjunctive versus the indicative.

| | |
|---|---|
| David **aprueba** el curso. | *David is passing the course. (simple statement—indicative)* |
| ¿**Aprueba** David el curso? | *Is David passing the course? (simple question—indicative)* |
| Es posible que **apruebe**. | *It's possible that he may pass. (uncertainty, doubt—subjunctive)* |
| Es estupendo que **apruebe**. | *It's great that he's passing. (emotion—subjunctive)* |
| Está bien que **apruebe**. | *It's good that he will pass (is passing). (approval—subjunctive)* |

> **¡OJO!** The word *that* is optional in English, but **que** is always used in Spanish.

Note the various ways to translate the subjunctive into English.

Es posible que David apruebe.
$\left\{\begin{array}{l}\end{array}\right.$
*It's possible (that) David may pass.*
*It's possible (that) David's passing.*
*It's possible (that) David will pass.*
*It's possible for David to pass.*

## Formation of the Present Subjunctive

### Regular Verbs

To form the present subjunctive of nearly all Spanish verbs, the **-o** is dropped from the first-person singular of the present indicative (the **yo** form) and the endings shown in bold are added to the stem.

| hablar | | comer | | vivir | |
|---|---|---|---|---|---|
| habl**e** | habl**emos** | com**a** | com**amos** | viv**a** | viv**amos** |
| habl**es** | habl**éis** | com**as** | com**áis** | viv**as** | viv**áis** |
| habl**e** | habl**en** | com**a** | com**an** | viv**a** | viv**an** |

Verbs that have irregular **yo** forms carry this irregularity over to the stem of the present subjunctive; the endings are the same.

| tener | | hacer | | decir | |
|---|---|---|---|---|---|
| tenga | tengamos | haga | hagamos | diga | digamos |
| tengas | tengáis | hagas | hagáis | digas | digáis |
| tenga | tengan | haga | hagan | diga | digan |

## Stem-Changing Verbs

1. **-ar** and **-er**. The **nosotros** and **vosotros** forms follow the same pattern in the indicative and so do not have a stem change.

| encontrar (o → ue) | | querer (e → ie) | |
|---|---|---|---|
| encuentre | encontremos | quiera | queramos |
| encuentres | encontréis | quieras | queráis |
| encuentre | encuentren | quiera | quieran |

2. **-ir**. In the **nosotros** and **vosotros** forms, the infinitive stem **e** becomes **i** and the infinitive stem **o** becomes **u**.

| sentir (e → ie) | | pedir (e → i) | | dormir (o → ue) | |
|---|---|---|---|---|---|
| sienta | sintamos | pida | pidamos | duerma | durmamos |
| sientas | sintáis | pidas | pidáis | duermas | durmáis |
| sienta | sientan | pida | pidan | duerma | duerman |

## Irregular Verbs

There are four verbs that do not follow these patterns: **haber, ir, ser,** and **saber.**

| haber | | ir | | ser | | saber | |
|---|---|---|---|---|---|---|---|
| haya | hayamos | vaya | vayamos | sea | seamos | sepa | sepamos |
| hayas | hayáis | vayas | vayáis | seas | seáis | sepas | sepáis |
| haya | hayan | vaya | vayan | sea | sean | sepa | sepan |

- **Estar** takes accents on the same syllables in the present subjunctive as in the indicative (**esté, estés, esté, estemos, estéis, estén**).
- There are accents on the first- and third-person singular forms of the verb **dar** so that they can be distinguished from the preposition **de** (**dé, des, dé, demos, deis, den**).

**¡OJO!** Regular and stem-changing verbs ending in **-car, -gar, -ger,** and **-zar** have a change of **c** to **qu, g** to **gu, g** to **j,** and **z** to **c** in the present subjunctive. (For example, **buscar: que yo busque; pagar: que yo pague; recoger: que yo recoja; comenzar: que yo comience.**) For more information on spelling-changing verbs, see Appendix E.

# Impersonal Expressions That Take the Subjunctive

Es importante que Ernesto vaya a la oficina de administración hoy si no quiere perder su beca.

An impersonal expression is one that has an impersonal subject (usually *it* in English): e.g., **Es importante…, Es estupendo…** *It is important . . . ,* **It** *is great . . .*

| Main clause | Dependent clause |
|---|---|
| **Es importante** | **que Martín llegue a tiempo para hacer el examen.** |

The subjunctive is used for the verb in the dependent clause when the main clause expresses:

**1.** Emotion (hope, surprise, happiness, sadness, and so forth)

| | |
|---|---|
| Es una lástima que no vengan al congreso. | *It's a shame that they aren't coming to the conference.* |
| Es sorprendente que Pablo no asista a esta conferencia. | *It's surprising that Pablo isn't attending this lecture.* |
| Es terrible que te hable así. | *It's terrible that he (she) talks to you that way.* |

**2.** Will, preference, or necessity

| | |
|---|---|
| Es importante (necesario, preferible) que pensemos en el futuro. | *It's important (necessary, preferable) that we think about the future.* |

**3.** Approval, disapproval, or advice

| | |
|---|---|
| Está bien que hagas el examen el jueves en vez del martes. | *It's okay for you to take the exam Thursday instead of Tuesday.* |
| Es mejor que Juan no siga el curso de física todavía. | *It's better for Juan not to take the physics class yet.* |

**4.** Doubt, denial, or uncertainty

Es posible (probable) que Enrique fracase.

*It's possible (probable) (that) Enrique will fail.*

Es imposible que sigan ese curso.

*It's impossible for them to take that course.*

The subjunctive is also required after these impersonal expressions in the negative or interrogative.

No es posible que Enrique fracase.

*It's not possible that Enrique will fail.*

¿Está bien que hagan el examen el jueves en vez del martes?

*Is it okay for them to take the exam Thursday instead of Tuesday?*

## Impersonal Expressions That Take the Indicative

There are some impersonal expressions that take the indicative because they imply truth or certainty:

Es verdad (cierto, obvio, claro, evidente) que...

*It's true (certain, obvious, clear, obvious) that . . .*

In the negative these expressions require the subjunctive, since untruth or disbelief is expressed. Compare:

Es evidente que el sol es el centro del universo.

*It's evident (obvious) that the sun is the center of the universe.*

¡No es verdad que el sol sea el centro del universo!

*It's not true that the sun is the center of the universe!*

NO ES CIERTO QUE YO NO TENGA NINGÚN AMIGO. SÍ QUE TENGO UNO.

VALE, PERO, ¿SIN CONTAR A TOM, EL DE MYSPACE?

© Mauro Entrialgo

# VOCABULARIO ÚTIL

## LOS ALTIBAJOS DEL ESTUDIANTE

| | |
|---|---|
| **los altibajos** | *ups and downs* |
| **las cuotas altas (bajas)** | *high (low) fees* |
| **la depresión** | *depression* |
| **la esperanza** | *hope* |
| **exigente** | *demanding (referring to people)* |
| **el requisito** | *requirement* |
| **el ruido** | *noise* |
| **la tensión, el estrés** | *tension, stress* |
| **la ventaja (la desventaja)** | *advantage (disadvantage)* |

## MODISMOS

| | |
|---|---|
| **estar deprimido(a)** | *to be depressed* |
| **estar en la gloria** | *to be on top of the world* |
| **estudiar a la carrera** | *to cram* |
| **hacer cola** | *to stand in line* |
| **hacer huelga** | *to go on strike* |
| **hacer trampa** | *to cheat* |
| **Ojalá (que)** *(+ subj.)...* | *I hope (that) . . . (from the Arabic "May Allah grant . . .")* |

## PRÁCTICA

**5-11 Una clase fatal.** Las clases de su nuevo profesor de historia tienen fama de ser «fatales». Describa cómo cree que va a ser el profesor y qué deben hacer usted y sus compañeros.

**1.** Es probable que el profesor...
estar desorganizado, ser muy exigente, darnos muchas tareas, criticarlo todo

**2.** Es importante que nosotros...
trabajar juntos, asistir a todas las clases, hacer los trabajos a tiempo, tomar el asunto con calma

**3.** Es mejor que tú...
conseguir ayuda si la necesitas, no perder tiempo en clase, recordar las fechas de los exámenes, tomar buenos apuntes

**5-12 En el colegio.** Conteste las preguntas.

1. Cuando usted era chico(a), ¿tenía que llevar uniforme al colegio o a la escuela? ¿Cuáles son las ventajas y desventajas de llevar uniforme? Por ejemplo, ¿es bueno que no haya diferencias en el costo de la ropa que los estudiantes llevan?

2. ¿Había mucha diversidad étnica o religiosa en la escuela a la que usted asistió? Para usted, ¿es importante que haya diversidad?

3. ¿Estudiaban las chicas en las mismas clases que los chicos? ¿Es mejor que las chicas estén en clases o escuelas distintas? Si estudian juntos, ¿es probable que los chicos reciban más atención que las chicas?

4. Muchos padres de adolescentes no quieren que sus hijos tengan novio(a) y no les gusta que haya bailes escolares. ¿Qué edad tenía usted cuando fue a su primer baile escolar?

5. ¿Está bien que haya reglas sobre los tatuajes *(tattoos)* y piercings (para que una persona menor de edad no los pueda obtener)?

**5-13 Reacciones.** Exprese sus reacciones ante las siguientes ideas, usando expresiones como **Es verdad que..., No es cierto que..., Es bueno que...** o **Es una lástima que...** y el subjuntivo o el indicativo.

1. Los años de liceo o escuela secundaria son los mejores de la vida.
2. En esta universidad, los deportes son demasiado importantes.
3. Los mejores profesores son muy exigentes.
4. En esta universidad, hay demasiados requisitos para la graduación.
5. Las cuotas universitarias son bajas este año.
6. En la cafetería de nuestra universidad, casi nunca hay que hacer cola.
7. En esta universidad, muchos estudiantes hacen trampa en los exámenes.
8. Hay mucho estrés en la vida estudiantil.

 **5-14 Entrevista.** Trabaje con un(a) compañero(a). Túrnense para hacer y contestar las siguientes preguntas.

1. ¿Qué cualidades son importantes en un(a) compañero(a) de cuarto? Por ejemplo, ¿es importante que ayude a limpiar el cuarto? ¿que tenga buen humor? ¿que comparta sus cosas?

2. ¿Qué características son indeseables en un compañero(a) de cuarto? Por ejemplo, ¿es malo que fume? ¿que haga ruido de noche? ¿que lleve a mucha gente al cuarto?

3. ¿Es necesario o importante, a veces, que los estudiantes hagan huelgas o protesten? ¿Cuándo?

4. ¿Hay muchos altibajos en la vida del estudiante? ¿Es común que los estudiantes estén deprimidos? ¿que estén en la gloria? ¿De qué depende?

**5-15 Los nuevos estudiantes.** Algunos estudiantes acaban de llegar a su universidad. En grupos de tres o cuatro, hagan una lista de preguntas o preocupaciones que tendrán. Después, denles consejos. Usen **Es importante (necesario, mejor, preferible,** etcétera) **que** + el subjuntivo.

> ⚙ **MODELOS**  *Para comprar boletos para el teatro, es mejor que vayan a la cooperativa estudiantil, donde costarán menos.*
> *Si quieren comer un buen plato mexicano, es preferible que vayan a Casa Lupe.*

Ideas: Antes de escoger sus clases, es necesario que (ustedes) / hablar con... (leer...). Si quieren matricularse en las clases más populares, es importante que (ustedes) / llegar.... Para bailar (nadar, jugar al tenis, ver películas extranjeras...), es preferible que (ustedes) / ir a.... Si quieren escuchar conciertos de música clásica, es importante que (ustedes) / saber que.... Para conseguir ropa (zapatos, libros...) de buena calidad, es mejor que (ustedes) / hacer las compras en....

## Verbs That Take the Subjunctive

¿Es posible que Anita salga? Dudo que Anita salga ahora. Estoy seguro que tiene que estudiar.

Anita quiere que salgamos a celebrar el fin del semestre. ¡Me alegro que estemos de vacaciones!

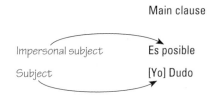
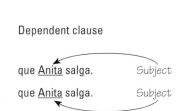

|  | Main clause | Dependent clause |  |
|---|---|---|---|
| Impersonal subject | Es posible | que Anita salga. | Subject |
| Subject | [Yo] Dudo | que Anita salga. | Subject |

1. Just as certain impersonal expressions take the subjunctive in a following dependent clause (the clause with **que**), certain verbs function in the same way. They include:

| | | |
|---|---|---|
| **alegrarse de** | *to be happy* | |
| **esperar** | *to hope* | |
| **sentir (ie)** | *to be sorry; to feel* | *emotion* |
| **sorprender** | *to surprise* | |
| **temer** | *to fear* | |
| **tener miedo de** | *to be afraid of* | |
| **decir (i)** | *to tell (someone to do something)* | |
| **desear** | *to wish, want* | |
| **exigir (j)** | *to demand* | |
| **insistir en** | *to insist on* | |
| **mandar** | *to order* | *will, preference, or necessity* |
| **necesitar** | *to need* | |
| **pedir (i)** | *to ask (someone to do something), request* | |
| **preferir (ie)** | *to prefer* | |
| **querer (ie)** | *to want* | |
| **rogar (ue)** | *to request, beg* | |
| **aconsejar** | *to advise, counsel* | |
| **gustar** | *to please* | *approval, disapproval, or advice* |
| **permitir** | *to permit* | |
| **prohibir** | *to prohibit* | |
| **recomendar (ie)** | *to recommend* | |
| **dudar** | *to doubt* | *doubt or denial* |
| **negar (ie)** | *to deny* | |

Siento que Manuel no esté aquí.  *I'm sorry that Manuel's not here.*

¡Te ruego que no dejes todo para la semana que viene!  *I'm begging you not to leave everything for next week!*

2. When the main clause contains one of these verbs in the negative or interrogative, the subjunctive is also normally used.

A mis papás no les gusta que salga sola de noche.  *My parents don't like me to go out by myself at night.*

¿Temes que la matrícula sea demasiado cara?  *Are you afraid tuition will be too expensive?*

¡OJO! Insistir **en** and **decir** are followed by the subjunctive to express will but the indicative to express facts: **¿Insistes en que ella esté allí?** *Do you insist that she be there?* **¿Insistes en que ella está allí?** *Do you insist that she is there?* **Me dicen que (yo) siga un curso de economía.** *They tell me to take an economics course.* **Me dicen que (ellos) siguen un curso de economía.** *They tell me they're taking an economics course.*

¡OJO! If the main clause contains a verb expressing doubt, the indicative will be required in a negative sentence if the idea of doubt is "cancelled out": **No dudo que saben la respuesta.** *I don't doubt that they know the answer.*

3. **Estar seguro(a)** normally takes the indicative in a following clause with **que,** but **no estar seguro(a)** takes the subjunctive because doubt is implied.

| | |
|---|---|
| Estoy segura de que tiene un título universitario. | *I'm sure she has a university degree.* |
| No están seguros de que ella tenga un doctorado. | *They aren't sure (certain) that she has a doctorate.* |

4. The subjunctive is used in a dependent clause when the subject of that clause is different from the subject of the main clause. If the subject is the same, the infinitive is used.

| | |
|---|---|
| Prefiero vivir en una residencia estudiantil, mamá. | *I prefer to live in a dorm, Mom. (subject: **yo**)* |
| ¿Cómo? Tu papá y yo preferimos que vivas en casa. | *What? Your father and I prefer that you live at home. (subjects: **tu papá y yo / tú**)* |
| Tengo miedo de fracasar en el examen. | *I'm afraid of failing the exam. (subject: **yo**)* |
| Tengo miedo de que mi novio fracase en el examen. | *I'm afraid my boyfriend will fail the exam. (subjects: **yo / mi novio**)* |

## PRÁCTICA

**5-16 Opiniones.** Complete las oraciones con una de las ideas entre paréntesis o con sus propias palabras.

⚙ **MODELO** A los profesores no les gusta que los estudiantes... (comer en clase)
*A los profesores no les gusta que los estudiantes coman en clase.*

1. A los profesores no les gusta que los estudiantes... (contar chistes tontos en clase, leer durante una conferencia, salir antes de que termine la clase, ¿...?)
2. Para impresionar a una chica de esta universidad, es necesario que un chico... (tener coche, ser romántico [inteligente, rico], saber conversar sobre una variedad de temas, ¿...?)
3. Tengo miedo de que mi mejor amigo... (cambiar de universidad, tener problemas con su novia, fracasar en su clase de historia, ¿...?)
4. No me gusta que mi mamá... (protestar en voz alta en un lugar público, regalar mi ropa sin decirme, hablar de mí con sus amigas, ¿...?)
5. Mis papás (o mis familiares) me aconsejan que... (estudiar administración de empresas, aprender karate, no perder el tiempo con los videojuegos, ¿...?)
6. Mis papás (o mis familiares) me prohíben que... (fumar en casa, tomar demasiado, manejar muy rápidamente, ¿...?)

**5-17 Una clase de folklore.** Marisa asiste a una clase de folklore y tiene que escribir una composición acerca de las supersticiones. Su abuela es muy supersticiosa y le da las siguientes recomendaciones, que Marisa escribe en un cuaderno. Complete las oraciones que Marisa ha escrito; use el subjuntivo, el indicativo o el infinitivo de los verbos entre paréntesis, de acuerdo con lo que sea necesario en cada caso.

1. «Te pido que no _____ (abrir) el paraguas *(umbrella)* dentro de la casa. Si lo haces, estoy segura de que _____ (ir) a tener una disputa con alguien».

2. «No es bueno que ellos _____ (beber) del mismo vaso; significa que podrán adivinarse los *(guess each other's)* secretos».

3. «Prefiero que (nosotras) no _____ (subir) al autobús número 13; tengo miedo de que _____ (haber) un accidente».

4. «No es bueno que una persona se _____ (levantar) con el pie izquierdo, ni que _____ (salir) de casa con el pie izquierdo. Eso le _____ (ir) a traer mala suerte durante el día».

5. «Mucha gente no empieza ningún negocio el martes 13 porque teme _____ (fracasar)».

6. «Ojalá _____ (haber) lluvia el día de la boda de tu prima, porque eso significa abundancia».

7. «M'hija, es muy mala suerte derramar sal *(to spill salt)*. Recomiendo que [tú] la _____ (tirar) *(throw it)* por sobre el hombro *(shoulder)* izquierdo tres veces para evitar algo desagradable».

**5-18 ¿Cómo podemos mejorar la vida estudiantil?** Hagan por lo menos seis oraciones, usando elementos de las tres columnas o sus propias ideas.

⚙ **MODELO** *Necesitamos que las residencias estudiantiles tengan computadora en cada dormitorio.*
*No nos gusta que los profesores nos den tareas durante las vacaciones.*

| | | |
|---|---|---|
| querer que | la administración | escuchar más a los estudiantes |
| esperar que | los profesores | hacer construir un nuevo estadio, |
| necesitar que | todos los estudiantes | teatro, piscina, más lugares de |
| (nos) gustar que | la cafetería (clínica, | estacionamiento *(parking)* |
| | librería) estudiantil | dar menos tareas |
| | las residencias | conseguir becas |
| | estudiantiles | protestar contra... |
| | las vacaciones | ser más (menos)... |
| | | servir comida... |
| | | tener wifi en cada dormitorio |

**5-19 Mi compañero(a) de cuarto.** Complete las siguientes oraciones. Si no tiene compañero(a) de cuarto, hable de un(a) buen(a) amigo(a).

Me alegro que mi compañero(a) de cuarto... y que también...
Prefiero que... porque no me gusta que...
No dudo que...
Me sorprende que...
Siempre le pido que...

**5-20 ¿De veras?** Haga tres oraciones, diciendo algo acerca de usted en el tiempo presente. Dos deben ser verdaderas; una debe ser falsa. Dígaselas a un(a) compañero(a) de clase. Su compañero(a) trata de adivinar cuál de las tres es falsa.

⚙ **MODELO** *Sé hablar chino. Me especializo en ingeniería. Mi madre es policía.*
*¿De veras? Dudo que sepas hablar chino (que te especialices en ingeniería, que tu madre sea policía).*

## The Subjunctive versus the Indicative

Some expressions in the main clause can take either the subjunctive or the indicative in the following dependent clause, depending on the point of view expressed.

1. **Tal vez, quizá(s),** and **acaso** normally take the subjunctive and imply doubt; however, they may take the indicative if the speaker or writer wants to imply a degree of certainty.

   | | |
   |---|---|
   | Tal vez sea una historia verdadera. | *Perhaps it's a true story (it's doubtful).* |
   | Tal vez es una historia verdadera. | *Perhaps it's a true story (speaker believes it is).* |

2. When asking a question with a verb or impersonal expression that states truth or certainty, the indicative is generally used in the dependent clause. However, the speaker or writer may choose to use the subjunctive to imply doubt. Compare the following:

   | | |
   |---|---|
   | ¿Estás seguro de que este restaurante es bueno? | *Are you sure this restaurant is good? (simple question)* |
   | ¿Estás seguro de que este restaurante sea bueno? | *Are you sure this restaurant is good? (doubt implied)* |

3. Similarly, **creer que...** and **pensar que...** take the indicative in affirmative statements and the subjunctive in negative statements. In interrogatives, they take either the subjunctive or the indicative, depending on whether doubt is implied.

   | | |
   |---|---|
   | Creo que la universidad me va a dar una beca. | *I think the university is going to give me a scholarship.* |
   | No creo que la universidad me dé una beca. | *I don't think the university is going to give me a scholarship.* |
   | ¿Cree usted que esa carrera tiene futuro? | *Do you think that career has a future? (simple question)* |
   | ¿Cree usted que esa carrera tenga futuro? | *Do you think that career has a future? (doubt implied)* |

# PRÁCTICA

**5-21 Conversaciones.** Haga oraciones con las palabras que siguen.

¿Qué hora es? Mi reloj no anda bien.

1. pienso que / ser las once
2. no estoy seguro, pero / creer que / ser las diez
3. no lo sé; quizás / ser las nueve

¿Dónde está el profesor?

4. es posible / estar en su oficina
5. es probable / estar en una reunión
6. tal vez / estar en la biblioteca
7. estoy seguro / no venir hoy
8. no creo que (nosotros) / deber esperarlo mucho

 **5-22 ¿Qué crees?** Entreviste a un(a) compañero(a) de clase sobre los siguientes temas, usando **¿Crees que...?** o **¿Piensas que...?** Su compañero(a) le da su opinión.

> **MODELO** Debemos tener clubes exclusivos para diferentes grupos étnicos.
> *¿Crees que debemos tener clubes exclusivos para diferentes grupos étnicos?*
> *Sí, creo que debemos tener clubes exclusivos para diferentes grupos étnicos porque tienen un papel importante en la vida universitaria.*
> *No, no creo que debamos tener clubes exclusivos para diferentes grupos étnicos porque crean divisiones entre los estudiantes.*

1. Todos los estudiantes deben seguir cursos de ciencias y matemáticas.
2. Hay demasiados estudiantes en las clases de esta universidad.
3. Las calificaciones de un(a) estudiante son una indicación de su inteligencia.
4. La mayoría de los estudiantes sabe qué profesión va a escoger cuando entra a la universidad.
5. La educación universitaria debe ser gratuita *(free)*.
6. Es mejor trabajar y estudiar en vez de dedicar cuatro años consecutivos exclusivamente a una carrera universitaria.
7. Una persona con un título universitario tiene más oportunidades de empleo que una persona sin título.

 **5-23 Quizás...** Cuéntele a un(a) compañero(a) tres o cuatro cosas que piensa hacer en el futuro. Use **tal vez** o **quizás** (+ *subj.*). Puede hablar de las clases, de una actividad social, de un viaje o de cualquier otro plan futuro.

> **MODELO** *Quizás siga un curso de antropología el trimestre que viene.*
> *Tal vez vaya a México en el verano.*

# EN CONTACTO

## ▷ Videocultura: Hablan los estudiantes

Elena Fernández, Juan Rivera y Mónica Leblanc hablan de lo que les gusta y de lo que no les gusta de la vida estudiantil. Mire el video y conteste esta pregunta: ¿Cuál es *uno* de los problemas que mencionan?

**Vocabulario:** el piso *(Spain)* / el departamento *apartment;* madrugar *to get up early;* ramos *subjects (colloquial, Chile);* materia *subject matter;* hace la cimarra *cut class (colloquial, Chile);* no defraudarles *not to disappoint them;* gastos *expenses;* la plata *money (colloquial, L. America);* sus propios apuntes *his or her own notes;* alquileres *rents*

© Anna Pérez

**5-24 Comprensión.** Conteste las siguientes preguntas después de ver el video.

1. ¿Qué le gusta Mónica de la vida estudiantil?
2. Elena menciona que a ella no le gustan los exámenes («que es una presión *[pressure]* contínua»). ¿Qué otra cosa no le gusta?
3. ¿Cuál es un problema para Juan? ¿Quiénes pagan sus estudios?
4. Mónica recomienda que un nuevo estudiante «se organice bien» y que tenga tiempo para hacer nuevos contactos y comenzar nuevas relaciones. ¿Qué le recomiendan Juan y Elena a un nuevo estudiante?

 **5-25 Puntos de vista.** Compare sus respuestas con las de dos o tres compañeros.

1. ¿Tiene tendencia a «dejárselo todo para el final»? ¿Le causa problemas a veces? ¿Cómo se puede evitar eso?
2. ¿Va a clase todos los días? ¿Es importante que un(a) estudiante tome sus propios apuntes? ¿Es común que los estudiantes de su universidad compartan sus apuntes?
3. ¿Tiene que «hacer maravillas con la plata»? ¿Qué hace para controlar los gastos?
4. ¿Se lleva bien con su(s) compañero(s) de cuarto (o casa)? Si no, ¿qué se puede hacer para que la situación no llegue a afectar los estudios?

# Síntesis

**5-26 Para vivir y aprender el idioma español...**

**Paso 1.** ¿Indicativo o subjuntivo? Complete las oraciones, utilizando la forma **nosotros** del verbo.

El año que viene voy con unos amigos a estudiar español en la Universidad de Granada, en el sur de España. Mi amiga española recomienda que
(1) visitemos (visitar) la Alhambra, el antiguo palacio de los moros, y que
(2) veamos (ver) los jardines y barrios típicos de la ciudad. Espero que
(3) tengamos (tener) la oportunidad de ir a Córdoba, Sevilla y Málaga, otras ciudades históricas de Andalucía. Ojalá que (4) conozcamos (conocer) a jóvenes españoles con quienes podamos juntarnos; así creo que nos (5) vamos (ir) a divertir mucho. Nuestro profesor de español nos aconseja que (6) miremos (mirar) películas o programas de televisión y que (7) asistamos (asistir) a conferencias en español. Es posible que (8) participemos (participar) en intercambios lingüísticos con estudiantes de habla hispana. Estoy seguro que (9) vamos (ir) a aprender mucho y pasar el semestre «en grande» (muy bien), como dicen los españoles. A veces, ¡la vida estudiantil tiene ventajas!

**Paso 2.** Usted está en Granada, estudiando español. Con un(a) compañero(a), inventen una pequeña conversación. Su compañero(a) lo (la) llama y le pregunta si puede usar sus apuntes (**¿Está bien que…?**). Usted sugiere que se reúnan más tarde para estudiar y que hagan otra cosa después (e.g., ir a ver una película en español, salir con sus «intercambios» o estudiantes de habla hispana, etcétera).

Centro de Lenguas Modernas, Granada, España. ¿A usted le gustaría estudiar español en España? ¿Qué hacen los estudiantes de las fotos? ¿Cuáles son algunas técnicas para aprender una lengua extranjera? ¿Cuáles utiliza usted?

**5-27 El semestre (trimestre) que viene...**

¿Qué va a hacer el semestre (trimestre) que viene? Hable con un(a) compañero(a) y describa sus planes. Use expresiones como **Es posible (probable) que...,** **Quizás..., Creo que..., No creo que....** Su compañero(a) le hará algunas preguntas.

⚙ **MODELO**  A: *El trimestre que viene es posible que cambie de compañero(a)*
        *de cuarto.*
      B: *¿Es que ustedes no se llevan bien?*
      A: *No, tenemos un problema...*

**Ideas**
seguir más (menos) cursos
estudiar más (menos)
trabajar en...
ir a algún lugar interesante
cambiar de residencia
hacer algún deporte
comprar o vender algo
hacer algún cambio en la vida
casarse
graduarse

**5-28 Confesiones.** Un(a) estudiante menciona un problema o preocupación que tiene. Podría hablar de cualquier problema o preocupación acerca de los estudios, las notas, el (la) novio(a), los padres o familiares, el dinero, los compañeros de cuarto... (Por ejemplo: **No tengo amigos. Mi novio(a) no me quiere. Mi clase de física es un desastre y no entiendo nada allí.**) Cada estudiante tiene que hacer una confesión. Los otros estudiantes le dan consejos, empezando con: **Te aconsejo que..., Espero que...** o **Es importante que....**

⚙ **MODELO**  A: *Creo que no voy a aprobar mi clase de química.*
      B: *Te recomiendo que vayas a clase y que tomes apuntes.*
      C: *Espero que consigas ayuda.*
      D: *Es importante que le hables al profesor.*

# Composición

## Una carta a un(a) amigo(a)

Escríbale una carta a un(a) amigo(a) hispano(a), describiendo los altibajos de su vida como estudiante. Trate de usar el subjuntivo por lo menos cinco veces. Use las listas de vocabulario de este capítulo y sus respuestas a las actividades 5-13, 5-14, 5-18, 5-27 y 5-28. Siga este plan:

1. Su ciudad, la fecha
2. **Querido(a)/Estimado(a)** [nombre de su amigo o amiga]:
3. el primer párrafo: **¿Qué tal?, ¿Cómo estás?** o algún otro saludo y una o dos expresiones de esperanza sobre la vida de su amigo(a) **(Espero que..., Ojalá que...).**
4. el segundo párrafo: **Aunque en general estoy bien, mi vida ahora no es perfecta; tiene algunas desventajas.** Luego, tres o cuatro oraciones sobre los puntos negativos de la vida estudiantil, usando expresiones como **Es horrible (necesario, una lástima, ridículo, terrible) que..., No es posible (probable) que..., Siento (Temo, Tengo miedo de, No me gusta) que....**
5. el tercer párrafo: **Pero mi vida ahora también tiene algunas ventajas.** Luego, tres o cuatro oraciones sobre los puntos buenos de la vida estudiantil, usando oraciones como **Está bien que..., Es bueno (maravilloso, estupendo) que..., Me alegro de que..., Estoy contento(a) de que....**
6. la conclusión: **Espero que (visitar, escribir, etcétera)... Sin otra novedad, vuelvo a mis estudios.**

    **Con cariño,**

**Opción:** Con la ayuda de su profesor(a), escríbale a un ciberamigo(a) hispano(a). En el primer e-mail, preséntese. Después, en otro e-mail, escríbale algo sobre la vida estudiantil y los altibajos de su vida. NB: En general, un chico utiliza «estimado», no «querido», cuando le escribe a otro chico.

# CAPÍTULO 7

# Gustos y preferencias

George Haling/Stone/Getty Images

El tango argentino: «un corazón y cuatro piernas»

## METAS

En este capítulo vamos a aprender a...

- ▶ expresar gustos y preferencias

- ▶ expresar acuerdo y desacuerdo

- ▶ utilizar expresiones para pedir comida o bebida en los restaurantes

- ▶ hablar de la música, de comidas y bebidas y de la moda

### LENGUA VIVA

Expresiones de acuerdo y desacuerdo

Expresiones que se utilizan en los restaurantes

### GRAMÁTICA

Palabras afirmativas y negativas

**Gustar, faltar** y otros verbos semejantes

El subjuntivo en cláusulas adjetivales

El subjuntivo con ciertas conjunciones adverbiales

### VOCABULARIO

La música

Comidas y bebidas

La moda (Fashion)

### LECTURAS

«¿Por qué nos gusta lo que nos gusta?»

«Lima en la cima» de Ruperto de Nola

El ingenioso hidalgo don Quijote de la Mancha (fragmento) de Miguel de Cervantes

# Presentación del tema

## Gustos musicales y la «música latina»

«Entre las gentes, hay mil gustos diferentes». Quizás este dicho aplique especialmente a la música, la comida y la moda de la ropa que llevamos. ¿Por qué nos gusta lo que nos gusta?

¿Cómo se puede explicar los gustos musicales, por ejemplo? Se oye mucho la expresión «música latina», y a menudo se asocia con la salsa, la música de Marc Anthony o Rubén Blades, entre muchos otros. La salsa es una combinación de varias influencias musicales: el son de Cuba, otras formas musicales del Caribe y el jazz de Estados Unidos. (El son tuvo su origen en los antiguos rituales musicales de la santería, una religión afrocubana, con elementos católicos y africanos.) Además de la salsa, la «música latina» incluye una gran variedad de estilos musicales, como el tango argentino, la cumbia colombiana, el flamenco español y las rancheras mexicanas. Los gustos musicales varían mucho de cultura en cultura y de persona en persona… un fenómeno inexplicable, pero ¡que viva la diferencia!

AP Photo/Andres Leighton

El cantante y compositor Juan Luis Guerra y su grupo 4.40 (Cuatro Cuarenta) han llevado los ritmos contagiosos del merengue a todo el mundo. La letra de sus canciones, inspirada en temas sociales, expresa la realidad de la vida en el Caribe. El merengue nació en las zonas rurales de República Dominicana.

Google Busque «Juan Luis Guerra» para saber más sobre este famoso merenguero.

## PRÁCTICA

**7-1 Preguntas.**

1. ¿Qué es la salsa? ¿Qué elementos tiene? ¿Qué es la santería?
2. ¿De qué países vienen el tango, la cumbia, el flamenco y las rancheras?
3. ¿Dónde nació el merengue? ¿Qué expresa la música de Juan Luis Guerra?
4. ¿Conoce usted algún (alguna) compositor(a) hispano(a)? ¿Cuál? ¿Le gusta su música? ¿Qué cantantes hispanos le gustan?

# VOCABULARIO ÚTIL

## LA MÚSICA

### COGNADOS

| | |
|---|---|
| el ballet | el merengue |
| el estilo | la música folklórica, clásica, pop, rock, reggae, rap, hip-hop |
| expresar | la ópera |
| el flamenco | la salsa |
| improvisar | el, la solista |
| el jazz | el tango |

### LOS INSTRUMENTOS MUSICALES

| | |
|---|---|
| el acordeón | los tambores *(drums)* |
| el clarinete | el trombón |
| la flauta | la trompeta |
| la guitarra | el violín |
| el piano | |

### OTRAS PALABRAS

| | |
|---|---|
| el bailarín (la bailarina) | *dancer* |
| componer | *to compose* |
| el compositor (la compositora) | *composer* |
| el conjunto | *band, group* |
| el espectáculo | *show* |
| el género | *type, genre* |
| la letra | *lyrics* |
| reflejar | *to reflect* |

**7-2 Asociaciones.** ¿Qué palabra(s) del mundo de la música se asocia(n) con...?

> **MODELO** Shakira
> *la música pop, la música rock, la cantante, la solista, la guitarra...*

1. Usher
2. la música triste
3. una marcha militar
4. la originalidad
5. *El Cascanueces (The Nutcracker)*
6. Mozart
7. música para trabajar o estudiar
8. música para dormir

**7-3 Preguntas.** Túrnense para entrevistarse con otro(a) compañero(a), utilizando las siguientes preguntas.

1. ¿A ti qué tipo de música te gusta escuchar? ¿Te gusta escuchar música en la radio a veces? ¿Qué estaciones de radio escuchas?

2. ¿Te gusta bailar? ¿Sabes bailar tango? ¿merengue? ¿chachachá?

3. ¿Tienes un(a) compositor(a) favorito(a)? ¿Cómo se llama?

4. ¿Cuáles de los cantantes (o conjuntos) de hoy te parecen los mejores? ¿Por qué? ¿Te gusta la letra de sus canciones?

5. ¿Tocas un instrumento musical? ¿Cuál? Si no, ¿cuál te gustaría tocar? ¿Por qué?

6. ¿Tuviste lecciones de música cuando eras pequeño(a)? ¿Fue una buena experiencia? ¿Aprendiste a componer música o a improvisar?

7. ¿Te gusta cantar? ¿Cantas en un coro *(chorus)*? ¿en la ducha *(shower)*?

# LENGUA VIVA

Julia Gutiérrez

Mike Martin

## Audioviñetas: En Bogotá

CD 2,
Track 2
**Conversación 1: Para expresar acuerdo y desacuerdo.** Mike y Julia conversan en un lugar céntrico de Bogotá.

**7-4** Escuche la **Conversación 1** y conteste las preguntas.

1. Son las nueve de la noche. ¿Dónde están Mike y Julia?
   a. en un restaurante
   b. en la calle, cerca de un club nocturno
   c. en un concierto de música clásica

2. ¿Qué piensa Julia de la música?
   a. Le molesta.
   b. Le gusta más o menos.
   c. Le encanta.

**7-5** Escuche la **Conversación 1** otra vez. Escoja las palabras apropiadas para completar la canción. Después conteste esta pregunta: ¿Qué quiere decir «Todo es según el color del cristal con que se mira»?

1 —Oye, Guillermo, te voy a hablar de las cosas de mi (1. ciudad / pueblo).
   —Mentiras°...                                             *nonsense, lies*
   —No, no, escucha esto.

Willy Chirino:
5 En mi pueblo sucedían° las cosas más sorprendentes.       *pasaban*
Había una burra sin (2. dientes / gentes)
experta en ortografía...
—No hombre, no...
...un enano° que crecía                                    *dwarf*
10 cuando (3. había / hacía) mucha humedad°,       *humidity*
un calvo° que en Navidad                              *bald man*
(4. siempre / nunca) le nacía pelo,
y un gallo° con espejuelos°                          *rooster / glasses*
de (5. sesenta / noventa) años de edad.
15 Y un gallo con espejuelos
de (6. sesenta / noventa) años de edad.

Álvarez Guedes:
Eso no es (7. nada / nadie).
Oye, no quiero menospreciar°                      *underrate*
20 a tu pueblo fabuloso
pero en el mío, había un oso°                          *bear*
que fue campeón de billar°...                        *billiards*
—No (8. existe / te creo).
...melones da el limonar°                           *lemon tree*
25 y hay un ciempiés° con muletas;°       *centipede / crutches*
Juan, un viejo anacoreta,°                       *hermit*
tiró un centavo al cantero;°         *flowerbed, small piece of land*
creció un árbol de dinero
donde florecen° pesetas.                         *grow, flourish*
30 —(9. ¿Cómo? / ¿Qué?)
Creció un árbol de dinero
donde florecen pesetas.

Coro:
Ya lo dijo Campoamor,°               *a nineteenth-century Spanish poet / shrinks*
35 todo encoje,° todo estira;°              *stretches out*
que en este mundo traidor°             *treacherous, false*
nada es (10. real / verdad) ni es mentira;
todo es según el color
del cristal con que se mira.

—Willy Chirino, *South Beach,* SONY
Tropical, © 1993 Sony Discos Inc.

**Conversación 2: Para expresar desacuerdo.** Julia y Mike están manejando por una calle de Bogotá.

*CD 2, Track 3*

**7-6** Escuche la **Conversación 2.** ¿Qué quiere Julia? ¿Qué piensa Mike de su idea?

**7-7** Escuche la **Conversación 2** otra vez. Escoja la mejor respuesta.

**1.** Según Julia, a las diez de la mañana, una comida muy deliciosa es...
  a. una dona *(doughnut).*
  b. una barra de granola.
  c. un plato de menudo *(tripe soup)* picante, con cebolla.

**2.** Para Mike, un plato de arepas *(thick corn tortillas)* con café negro es...
  a. un buen desayuno.   b. un buen almuerzo.   c. una buena cena.

**3.** Un «tentempié» es algo que...
  a. le da energía.   b. le tiene de pie.   c. **a y b**

##  En otras palabras

**Para expresar acuerdo y desacuerdo**

Here are some ways to express agreement and disagreement.

Rafael y Javier salen a comer. ¿Cómo piden la cuenta? ¿Quién la paga, al final?

© Anna Pérez

Mire el video en el sitio **www.cengagebrain. com/shop/ISBN/0495912654** y haga las actividades que lo acompañan.

**1.** You strongly agree with what someone is saying.

| | |
|---|---|
| **Sí, ¡cómo no!** | **Cierto.** |
| **Exacto.** | **Por supuesto.** *Of course.* |
| **Eso es.** | **Correcto.** |
| **Claro.** | **Sí, es verdad. Estoy de acuerdo.** |

**2.** You disagree with what someone is saying.

| | |
|---|---|
| **No, no es verdad.** | **¡Qué tontería(s)!** *What nonsense!* |
| **No, no estoy de acuerdo.** | **¡Qué ridículo!** |
| **Al contrario...** | **¡Qué va!** *Oh, come on!* |

**3.** You partially agree with what someone is saying and partially disagree. (Or you disagree but don't want to appear disagreeable.)

**Bueno, eso depende.**
**Está bien, pero por otra parte...** *(Fine, but on the other hand . . .)*
**Estoy de acuerdo en parte.**
**Pues, sí, hasta cierto punto.**

**4.** You agree with a suggestion that you or someone else do something.

¡**Claro que sí!**                        **Como usted quiera. (Como quieras.)**
                                              *As you like. Whatever you want.*

**Sí, ¡cómo no!**                        **De acuerdo.**

**5.** You disagree with a suggestion that you or someone else do something.

**Por el momento, no, gracias. Prefiero...**

¡**Ni por todo el oro (dinero) del mundo! ¡Ni a la fuerza (a palos)!** *Not even by force (because of blows)!* ¡**Ni loco(a)!** *(colloquial)*

¡**De ninguna manera!**

**Para pedir comida o bebida en un restaurante**

In Spain and Latin America, breakfast is generally light; lunch is the main meal, eaten in the early afternoon, and dinner is a smaller meal, usually eaten late (8:00 P.M. or even up to 10:00 P.M. in Spain).

To save a bit of money in a restaurant, you can ask for the **menú del día,** a full meal at a fixed price (called **comida corrida** in Mexico and parts of South America). You may also save money by asking, ¿**Cuáles son los vinos de la casa?** and ¿**Está incluido el servicio?** *(Is the service/tip included?)*

Before eating, it's common to say ¡**Buen provecho!** *(Enjoy your meal!).* And to make a toast, you can say ¡**Salud!,** ¡**Salud, amor y dinero!,** or ¡**Chin chin!** (imitating the sound of glasses clinking).

Following is a list of restaurant expressions. Who would be likely to use each one, a customer or a waiter? Mark C (**cliente**) or M (**mesero**). The answers are at the bottom of the page.

_C_ **1.** Tenemos reservaciones.

____ **2.** ¿Una mesa para tres?

____ **3.** ¿Desean pedir ahora?

____ **4.** ¿Nos podría traer la lista de vinos?

____ **5.** ¿Qué les traigo para empezar?

____ **6.** ¿Cuál es el menú del día?

____ **7.** ¿Qué nos recomienda?

____ **8.** ¿De qué es la sopa del día?

____ **9.** Permítanme recomendarles la especialidad de la casa.

____ **10.** ¿Les gustaría probar *(to try)*...?

____ **11.** Me falta un tenedor (un cuchillo, una cuchara) *(a fork [knife, spoon]).*

____ **12.** ¿Me trae..., por favor?

____ **13.** Esto no es lo que pedí.

____ **14.** ¿Querrán algún postre *(dessert)?* ¿café?

____ **15.** ¿Hay café descafeinado *(decaf)?*

## PRÁCTICA

 **7-8 Opiniones sobre la música.** Túrnese con un(a) compañero(a) para hacer afirmaciones sobre gustos musicales y para decir si están o no de acuerdo.

> ⚙ **MODELOS**  A: *En general, la letra de la música rap es bastante machista.*
> B: *No estoy de acuerdo. A veces…*
>
> A: *La música techno (de acordeón, de Lady Gaga, etc.) es fatal (estupenda).*
> B: *Es verdad. Pero por otra parte…*

 **7-9 ¿De acuerdo?** Piense en algunas actividades atrevidas *(daring)* o interesantes y en otras más rutinarias o menos agradables, e invite a un(a) compañero(a) a hacerlas con usted. Su compañero(a) dirá si está o no de acuerdo.

> ⚙ **MODELOS**  A: *¿Quieres ver un espectáculo de tango?*
> B: *Sí, hombre, ¡cómo no!*
>
> A: *Vamos a un restaurante mexicano a comer un plato de menudo (tripe soup), ¿de acuerdo?*
> B: *De ninguna manera. ¡Ni a palos!*

Note that **hombre** is used in this way colloquially in most parts of the Spanish-speaking world to address either a male or a female.

**7-10 En el restaurante.** Trabaje con un(a) compañero(a). Inventen una pequeña conversación en un restaurante entre un(a) mesero(a) y un(a) cliente. Utilicen por lo menos cinco de las expresiones de la lista de la página 155.

# GRAMÁTICA Y VOCABULARIO
## Affirmatives and Negatives

| | |
|---|---|
| **algo** *something, somewhat* | **nada** *nothing, (not) at all* |
| **alguien** *someone, anyone* | **nadie** *no one, nobody, not anyone* |
| **siempre** *always* | **nunca, jamás** *never* |
| **algunas veces** *sometimes* | |
| **algún, alguno(a)** *some, any* | **ningún, ninguno(a)** *none, not any, no* |
| **también** *also* | **tampoco** *not either* |
| **o...o** *either . . . or* | **ni...ni** *neither . . . nor* |
| **todavía** *still* | **todavía no** *not yet* |
| **aún** *still* | **ya no** *not any more* |

1. Most sentences can be made negative by placing **no** directly before a verb: **No vino. No ha comido.** Object pronouns can come between: **No me lo dio.**

2. Negative words can either (1) precede the verb or (2) follow the verb if **no** or another negative precedes it. Note that several negatives can be used in a Spanish sentence.

    Elena nunca tiene prisa.      *Elena's never in a hurry.*
       (Elena no tiene prisa nunca.)
    Nunca le dije nada a nadie.   *I never said anything to anyone.*

3. Both **nunca** and **jamás** mean *never;* however, **jamás** means *ever* in a question where a negative answer is expected.

    Nunca (Jamás) le hicieron mal    *They never harmed anyone.*
       a nadie.
    ¿Has oído jamás semejante        *Have you ever heard a similar story?*
       historia?

**Alguna vez** is used to mean *ever* in a simple question where neither an affirmative nor a negative answer is expected.

    ¿Ha escuchado alguna vez este    *Have you ever heard this kind of music?*
       tipo de música?

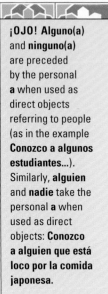

¡OJO! Alguno(a) and ninguno(a) are preceded by the personal **a** when used as direct objects referring to people (as in the example **Conozco a algunos estudiantes...**). Similarly, **alguien** and **nadie** take the personal **a** when used as direct objects: **Conozco a alguien que está loco por la comida japonesa.**

¡OJO! Ya no and todavía no precede a verb: **Ya no compone música. Todavía no estoy listo.**

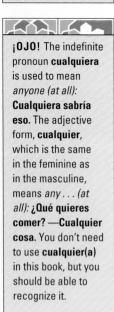

¡OJO! The indefinite pronoun **cualquiera** is used to mean *anyone (at all):* **Cualquiera sabría eso.** The adjective form, **cualquier,** which is the same in the feminine as in the masculine, means *any . . . (at all):* **¿Qué quieres comer? —Cualquier cosa.** You don't need to use **cualquier(a)** in this book, but you should be able to recognize it.

4. **Alguien** and **nadie** refer to people. **Alguno** and **ninguno** can be used for either people or things; they normally refer to certain members of a group that the speaker or writer has in mind.

| | |
|---|---|
| ¿Hay alguien en casa? Parece que no hay nadie aquí. | *Is there anyone home? It seems there is no one here.* |
| Algunos de mis amigos tocan varios instrumentos musicales, pero ninguno de ellos toca el trombón. | *Some of my friends play several musical instruments, but none of them plays the trombone.* |

5. **Alguno** and **ninguno** used as adjectives become **algún** and **ningún** before masculine singular nouns: **algún día, ningún conjunto. Ningún** and **ninguno(a)** are generally used in the singular as adjectives or pronouns; however, the English translation uses a plural.

| | |
|---|---|
| Tengo algunas fotos de él; no tengo ninguna foto de ella. | *I have some photos of him; I don't have any photos of her.* |
| Conozco a algunos estudiantes de Puerto Rico; no conozco a ninguno de Cuba. | *I know some students from Puerto Rico; I don't know any from Cuba.* |

6. **Todavía** and **aún** mean *still, yet;* **ya no** is used to mean *no longer, not anymore;* **todavía no** means *not yet.*

| | |
|---|---|
| ¿Todavía te sientes mal? —Ya no. | *Do you still feel bad? —Not anymore.* |
| ¿Aún toca el clarinete? | *Is he (she) still playing the clarinet?* |

## PRÁCTICA

**7-11 El optimista y el pesimista.** Describa al pesimista, basándose en la descripción del optimista.

**MODELOS** EL OPTIMISTA: Según su opinión, todo el mundo es honesto.
EL PESIMISTA: *Según su opinión, nadie es honesto.*

EL OPTIMISTA: Nunca piensa en ningún problema.
EL PESIMISTA: *Siempre piensa en algún problema.*

1. Casi nunca está preocupado por nada.
2. Según él o ella, todo el mundo es sincero.
3. Siempre tiene algo bueno que decir.
4. Según su opinión, tiene muchos amigos felices.
5. Cuando alquila un auto, jamás compra seguro *(insurance).*
6. Le interesa cualquier libro sobre cómo ser feliz.

**7-12 La música flamenca.** Complete la conversación con palabras afirmativas o negativas lógicas, según el contexto. Para una lista completa, mire la página 157.

ANDRÉS:   ¿Tienes (1) _____ disco compacto de Paco de Lucía?

MARISA:   ¿Paco de Lucía? No, no tengo (2) _____.

ANDRÉS:   Yo (3) _____, pero me gusta mucho la música flamenca y su música en particular.

MARISA:   Pregúntale a Carmen... Ella tiene muchos discos compactos.

ANDRÉS:   Buena idea. Pero Carmen está en Córdoba, ¿no?

MARISA:   No, (4) _____ no se ha ido. Sale mañana.

ANDRÉS:   Ah, y a propósito de la música flamenca, tengo dos entradas para El Palacio Andaluz esta noche. Una amiga inglesa estaba aquí de visita y la iba a llevar, pero ya regresó a Inglaterra. ¿Quieres acompañarme?

MARISA:   Gracias, Andrés, pero no puedo. Tengo una cena familiar.

ANDRÉS:   ¿Conoces a (5) _____ que quiera ir?

MARISA:   Pues, déjame pensar. (6) _____ Felipe _____ Manuel están aquí; ayer salieron para las montañas. Ramona (7) _____ está, porque fue a visitar a su familia.

ANDRÉS:   Parece que (8) _____ de nuestros amigos está aquí este fin de semana. Pues, no hay (9) _____ problema, no te preocupes.

Joaquín Cortés, famoso bailador de flamenco español. El flamenco tiene una fuerte influencia oriental y refleja la pasión y el dolor de la gente gitana *(Gypsy)*.

**7-13 Cuéntame, compañero(a)...**

**Paso 1.** Túrnense con un(a) compañero(a) para averiguar si…

⚙ **MODELO**  tiene algunos discos compactos de Alejandro Sanz.
A: *¿Tienes algunos discos compactos de Alejandro Sanz?*
B: *No, no tengo ninguno. (Sí, tengo uno [algunos].)*

1. tiene algunos discos compactos de Christina Aguilera.
2. sabe algo sobre la música rap.
3. sabe algo sobre las cumbias de Colombia.
4. conoce a alguna persona famosa.
5. conoce a alguien que maneje un Porsche.
6. todavía tiene su primera bicicleta.
7. siempre almuerza en casa.
8. tiene algún instrumento musical.

**Paso 2.** Utilizando palabras afirmativas y negativas, haga tres o cuatro oraciones, comparándose con su compañero(a): **Tengo una guitarra, pero Julia no tiene ningún instrumento musical. Nancy siempre almuerza en casa, pero yo casi nunca almuerzo en casa.**

 *Gustar*, *Faltar*, and Similar Verbs

Me encanta la música de Carlos Santana. ¿A ti también te gusta?

Review the use of the verb **gustar** on page 8.

| Indirect object pronoun | + | gusta/gustan | + | Subject |
|---|---|---|---|---|

A number of verbs are used like **gustar**:

| | |
|---|---|
| **convenir (ie)** | *to be convenient or suitable* |
| **doler (ue)** | *to ache, hurt* |
| **encantar** | *to delight or charm (often translated as to love)* |
| **faltar** | *to be lacking (often translated as to need)* |
| **hacer falta** | *to be lacking, missing (often translated as to need)* |
| **importar** | *to matter or be important* |
| **interesar** | *to interest* |
| **molestar** | *to bother* |
| **parecer** | *to seem* |
| **quedar bien (mal); quedar grande (chico, pequeño)** | *to fit well (badly); to be big (small)* |

| | |
|---|---|
| A mis abuelos no les conviene vernos hoy. | *It's not convenient for my grandparents to see us today.* |
| ¿Qué le hace falta para hacer el postre? | *What do you need to make the dessert?* |
| Me falta azúcar. | *I need sugar. (Sugar is lacking to me.)* |
| Me duele la cabeza. | *My head aches.* |
| ¿Me queda bien esta chaqueta? —No, te queda grande. | *Does this jacket fit me well? —No, it's big on you.* |
| A Susana le interesa la música clásica. No le interesan los deportes. | *Susana is interested in classical music. (It interests her.) She's not interested in sports.* |
| ¿Qué cosas les importan? —Les importan la familia y la tradición. | *What things matter (are important) to them? —Family and tradition matter to them.* |
| Nos encantó el espectáculo. | *We loved the show. (It delighted us.)* |
| ¿Te molesta esta música? | *Does this music bother you?* |
| ¿Qué les parece? | *What do you think about it? (How does it seem to you?)* |
| ¿Qué te parecen estos entremeses? —Me parecen muy sabrosos. | *What do you think about these appetizers? (How do they seem to you?) —They seem delicious (very tasty) to me.* |

Notice the use of definite articles in sentences like **Me duele <u>la</u> cabeza** or **No le interesan <u>los</u> deportes** and notice the use of the preposition **a** (**A mis abuelos, A Susana,** etc.). See page 18 for review.

# VOCABULARIO ÚTIL

## COMIDAS Y BEBIDAS

### LA COMIDA

| | |
|---|---|
| **la carne (de vaca, de res)** | *meat (beef)* |
| **los frijoles** | *beans* |
| **el jamón** | *ham* |
| **el helado** | *ice cream* |
| **los mariscos (los camarones, las almejas)** | *shellfish (shrimp, clams)* |
| **la papa** (*Spain:* **patata**) | *potato* |
| **el pescado** | *fish* |
| **el pollo** | *chicken* |
| **el postre, los dulces** | *dessert, sweets* |
| **el queso** | *cheese* |
| **la sal (la pimienta)** | *salt (pepper)* |
| **la sopa** | *soup* |
| **las verduras, las legumbres** | *vegetables* |

### OTRAS PALABRAS

| | |
|---|---|
| **la cocina** | *cuisine; kitchen; stove* |
| **cocinar** | *to cook* |
| **el entremés** | *appetizer* |
| **el jugo (de naranja)** | *(orange) juice* |
| **el plato fuerte** | *main course* |
| **sabroso(a)** | *delicious* |
| **la servilleta** | *napkin* |
| **el vino blanco (tinto, rosado)** | *white (red, rosé) wine* |

### ¡OJO!

**caliente** *hot (temperature);* **frío** *cold* / **picante** *(hot) spicy;* **suave** *bland, mild*

**tener cuidado con** *to be careful with* / **tener ganas de** *to feel like* / **tener hambre (sed)** *to be hungry (thirsty)*

# PRÁCTICA

© Jimmy Scott, "El Mercurio" de Santiago, Chile

– TÚ DIJISTE: "ME ENCANTA EL PULPO"... BUENO, AQUÍ TIENES: "EL PULPO".

**el pulpo** *octopus*

**7-14 Gustos.** Haga oraciones acerca de sus gustos y de los gustos de otras personas, de acuerdo con los modelos.

⚙ **MODELOS** yo / cocinar
*A mí no me gusta cocinar.*
los vegetarianos / las frutas y las verduras
*A los vegetarianos les gustan las frutas y las verduras.*

1. los vegetarianos / la carne
2. mi mejor amigo y yo / almorzar juntos
3. mi mejor amigo / la comida china
4. mi madre / la comida picante
5. mi padre / los dulces
6. yo / el arroz con frijoles
7. yo / los camarones

**7-15 «En gustos no hay disgustos *(disputes)*».** ¿Le gustan las siguientes comidas? ¿Por qué sí o por qué no? (Use **porque** y una de las frases que aparecen en la lista de la derecha o una frase de su propia invención.)

⚙ **MODELOS** la sopa de mariscos
*Me gusta la sopa de mariscos porque es muy sabrosa.*
*No me gusta la sopa de mariscos porque es difícil de preparar.*

1. los burritos — fácil / difícil de preparar
2. la pizza — muy caro / muy barato
3. el sushi — (demasiado) picante
4. las hamburguesas — (no) tiene muchas calorías
5. el pan francés — bueno / malo para la salud
6. el jamón y el salami — no tiene sabor / es sabroso (delicioso)
7. la comida china — tiene mucha sal (o mucho azúcar)
8. la carne de vaca — (no) tiene ingredientes artificiales
9. el chocolate
10. ¿...? (nombre de una comida que a usted le gusta mucho o no le gusta nada)

**7-16 Use la imaginación.** Complete las siguientes oraciones.

1. A mí me encanta(n)...
2. A los jóvenes les interesa(n)...
3. A los ancianos les interesa(n)...
4. A los profesores les importa(n)...
5. A los estudiantes les falta(n)...
6. A mí me hace(n) falta...
7. A mis papás les molesta(n)...
8. A las mujeres les importa(n) mucho...
9. A los hombres les importa(n) mucho...
10. A todo el mundo le conviene...

**7-17 Entrevista.** Túrnese con un(a) compañero(a) para averiguar lo siguiente. Pregúntele:

1. qué le parece la música «country»
2. qué géneros musicales le interesan más
3. qué géneros musicales les gustan a sus papás y qué géneros musicales no les gustan nada
4. si le duele la cabeza en este momento
5. una cosa que le importa mucho y una cosa que no le importa nada
6. dos cosas que le molestan mucho
7. dos cosas que les molestan mucho a los jóvenes en general
8. qué les hace falta a los estudiantes aquí
9. qué le falta para ser feliz

**7-18 El cotorreo** *(Gossip or gab session).*
Trabaje con un(a) compañero(a).
Averigüe una cosa que le gusta mucho o que le encanta y una cosa que no le gusta nada. (Su compañero[a] hace lo mismo.) Después, cambie de compañero(a) y pásele la información acerca de su primer(a) compañero(a). Hágale preguntas a su nuevo(a) compañero(a) para averiguar una cosa que le gusta mucho y una cosa que no le gusta nada. El cotorreo sigue así durante diez minutos.

Me gusta el cine, la carne al horno, la ropa entallada, el color violeta, mi número es el tres y prefiero al hombre elegante pero no en exceso

Le pregunté si tenía "referencias," no "preferencias"

© Roberto Fontanarrosa. Permission granted by Agencia literaria Ángeles Martín

**al horno** *roasted or baked*

**entallada** *well cut, fitting well*

# The Subjunctive in Descriptions of the Unknown or Indefinite

1. The subjunctive is used in certain adjective clauses that modify something that is unknown, indefinite, nonexistent, or unreal—for instance, a person or thing one is looking for but may not find or someone or something that definitely does not exist. However, the indicative is used for a specific person or thing definitely known to exist (including the pronouns **alguien, alguno,** and **algo**). Compare the following examples.

| | |
|---|---|
| Hay alguien aquí que va a Barcelona. | *There is someone here who is going to Barcelona.* |
| ¿Hay alguien aquí que vaya a Barcelona? —No, no hay nadie aquí que vaya a Barcelona. | *Is there anyone here who is going to Barcelona? —No, there's no one here who's going to Barcelona.* |
| Vamos al Club Latinoamericano, donde podemos escuchar música. | *Let's go to the Latinoamericano Club, where we can listen to music.* |
| Vamos a un lugar donde podamos escuchar música. | *Let's go to a place where we can listen to music.* |
| Busco la blusa azul que mi hija llevó en la fiesta de cumpleaños. | *I'm looking for the blue blouse that my daughter wore at the birthday party.* |
| Busco una blusa que mi hija pueda llevar en una fiesta de cumpleaños. | *I'm looking for a blouse that my daughter can wear at a birthday party.* |

Notice that in the first example of each pair the speaker or writer is thinking of something or someone specific; therefore, the indicative is used. But in the second example of each pair, when the person or item is either nonexistent or not specific, the subjunctive is used. The subjunctive is used only in the adjective clause (a descriptive clause that generally begins with **que** and modifies a preceding noun).

2. The personal **a** is used before a direct object that is a person when the speaker or writer has someone definite in mind, but not normally when the person is indefinite or unspecified. However, the pronouns **alguien, alguno, nadie,** and **ninguno** used as direct objects referring to people always take the personal **a**.

| | |
|---|---|
| Armando busca una mujer que lo quiera y que lo trate bien. | *Armando is looking for a woman who will love him and treat him well.* |
| Armando encontró a alguien que lo quiere y que lo trata bien. | *Armando found someone who loves him and treats him well.* |

# VOCABULARIO ÚTIL

## LA MODA

### COGNADOS

| | | |
|---|---|---|
| la blusa | el descuento | el suéter |
| la chaqueta | los pantalones | |

### OTRAS PALABRAS

| | |
|---|---|
| el abrigo | *coat* |
| los calcetines | *socks* |
| la camisa | *shirt* |
| la camiseta | *T-shirt* |
| el chaleco | *vest* |
| la corbata | *tie* |
| la falda | *skirt* |
| el impermeable | *raincoat* |
| llevar, traer, usar | *to wear* |
| la marca | *brand* |
| las medias | *stockings* |
| el paraguas | *umbrella* |
| ropa ligera (abrigada) | *light (heavy, warm) clothing* |
| la sudadera | *sweatshirt* |
| el traje | *suit* |
| el vestido | *dress* |
| los zapatos | *shoes* |

### ¡OJO!

**probar (ue)** *to try;* **probarse (ue)** *to try on* / **tratar de** *(+ infinitive) to try, make an effort;* **tratar de** *(+ noun) to deal with,* treat

---

Y usted, ¿quiere que su ropa «diga» algo? ¿Le importa que su ropa esté de moda? ¿Le importa la marca de ropa que lleva? ¿Refleja la ropa de una persona su personalidad?

MUY LANZADA

MUY CONSERVADORA

NECESITO ALGO QUE DIGA: SOY INTELECTUAL PERO NO ABURRIDA, SÉXY PERO NO EXTRAVAGANTE, MODERNA PERO NO ORDINARIA, DIVERTIDA PERO NO INTENSA, ARREGLADA PERO NO CURSI, A LA MODA PERO NO VÍCTIMA DE LA MODA...

¿ME PUEDES EXPLICAR POR QUÉ TARDAS TANTO EN VESTIRTE?

nani

www.nanicartoons.com

**lanzada** *daring*    **arreglada pero no cursi** *neat but not corny, "overdone"*

# PRÁCTICA

**7-19 Un espectáculo de baile folklórico.** Complete las oraciones con los verbos apropiados.

Bailarines con trajes tradicionales en un espectáculo de danzas folklóricas de México

Me llamo Maribel y soy actriz y bailarina. El mes pasado actué en una obra de drama contemporáneo, pero este mes empiezo a trabajar con un grupo de baile folklórico. En vez de ropa moderna, nos van a hacer trajes que (1) _____ (tener) faldas largas de colores vivos. En la obra, usé zapatos un poco incómodos, con tacones *(heels)* muy altos, pero ahora necesito unos zapatos que me (2) _____ (quedar) bien y que (3) _____ (ser) muy cómodos, para poder bailar durante varias horas. Van a construir un escenario que (4) _____ (hacer) referencia a murales de famosos artistas mexicanos, como Diego Rivera. ¿Quieres ver un espectáculo que (5) _____ (celebrar) la cultura tradicional de México y que (6) _____ (tener) música alegre? Pues, ¡ven a vernos el mes que viene!

 **7-20 Juego de memoria:** ¿Hay alguien que lleve...?

La clase debe dividirse en dos equipos. Un(a) voluntario(a) tiene que ponerse de pie *(stand up)* y cerrar los ojos. Algún estudiante del otro equipo le hace una pregunta sobre la ropa de las personas de la clase. Si el voluntario (la voluntaria) contesta bien (en español), su equipo gana un punto. Después le toca a *(it's the turn of)* un(a) voluntario(a) del otro equipo, etcétera. El equipo con más puntos al final gana el juego.

**⚙ MODELOS**   A: *¿Hay alguien que lleve un chaleco amarillo?*
B: *No, no hay nadie que lleve un chaleco amarillo. (Está bien. Ganas un punto.)*
A: *¿Hay alguien que lleve una camisa blanca?*
B: *Sí, hay dos personas que llevan camisa blanca. (No está bien. Hay tres personas con camisa blanca. No ganas nada.)*

**7-21 Ideales y aspiraciones.** Entreviste a un(a) compañero(a). Hágale preguntas usando las ideas que siguen y otras de su propia invención. Cambie los infinitivos a la forma correcta del presente del subjuntivo. Después su compañero(a) lo (la) entrevista a usted. Luego, prepare un breve resumen *(summary)* de los ideales de su compañero(a) en cuanto al amor, a la amistad y al trabajo.

1.  ¿Qué tipo de hombre o mujer buscas para esposo(a)? ¿Buscas a alguien que...
    **(a)** ¿ser muy atractivo(a)? ¿inteligente? ¿simpático(a)? ¿trabajador(a)? **(b)** ¿ganar mucho dinero? **(c)** ¿llevar ropa elegante? **(d)** ¿bailar bien? **(e)** ¿no tener celos? ¿...? (Si ya tienes esposo[a], descríbelo[la].)

2.  Como amigo o amiga, ¿prefieres a alguien que... **(a)** ¿ser divertido(a)? ¿sincero(a)? ¿generoso(a)? **(b)** ¿tener las mismas opiniones políticas que tú? **(c)** ¿tener más o menos la misma edad? ¿...?

3.  Para tu profesión, ¿prefieres tener un trabajo que... **(a)** ¿ser interesante? ¿fácil? ¿de gran prestigio? **(b)** ¿permitirte ganar un buen salario? ¿permitirte conocer a mucha gente o viajar? **(c)** ¿no producirte estrés? ¿... ? (Si ahora tienes el trabajo de tus sueños, descríbelo.)

# The Subjunctive with Certain Adverbial Conjunctions

1.  The following adverbial conjunctions always require the subjunctive since they indicate that an action or event is indefinite or uncertain—it is not necessarily going to happen.

| | |
|---|---|
| **a menos que** | *unless* |
| **para que** | *so that* |
| **con tal (de) que** | *provided that* |
| **en caso (de) que** | *in case* |
| Niños, a menos que bajen el volumen de esa música, me voy a volver loco. | *Children, unless you turn down that music, I'm going to go crazy.* |
| Con tal que me quieras, estaré contento. | *Provided that you love me, I'll be happy.* |
| En caso de que venga Ana, dile que voy a regresar en unos minutos. | *In case Ana comes, tell her I'll be back in a few minutes.* |
| Te digo esto para que tengas cuidado. | *I'm telling you this so that you will be careful.* |

2.  **Sin que** indicates that something does not take place—it does not in fact happen. **Antes (de) que** implies that an action has not yet occurred. The subjunctive is required in both cases.

| | |
|---|---|
| Salen sin que tía Juana los vea. | *They leave without Aunt Juana seeing them.* |
| Miguelito promete practicar el violín antes de que salgamos a cenar. | *Miguelito promises to practice the violin before we go out to dinner.* |

**3. Aunque** is used with the subjunctive to indicate opinion, uncertainty, or conjecture but with the indicative to indicate fact or certainty.

| | |
|---|---|
| Aunque le guste esa camisa, no la va a comprar. | *Although he might like that shirt, he's not going to buy it.* |
| Aunque le gusta esa camisa, no la va a comprar. | *Although he likes that shirt, he's not going to buy it.* |
| Aunque no sea muy responsable, lo amo. | *Although he may not be very responsible, I love him.* |
| Aunque no es muy responsable, lo amo. | *Although he isn't very responsible, I love him.* |

**¡OJO!** Notice in the examples that the present subjunctive is sometimes translated with *may* or *might* in English.

**4.** Other conjunctions of time can take either the subjunctive or the indicative.

| | |
|---|---|
| **cuando** | *when* |
| **hasta que** | *until* |
| **después (de) que** | *after* |
| **mientras (que)** | *while* |
| **en cuanto** | *as soon as* |
| **tan pronto como** | *as soon as* |

The indicative is used after these conjunctions to express a customary or completed action. In contrast, when the idea following the conjunction refers to an action in the future, the subjunctive must be used.

| | |
|---|---|
| Cuando viene Mateo a nuestra casa, tocamos música rock. | *When Mateo comes to our house, we play rock music. (customary action)* |
| Cuando venga Mateo a nuestra casa, tocaremos música rock. | *When Mateo comes to our house, we'll play rock music. (He hasn't come yet; projection into the future.)* |
| Después que llega mi cheque cada mes, compro la comida. | *After my check arrives each month, I buy food. (customary action)* |
| Después que llegue mi cheque este mes, compraré un abrigo. | *After my check arrives this month, I'll buy a coat. (It hasn't come yet; projection into the future.)* |

The use of the subjunctive after these conjunctions does not mean that the speaker or writer necessarily doubts that the action or event will take place; it is simply indefinite, since it has not yet occurred. No matter how plausible the event seems, the subjunctive must be used if there is a projection into the future—after all, what is in the future is uncertain.

**¡OJO!** Of course, the past tense is used for something that has occurred and is a known fact: **Cuando llegamos (Después de que llegamos), vi la nota.**

**5.** Some of the preceding conjunctions are made up of prepositions (**para, sin, antes de, después de, hasta**) combined with **que.** These prepositions are followed by an infinitive if there is no change in subject. Compare the following:

| | |
|---|---|
| Sin hablarme, entró en la casa. | *Without speaking to me, he went into the house.* |
| Paso por su casa todos los días sin que él me hable. | *I go by his house every day without his speaking to me.* |

# PRÁCTICA

**7-22 La vida será mejor cuando...** Se dice que mucha gente piensa tanto en el futuro que no goza del presente. Complete las oraciones sobre las diferentes edades de los seres humanos, usando el presente del subjuntivo del verbo entre paréntesis.

La vida será mejor...

1. Un(a) niño(a): ...cuando [yo] _____ (crecer) y cuando _____ (tener) dinero para comprar todos los dulces que quiero.

2. Un(a) adolescente: ...cuando _____ (poder) manejar, cuando _____ (ir) a la universidad.

3. Un(a) estudiante universitario(a): ...cuando _____ (terminar) los estudios y _____ (conseguir) trabajo.

4. Un(a) joven soltero(a): ...cuando _____ (casarse) y _____ (tener) hijos.

5. Un padre o una madre de niños pequeños: ...cuando los niños _____ (crecer) y [nosotros] _____ (poder) ir de vacaciones.

6. Un padre o una madre de adolescentes: ...cuando [yo] _____ (tener) mejor coche, cuando _____ (perder) peso *(weight),* cuando _____ (ganar) más dinero, cuando mis hijos _____ (dejar) de ser tan rebeldes.

7. Una persona de mediana *(middle)* edad: ...cuando [yo] me _____ (jubilar *[retire]*) y _____ (poder) gozar de la vida.

Según su opinión, ¿hay una «mejor edad»? Si es así, ¿cuál es? ¿Es importante disfrutar de todas las edades al máximo o es necesario a veces trabajar un poco más para tener una vida mejor en el futuro?

**7-23 Situaciones y preferencias.** Complete las oraciones con la forma apropiada de los verbos entre paréntesis.

En una tienda de ropa. Los señores Hernández hablan con el vendedor.

EL VENDEDOR:   Buenos días, señores. ¿En qué puedo servirles?

LA SEÑORA H.:   Busco un vestido para (1) _____ (ponerse) en una fiesta de cumpleaños.

EL VENDEDOR:   ¿Quiere algo de seda *(silk)*...?

LA SEÑORA H.:   No, quiero algo que (2) _____ (poder / yo) lavar a máquina. Y busco algo que no (3) _____ (ser) demasiado caro.

EL VENDEDOR:   Tenemos muchos vestidos. Están por aquí.
(La señora Hernández mira los vestidos. Pasan unos minutos.)

EL SEÑOR H.:   ¿No puedes encontrar nada que te (4) _____ (gustar), querida?

LA SEÑORA H.:   Espera un momento más. Aquí hay algunos vestidos muy bonitos. ¿Te (5) _____ (gustar) este?

EL SEÑOR H.:   Sí, sí. Pruébatelo, mi amor.
(La señora se prueba el vestido y regresa.)

LA SEÑORA H.:   ¿Cómo me queda? Aunque me (6) _____ (encantar) los colores y el estilo, temo que (7) _____ (costar) demasiado.

EL SEÑOR H.:    No importa. Llévalo aunque (8) _____ (ser; *it may be*) un poco caro, porque es posible que no (9) _____ (encontrar / nosotros) otro hoy. Y yo voy a llevar esta camisa; en cuanto la (10) _____ (ver / yo), pensé en Miguelito. Creo que a él le (11) _____ (ir) a gustar mucho.

LA SEÑORA H.:   De acuerdo. Pero después de que (12) _____ (salir / nosotros) de esta tienda, necesito buscar unos zapatos que me (13) _____ (quedar) bien con el vestido. Vamos a esa zapatería que está en la calle Vallejo, ¿no?

EL SEÑOR H.:    ¡Ay, ay, ay!

 **7-24 Entrevista.** Entreviste a un(a) compañero(a) para obtener la siguiente información.

> ⚙ **MODELO**  qué quiere comprar en cuanto / tener el dinero
> *¿Qué quieres comprar en cuanto tengas el dinero?*
> *Quiero comprar una guitarra en cuanto tenga el dinero.*

**1.** qué va a hacer cuando / salir de la clase

**2.** a quién va a llamar cuando / llegar a casa

**3.** si piensa vivir en el mismo lugar hasta que / terminar sus estudios

**4.** qué necesita hacer antes de que / empezar los exámenes finales

**5.** si va a ir de viaje tan pronto como / llegar las vacaciones

**6.** si quiere ir a trabajar a algún país hispano con tal que alguien le / dar un buen puesto allí

 **7-25 Consejos de una chica mexicana.** Una chica mexicana le dio los siguientes consejos a una estudiante norteamericana que iba a ir a México: «Si vas a un restaurante en México, es una buena idea...

—preguntarle al mesero o a la mesera qué recomienda, cuál es la especialidad de la casa

—decir "¡Señor!" o "¡Señorita!" para llamarlo(la)

—preguntar qué platos hay en la comida de precio fijo (el menú del día)

—pedir el vino de la casa o una cerveza doméstica para no gastar mucho dinero

—no ir muy temprano para cenar

—ver si hay personas mexicanas en el restaurante; si no hay gente o si todos los clientes son turistas, quizás la comida no es muy buena o no es muy típicamente mexicana

—pedir la cuenta en vez de esperar hasta que el mesero la traiga

—dejar una propina del 15 por ciento (%)».

**Paso 1.** Hagan dos o tres oraciones, usando los consejos de la chica mexicana y conjunciones adverbiales: e.g., **a menos que, con tal (de) que, cuando, después (de) que, en caso (de) que, hasta que, para que.**

> ⚙ **MODELO**  *Pide la cuenta cuando termines de comer; no esperes hasta que el mesero la traiga.*

**Paso 2.** Denle consejos a un(a) mexicano(a) que viene a su ciudad. ¿Dónde debe comer? ¿Cuáles son algunas costumbres que debe conocer? Traten de usar conjunciones adverbiales.

# EN CONTACTO

 ## Videocultura: El baile flamenco

La bailarina María Rosa habla de su amor por la danza y de los diferentes bailes que presenta su compañía El Ballet Español. En el video se ven los bailes y los trajes regionales y se escucha música auténtica. Mire el video y conteste esta pregunta: ¿Qué significa el baile para María Rosa?

**Vocabulario:** el alma *(f) spirit, soul, heart;* el escenario *stage;* el pueblo *people, nation;* la raíz (las raíces) *root(s)*

> You Tube Busque «baile flamenco». ¿Qué tienen los videos en común?

© Heinle, Cengage Learning

**7-26 Comprensión.** Conteste las siguientes preguntas después de ver el video.

1. ¿Qué tipo de bailes presenta la compañía de María Rosa?
2. ¿Cómo se siente María Rosa cuando está en el escenario?
3. ¿Qué expresa cada provincia y cada pueblo a través del baile?
4. Según María Rosa, ¿qué es el flamenco?

**7-27 Puntos de vista.** Compare sus opiniones con las de dos o tres compañeros.

1. ¿Cómo son los bailes españoles que se ven en el video? Describa la música y los trajes regionales.
2. ¿Cómo son los bailes folklóricos de Estados Unidos? Compárelos con los de España.
3. ¿Conoce usted otro tipo de baile hispano? ¿Cómo se llama y cómo es? Compárelo con el flamenco.

# Síntesis

**7-28 La música y yo.** Su profesor(a) le dará una tarjeta y escribirá tres preguntas en la pizarra; por ejemplo:

**1.** ¿Hay alguna película que tenga música muy buena o muy especial, en su opinión? ¿Cuál?

**2.** ¿Conoce un lugar donde se pueda escuchar buena música? ¿Dónde?

**3.** ¿Hay algún género musical que le guste mucho? ¿Cómo se llama?

Conteste con oraciones completas las preguntas de su profesor(a). Devuélvale la tarjeta a su profesor(a). Él (Ella) le dará la tarjeta de otro(a) estudiante. Busque al (a la) dueño(a) de la nueva tarjeta, haciéndoles preguntas a los otros estudiantes.

**7-29 Escoger un restaurante.** Con un(a) compañero(a), miren estos anuncios de algunos restaurantes de San Sebastián, España, y hagan juntos la actividad. Vocabulario: vasca *Basque,* servicio a domicilio *delivery service to the home,* pinchos *appetizers (in this part of Spain),* cazuelitas *small casseroles*

> ⚙ **MODELO** ¿Qué restaurante le convendría a un viajero a quien le encanten las cazuelitas y que quiera escoger del menú del día?
>
> *A un viajero a quien le encanten las cazuelitas y que quiera escoger del menú del día le convendría el restaurante Bar Zeruko. Tiene cazuelitas y menús de día y noche.*

En su opinión, ¿cuál de estos restaurantes le convendría a...?

**1.** alguien que quiera tomar un café especial

**2.** dos turistas mexicanos que tengan ganas de comer tacos y enchiladas

**3.** una persona a quien le encante el pulpo *(octopus)*

**4.** una madre soltera que no quiera salir de su casa con sus dos hijos pequeños (a sus hijos no les gusta la comida mexicana)

**5.** unos turistas que deseen encontrar la comida y el ambiente típicamente vascos

**6.** una familia que salga para comprar helados italianos

**7.** alguien que busque un restaurante con comedor privado y aire acondicionado

¿Cuál de los restaurantes prefieren ustedes? ¿Por qué?

**7-30 En el restaurante.** Trabajando con dos compañeros, inventen una conversación entre un(a) mesero(a) y dos clientes. Los clientes piden un entremés, bebidas, un plato principal y un postre. Luego, algo pasa que causa un problema. Finalmente, se soluciona el problema. (Se puede consultar **En otras palabras** y el **Vocabulario útil** de la página 162.)

# Composición

## La música que me gusta

Usando las listas de vocabulario de este capítulo y sus respuestas a las actividades 7-1, 7-3, 7-8, 7-27 y 7-28, siga este plan.

1. Haga una lista de las cosas que le gustan o que le importan en la música y otra lista de cosas que no le importan mucho. Puede mencionar el ritmo, el estilo de un(a) músico o cantante, los instrumentos musicales, la letra, etcétera.
2. Escriba un párrafo sobre un(a) cantante, un conjunto o un estilo musical que le gusta y diga por qué le gusta.

**Opción:** Haga una remezcla o *mash-up*. Incluya ejemplos del género musical, de la letra o del artista/compositor(a) que escoja: una foto, un video, etcétera.

**Tema alternativo: Un buen restaurante.** Usando las listas de vocabulario de este capítulo y sus respuestas a las actividades 7-10, 7-14, 7-15, 7-25, 7-29 y 7-30, siga este plan.

1. Haga una lista de varias comidas que le gustan.
2. Haga una lista de las cualidades de un restaurante que son importantes para usted; por ejemplo, el ambiente, el servicio, los precios, la música, etcétera.
3. Escriba un párrafo (¡con muchos detalles!) sobre un restaurante que le gusta y diga por qué le gusta. ¿Qué platos pide allí?

**Opción:** Haga una remezcla o *mash-up*. Incluya el menú del restaurante, un video o una foto, etcétera.

# CAPÍTULO 8

# Dimensiones culturales

## METAS

En este capítulo vamos a aprender a...

▶ describir la rutina diaria

▶ expresar una falta de comprensión

▶ hablar de diversas costumbres y tradiciones

*La imposibilidad del café a media mañana*, (Acrylic on paper), 30" × 22', by Elizabeth Gómez-Freer. 2001 collection of Lydia Itoi.

*La imposibilidad de café a media mañana*, Elizabeth Gómez Freer

# Presentación del tema

## Raíces

Las raíces de la cultura hispana son profundas y muy variadas. La cultura de España es una mezcla de las culturas de los iberos *(Iberians)*, los celtas, los fenicios *(Phoenicians)*, los vascos *(Basques)*, los romanos, los judíos y los árabes (entre otros); todos contribuyeron a su desarrollo. Cuando los españoles llegaron a América en los siglos XV y XVI, se encontraron con las civilizaciones indígenas azteca e inca y con las ruinas de las grandes ciudades mayas. Hoy en España y Latinoamérica hay inmigrantes de todo el mundo. El historiador uruguayo Eduardo Galeano dice: «Nuestra identidad está en la historia, no en la biología, y la hacen las culturas, no las razas; pero está en la historia viva. El tiempo presente no repite el pasado: lo contiene».

Con la llegada de los africanos a Latinoamérica, la cultura hispanoamericana se enriqueció aun más con la introducción de una nueva música muy rítmica y con nuevas formas de arte y baile. La literatura afroamericana también es una contribución importante a la cultura hispana.

Busque «Nicolás Guillén» para aprender más sobre este escritor afro-cubano y escuchar canciones con letra de algunos de sus poemas.

### 8-1 Preguntas

1. ¿Cómo interpreta usted el cuadro de Elizabeth Gómez Freer en la página 175?
2. ¿Qué grupos étnicos formaron la cultura de España?
3. Al llegar los españoles a América en los siglos XV y XVI, ¿con qué civilizaciones indígenas se encontraron?
4. ¿Cuáles son los grupos étnicos o las culturas principales de Estados Unidos? ¿de Canadá? ¿Por qué cree usted que hay menos influencia de la gente indígena en Estados Unidos y Canadá que en Hispanoamérica?
5. Hace veinte o treinta años el matrimonio entre personas de diferentes religiones, nacionalidades o razas era muy poco común en Estados Unidos y Canadá. ¿Es diferente la situación ahora? ¿Se casaría usted con alguien de otro país? ¿de otra raza? ¿de otra religión? ¿Vivimos hoy en una sociedad «post-racial»?

## VOCABULARIO ÚTIL

### ASPECTOS CULTURALES DEL MUNDO HISPANO

#### COGNADOS

| | | |
|---|---|---|
| el africano (la africana) | el europeo (la europea) | el, la maya |
| el, la árabe | el, la inca | el mestizo (la mestiza) |
| el, la azteca | el, la indígena | el romano (la romana) |

#### OTRAS PALABRAS

| | |
|---|---|
| el desarrollo | *development* |
| el judío (la judía) | *Jew* |
| el musulmán (la musulmana) | *Muslim* |
| precolombino(a) | *pre-Columbian (before Columbus)* |
| la raíz (las raíces) | *root(s)* |

#### VERBOS

| | |
|---|---|
| contribuir | *to contribute* |
| cultivar | *to grow (crops)* |
| descubrir | *to discover* |
| enriquecerse (zc) | *to become enriched* |
| mezclarse | *to mix together, become mixed* |

#### ¡OJO!

**darse cuenta de** *to realize, understand* / **realizar** *to realize; to bring about, make real*

**encontrarse (ue) con** *to meet, come across, run into* / **reunirse** *to meet, have a meeting*

**introducir (zc)** *to introduce* / **presentar** *to present, introduce (persons to each other)*

## PRÁCTICA

**8-2 Identificaciones históricas.** ¿Qué sabe usted de los diferentes grupos étnicos y culturales de España y Latinoamérica? Diga a qué grupos étnicos se refieren las siguientes descripciones. (Las respuestas están abajo.)

1. Vivieron en el Valle de México donde tenían una capital magnífica con bibliotecas, mercados y baños públicos. También tenían un calendario exacto.

2. Trajeron a las Américas nuevos ritmos y formas musicales que revolucionaron la música del mundo.

3. Eran dos grupos que prosperaron en España durante la Edad Media, pero fueron expulsados *(expelled)* de ese país en 1492.

4. Tenían grandes observatorios y entendieron el concepto del cero (0). Era la única civilización precolombina con un sistema de escritura ideográfica y fonética.

5. Su imperio se extendía de Ecuador, en el norte, hasta Chile, en el sur. Sabían mucho de medicina y practicaban operaciones delicadas.

1. los aztecas 2. los africanos 3. los judíos y los musulmanes 4. los mayas 5. los incas

**8-3 Civilizaciones y culturas.** Escoja las palabras apropiadas para completar las oraciones.

**1.** Los romanos _____ (realizaron / se dieron cuenta de) impresionantes obras de arquitectura en España, incluso acueductos que todavía se usan hoy.

**2.** Los árabes _____ (introdujeron / presentaron) muchas frutas y verduras a España y, también, un sistema de irrigación y el estilo de arquitectura que usaba el adobe.

**3.** Los europeos que llegaron a las Américas _____ (se encontraron / se reunieron) con un panorama de culturas indígenas muy distintas.

**4.** Los indígenas en las Américas _____ (cultivaban / crecían) muchos productos que los europeos no conocían: por ejemplo, las papas, los tomates y el cacao (del que se hace el chocolate).

**5.** La palabra _____ (precolombino / desarrollo) se refiere a la época antes de la llegada de Cristóbal Colón a las Américas.

**6.** Muchos de los conquistadores _____ (se enriquecieron / descubrieron) con el oro y la plata de los indígenas.

**7.** Los españoles y los indígenas _____ (se mezclaron / contribuyeron) en las Américas y formaron una cultura mestiza.

**8.** Cristóbal Colón murió pobre y olvidado; parece que no _____ (realizó / se dio cuenta de) la importancia de su «descubrimiento».

# LENGUA VIVA

Jessica Jones, estudiante norteamericana, vive en Bogotá, Colombia.

Carmen Restrepo, amiga de Jessica, es una colombiana con espíritu de aventura.

## Audioviñetas: Un panorama cultural

CD 2, Track 4

**Conversación: Para expresar una falta de comprensión.** Jessica habla con su amiga Carmen.

**8-4** Escuche la **Conversación**. Conteste estas preguntas.

    **1.** ¿Adónde viajó Carmen?

       a. a España      b. por toda Latinoamérica      c. por toda Colombia

**2.** Según Carmen, Latinoamérica...

    a. tiene muchas dimensiones culturales.

    b. es muy homogénea *(homogeneous).*

    c. tiene muchos problemas de discriminación racial.

**8-5**    Escuche la **Conversación** otra vez. Escoja la mejor respuesta.

**1.** A Carmen le sorprendió ver...

    a. salones de té típicamente ingleses en Chile.

    b. barrios japoneses en Perú.

    c. **a** y **b** (los dos).

**2.** A Jessica le sorprendió que en la costa de Colombia hubiera mucha influencia...

    a. francesa.              c. africana.

    b. italiana.

**3.** Antes de ir a Colombia, Jessica pensaba que todos los latinoamericanos...

    a. usaban sombrero grande.    c. bailaban el tango.

    b. comían tacos.

## Costumbres y tradiciones únicas

CD 2, Track 5

**8-6**    Escuche las siguientes descripciones de costumbres o tradiciones latinoamericanas. Conteste estas preguntas.

**1.** ¿De dónde es Luz Sánchez?

    a. de Paraguay      c. de Argentina

    b. de México

**2.** ¿De dónde es Néstor Cuba?

    a. de Panamá      c. de República Dominicana

    b. de Perú

**8-7**    Escriba una breve descripción o resumen *(summary)* de cada costumbre o tradición.

Luz Sánchez: _____

_____

_____

Néstor Cuba: _____

_____

_____

Vocabulario: se queman muñecos *effigies are burned,* fuegos artificiales *fireworks,* lanzar *to throw,* uvas *grapes*

# En otras palabras

## La falta de comprensión

You have probably had many experiences of miscommunication or misunderstanding even in your native language, and you probably find yourself sometimes interrupting someone to ask him or her to explain or clarify something, repeat part of a sentence, slow down, and so forth. In a foreign language, it's even more important to learn to make it clear that you just aren't following and need some help. Here are some ways to express this.

Mire el video en el sitio **www.cengagebrain.com/ shop/ISBN/0495912654** y haga las actividades que lo acompañan.

Javier le dice a Rafael que quiere «montar una farra» y Rafael no lo entiende. ¿Qué quiere hacer Javier?

© Anna Pérez

1. You don't understand any part of what the speaker is saying.

> **No comprendo... No entiendo...**
> **¿Cómo?**
> **¿Mande?** (*Mexico*)
> **¿Qué dijo (dijiste), por favor? ¿Qué decía(s)?**

2. You have a general idea of what was said, but you missed part of the statement or question.

> **¿Podría usted (¿Podrías) repetir lo que dijo (dijiste), por favor?**
> **¿Cómo? ¿Me lo podría(s) decir otra vez?**
> **No entendí el nombre de... ¿Cómo se llama?**
> **¿Qué quiere decir la palabra...?**
> **¿Pero dónde (cuándo, por qué, etc.)...?**

3. The speaker is talking a mile a minute.

> **Más despacio, por favor.**
> **¡No hable (hables) tan rápido (rápidamente), por favor!**

4. You are fairly sure you know what the speaker said but want to confirm it. You can do this in a number of ways. One, of course, is to restate the sentence using the confirmation tags **¿verdad?, ¿no?,** and so forth.

> **El hermano de Isabel se llama Ricardo, ¿verdad? (¿no?, ¿no es cierto?)**

Another way to get a speaker to confirm what he or she said so that you are sure you understand is to restate the sentence using one of the following:

**¿Es decir que... ?**
**Si entiendo bien, quiere(s) decir que...**
**En otras palabras...**

Remember that the tag **¿de acuerdo?** *(all right?, okay?)* is used in a different way, when some sort of action is proposed: **Vamos al cine, ¿de acuerdo?**

## PRÁCTICA

**8-8 Un momento, por favor...** Usted no comprende el significado total de lo que le dicen cuando oye los siguientes comentarios. Interrumpa *(Interrupt)* a la persona que habla y pídale que le clarifique *(to clarify)* lo que dice.

 **MODELO** Hubo un accidente de avión en... Murieron... personas. Era un vuelo de la compañía...
*¿Cómo? ¿Dónde hubo un accidente? ¿Cuántas personas murieron? No entendí el nombre de la compañía aérea.*

1. ¿Supiste que... ya es doctora? Se graduó hace...
2. El señor Hernández tiene... años y goza de buena salud. Pero ayer supe que el médico le dijo que...
3. ¡Increíble! El doctor Ochoa se divorció en junio y se va a casar en agosto con...
4. No recuerdo la palabra española para eso, pero la palabra francesa *s'engager* lo expresa muy bien.
5. Los Salazar iban a ir a Coatzacoalcos pero tuvieron que cancelar el viaje porque...

 **8-9 Si entiendo bien...** Trabaje con un(a) compañero(a). Dígale a su compañero(a) varias cosas sobre su vida. Su compañero(a) repite la información, usando otras palabras o expresiones. Le pide que verifique *(verify)* lo que ha comprendido.

 **MODELO** A: Mi familia es de ascendencia japonesa. Mis abuelos maternos vinieron de Yatsushiro en el año 1900.
B: *Es decir que tu familia es de Japón, ¿no? ¿Dices que tus abuelos maternos vinieron de Yatsushiro?*

1. Mis papás son de [nombre de ciudad]... Viven en [nombre de ciudad]... hace... años.
2. Mi cumpleaños es... [la fecha de su cumpleaños]. Cuando nací, mi mamá tenía... años y vivía en...
3. Fui a una fiesta [la fecha o el día]... Celebramos...

# GRAMÁTICA Y VOCABULARIO
## The Reflexive (2)

**1.** Review **The Reflexive (1)**, page 16.

| Reflexive pronouns | | despertarse (ie) | |
|---|---|---|---|
| me | nos | me despierto | nos despertamos |
| te | os | te despiertas | os despertáis |
| se | se | se despierta | se despiertan |

| | |
|---|---|
| Me lastimé. | *I hurt myself. (I got hurt.)* |
| No nos despertamos hasta las nueve. | *We didn't wake up until nine.* |
| ¿A qué hora se acostaron ustedes? | *What time did you go ("put yourselves") to bed?* |
| Se vistieron. | *They got (themselves) dressed.* |

**2.** Remember that reflexive pronouns precede a conjugated verb or follow and are attached to an infinitive: **Me voy a quedar en casa. Voy a quedarme en casa.** They precede other object pronouns:

| | |
|---|---|
| Se lavó las manos. Se las lavó. | *He washed his hands. He washed them.* |
| Me pongo los zapatos. Me los pongo. | *I'm putting on my shoes. I'm putting them on.* |
| Nos quitamos el sombrero. Nos lo quitamos. | *We take off our hats. We take them off.* |

**3.** Reflexive pronouns can function as either direct or indirect objects.

| | |
|---|---|
| Nos sentamos. | *We sat down (seated ourselves).* (**Nos** *is a direct object.*) |
| Nos pusimos el suéter. | *We put on our sweaters.* ("*We put on ourselves the sweater.*" **Nos** *is an indirect object;* **el suéter** *is a direct object.*) |

**¡OJO!** Remember from Chapter 1 that a definite article (**el, la, los, las**) is used instead of a possessive for parts of the body or articles of clothing when it is clear who the possessor is. This is the case with reflexive constructions since the reflexive pronoun indicates that the action is being performed on the subject, the possessor. Notice in the last example (**Nos quitamos el sombrero**) that the singular, **el sombrero,** is used; it's understood that each person takes off one hat.

**4.** Notice the differences in meaning between the reflexive and nonreflexive uses of the following verbs.

| Nonreflexive | | Reflexive | |
|---|---|---|---|
| aburrir | to bore | aburrirse | to be bored |
| acordar (ue) | to agree | acordarse (ue) (de) | to remember |
| callar | to quiet, silence | callarse | to be quiet |
| cansar | to tire | cansarse | to get tired |
| enojar | to anger | enojarse | to become angry |
| equivocar | to mistake | equivocarse (de) | to be wrong, mistaken |
| hacer | to make, do | hacerse | to become |
| ir | to go | irse | to go away |
| lastimar | to hurt, injure | lastimarse | to hurt oneself |
| llamar | to call | llamarse | to be named |
| poner | to put, place | ponerse; ponerse + adj. | to put on; to become + adj. |
| preguntar | to ask | preguntarse | to wonder (ask oneself) |
| preocupar | to (cause) worry | preocuparse (de) | to worry about |
| quedar | to remain, be left | quedarse | to stay |
| reunir | to gather, assemble, unite (+ noun) | reunirse con | to meet |
| volver | to return | volverse + adj. | to become + adj. |

| | |
|---|---|
| Nos equivocamos de habitación. ¡Perdón! | *We've got the wrong room. Sorry!* |
| ¿Ya se fueron? | *Did they leave (go away) already?* |

Notice that many reflexive verbs indicate a change of state and are translated into English with *to become* or *to get*.

| | |
|---|---|
| Me enojé. | *I became angry (got mad).* |
| Se puso muy serio (rojo, nervioso). | *He became very serious (red, nervous).* |
| Se aburren fácilmente. | *They get bored easily.* |
| El hermano de Santa Teresa de Ávila se hizo muy rico en América. | *The brother of Saint Teresa of Ávila became very rich in America.* |
| Se volvió loca. | *She went crazy.* |

**5.** Most reflexive verbs can be used either reflexively or nonreflexively.

| | |
|---|---|
| Su trabajo lo cansa mucho. | *His job really tires him out.* |
| Se cansa al final del día. | *He gets tired at the end of the day.* |
| Su actitud me preocupa. | *His attitude worries me.* |
| Me preocupo mucho por mis notas. | *I'm really worried about my grades.* |

**6.** However, a number of verbs are used only reflexively—for example, **darse cuenta de** *(to realize)* and **quejarse de** *(to complain about).*

| | |
|---|---|
| Los incas no se dieron cuenta de que Pizarro iba a matar a su jefe, Atahualpa. | *The Incas didn't realize that Pizarro was going to kill their leader, Atahualpa.* |
| ¿Por qué te quejas? | *Why are you complaining?* |

**nos ensartamos** *we got ourselves into*

... Y ASÍ HIJITO, FUE COMO CON DOS CUARTOS DE PLATA Y UNO DE ORO NOS ENSARTAMOS POR PRIMERA VEZ EN LA COMUNIDAD FINANCIERA INTERNACIONAL

Used by permission of *Mujer y Sociedad*, Peru

## VOCABULARIO ÚTIL

### LA RUTINA DIARIA

### POR LA MAÑANA

| | |
|---|---|
| desayunar(se), tomar el desayuno | *to have breakfast* |
| despertarse (ie) | *to wake up* |
| levantarse | *to get up* |
| ponerse (la ropa) | *to put on (clothing)* |
| vestirse (i) | *to get dressed* |

| POR LA TARDE / NOCHE | |
|---|---|
| acostarse (ue) | *to go to bed* |
| almorzar (ue) (el almuerzo) | *to have lunch (lunch)* |
| cenar (la cena) | *to have dinner (dinner)* |
| dormirse (ue) | *to fall asleep* |
| quitarse (la ropa) | *to take off (clothing)* |
| EN EL CUARTO DE BAÑO | |
| bañarse | *to bathe, take a bath* |
| cepillarse los dientes | *to brush one's teeth* |
| lavarse | *to get washed, wash up* |
| tomar una ducha, ducharse | *to take a shower* |

## PRÁCTICA

**8-10 ¿Qué pasa?** Describa los dibujos, usando los verbos dados.

**1.** quejarse de, ponerse nervioso

**2.** ponerse, quitarse

**3.** equivocarse, darse cuenta de (que)

**4.** quedarse, irse (Jorge)

1.          2.          3.          4.

la cliente      Pepe      Felipe      los Díaz      Jorge

**8-11 Descripciones y acciones.** Usando verbos reflexivos, describa a los siguientes individuos. (En algunos casos, hay varias posibilidades.)

⚙ **MODELO**   una persona con poca energía
                  *Se cansa fácilmente. / Se va cuando hay trabajo.*

**1.** una persona que no habla mucho

**2.** un individuo que no tiene control sobre sus emociones

**3.** alguien con pocos intereses

**4.** alguien que tiene mucha curiosidad

**5.** alguien que tiene buena memoria

**6.** un individuo muy extrovertido y sociable

**7.** alguien que nunca está contento

**8.** un individuo que tiene muchos accidentes

**9.** el amigo ideal

**8-12 Algunos buenos momentos de la vida.** Describan algunos buenos momentos de la vida usando las frases que siguen. Utilicen todos los verbos reflexivos de la siguiente lista.

| | | |
|---|---|---|
| acordarse (de) | despertarse | ponerse |
| acostarse | dormirse | quitarse |
| bañarse | ducharse | reírse (de) |
| caerse | lastimarse | reunirse (con) |
| darse cuenta (de) | levantarse | |

⚙ **MODELO**  <u>_Te pones_</u> un pantalón o una chaqueta que hace meses que no usas y encuentras dinero en uno de los bolsillos *(pockets)*.

1. _____ por la mañana y _____ de que puedes dormir una hora más.
2. _____ con un buen amigo y _____ de un chiste hasta que te duele el estómago.
3. _____ en una tina *(tub)* con hierbas aromáticas como la lavanda *(lavender)*.
4. Oyes una canción y _____ de una persona especial.
5. Hace mucho calor y tienes que caminar una milla. Llegas a tu casa, _____ los zapatos y la ropa y _____ con agua fresca.
6. Estás en el campo. Al final del día _____ en el saco *(bag)* de dormir y _____ bajo las estrellas.
7. Por la mañana _____ y ves la salida del sol.
8. Pasas el día en las montañas en invierno haciendo snowboard. _____ muchas veces en la nieve pero no _____.

**8-13 Mi rutina.** Descríbale su rutina diaria a un(a) compañero(a). ¿Qué hace en un día típico? Use verbos reflexivos cuando sea posible. Luego su compañero(a) le describe su rutina a usted.

⚙ **MODELO** *Me despierto a las siete...*

**8-14 Un día perfecto.** Descríbale un día perfecto a un(a) compañero(a), usando verbos reflexivos cuando sea posible.

⚙ **MODELO** *Me despierto a las once...*

**8-15 Un día en la vida de...** En grupos de tres, escojan a una persona famosa e inventen una descripción de un día en su vida. Podría ser un(a) político(a), un(a) artista de cine o televisión, un(a) cantante, un(a) atleta o un personaje ficticio (Bart Simpson, Bob Esponja, la Cenicienta, etcétera). Usen verbos reflexivos cuando sea posible.

# The Reflexive with Commands

1. Like other object pronouns, reflexive pronouns precede negative commands or follow and are attached to affirmative commands. (For a review of commands, see Chapter 6.)

| | |
|---|---|
| No te vayas, querido. | *Don't go, dear.* |
| ¿Dónde está tu suéter, niño? Póntelo. | *Where is your sweater, child? Put it on.* |
| Siéntense, señores, por favor. | *Sit down, gentlemen, please.* |

2. Before the reflexive **nos** can be added to an affirmative **nosotros** command, the final **-s** must be dropped. (Also, an accent must be added to the stressed syllable of the verb.)

| | |
|---|---|
| Vámonos. | *Let's go.* |
| ¡Levantémonos todos! | *Let's all stand up!* |

3. Before the reflexive **-os** can be added to an affirmative **vosotros** command, the final **-d** must be dropped. (Also, an accent must be added to the final **i** of **-ir** verbs.)

| | |
|---|---|
| Vestíos y daos prisa. | *Get dressed and hurry up.* |
| ¡Levantaos! —Dejadnos en paz. | *Get up! —Leave us alone.* |

© Oscar Sierra Quintero (OKI)

# PRÁCTICA

**8-16 Las órdenes del comandante.** Un(a) voluntario(a) hará el papel del comandante. Tiene que ponerse frente a la clase y darles a los estudiantes las siguientes órdenes. Los estudiantes tienen que «obedecer» al comandante. A ver si todo el mundo comprende...

1. Díganme «¡Hola!».
2. Díganme «¡Hola!» en inglés.
3. Duérmanse.
4. Despiértense.
5. Levanten la mano.
6. Pónganse nerviosos.
7. Relájense.
8. ¿...?

Después, otro(a) voluntario(a) hace el papel del comandante.

1. Levantémonos.
2. Sentémonos.
3. Saludémonos.
4. Callémonos.
5. Riámonos.
6. Despidámonos.
7. ¿...?

**8-17 ¿Qué se le dice a un amigo que...?** Invente mandatos que correspondan a las siguientes situaciones. Use verbos reflexivos cuando sea posible.

> ⚙ **MODELO**  habla todo el tiempo
> *Cállate. No hables tanto.*

¿Qué se le dice a un amigo que...?

1. lleva el sombrero siempre, aun dentro de la casa
2. sale todas las noches y se queja de estar muy cansado
3. se queda dormido toda la noche delante del televisor
4. estudia demasiado y casi nunca sonríe
5. se duerme en la clase de español
6. no lleva un abrigo aunque hace frío
7. tiene que ir al dentista frecuentemente

**8-18 Cuestión de actitud.** Para cada situación, dele consejos a un(a) compañero(a), usando verbos reflexivos cuando sea posible. Puede usar las siguientes ideas o la imaginación.

> **MODELO** Situación: No quiere comer porque dice que está a dieta.
> Ideas: no torturarse por la dieta, regalarse algo que le guste, tratar de gozar de la vida
> *No te tortures por la dieta. Regálate algo que te guste.*
> *Trata de gozar de la vida.*

1. Situación: Hay una cola muy larga en la librería.
   Ideas: no aburrirse, leer un libro o charlar con alguien, tener paciencia
2. Situación: No puede dormir bien de noche porque su compañero de cuarto hace mucho ruido.
   Ideas: no enojarse, hablar con su compañero, quejarse cortésmente
3. Situación: Recibe una mala nota en una tarea importante.
   Ideas: no preocuparse, ir a hablar con el profesor, no sentirse mal
4. Situación: Alguien lo insulta.
   Ideas: contar hasta diez antes de responder, no gritar, olvidarse del asunto
5. Situación: Se siente solo y un poco triste.
   Ideas: no quedarse en casa, reunirse con algún amigo, irse a pasear

## The Reciprocal Reflexive

1. The reflexive pronouns **nos, os,** and **se** can be used with first-, second-, or third-person plural verbs, respectively, to express a mutual or reciprocal action.

| | |
|---|---|
| Nos escribimos todas las semanas. | *We write to each other every week.* |
| Se gritaron. | *They shouted at each other.* |
| Se dan la mano. | *They shake (each other's) hands.* |
| Nos conocíamos desde chicos. | *We had known each other since we were children.* |

2. **Uno(a) a otro(a), unos(as) a otros(as)** are sometimes added for either clarity or emphasis. **El uno al otro (la una a la otra)** can also be used. The masculine forms are used unless both subjects are feminine.

| | |
|---|---|
| Nos hablamos unos a otros. | *We talked to one another.* |
| Se sonríen el uno al otro. | *They smile at each other.* |
| Las niñas se ayudaron unas a otras. | *The girls helped one another.* |

## VOCABULARIO ÚTIL

### SALUDOS Y DESPEDIDAS A LA HISPANA

| | |
|---|---|
| **abrazar (un abrazo)** | *to hug, embrace (a hug)* |
| **besar (un beso)** | *to kiss (a kiss)* |
| **darse la mano** | *to shake hands* |
| **la despedida** | *leave-taking, saying good-bye* |
| **saludar** | *to greet* |

### ¡OJO!

**despedir (i)** *to fire* / **despedirse (i) (de)** *to take leave (of), say good-bye (to)*

## PRÁCTICA

**8-19 Un saludo hispano: con cariño.** El saludo es muy importante en la cultura latina. Dos familias hispanas que son muy amigas se encuentran en la calle. ¿Qué hacen?

⚙ **MODELO**  todos / saludarse
*Todos se saludan.*

1. los hombres / darse la mano y abrazarse
2. las mujeres / besarse en la mejilla *(on the cheek)*
3. los niños y los adultos / besarse
4. todos / decirse «¡Hola! ¿Qué tal? ¡Qué gusto verte!»
5. los adultos / preguntarse «¿Cómo está la familia?»
6. sonreírse y hablar durante unos minutos
7. todos / despedirse, otra vez con besos y abrazos

**8-20 Hablando de los saludos.** Conteste estas preguntas.

1. Cuando usted saluda a sus amigos, ¿los besa y abraza? ¿Se dan la mano?
2. ¿Qué hace usted cuando se despide de ellos?
3. ¿Hay algunas ocasiones cuando el modo de despedirse o saludarse es más cariñoso? Explique.
4. En su opinión, ¿por qué no se besan o abrazan mucho los norteamericanos?
5. ¿En qué culturas hay más contacto físico en los saludos y despedidas? ¿En qué culturas hay menos?

# EN CONTACTO

## Videocultura: El mestizaje de la cocina mexicana

Patricia Quintana, la reconocida chef mexicana, habla de la cocina de Puebla como el resultado de un mestizaje, es decir, de una mezcla de influencias indígenas y españolas. Mire el video y conteste esta pregunta: ¿Por qué se puede decir que la cocina mexicana es un mestizaje?

**Vocabulario:** la monja *nun;* poblano(a) *of or from the Mexican state of Puebla;* el mole *spicy Mexican sauce containing chilis and, usually, chocolate;* (lo) salado *(what is) salty;* degustar *to taste*

Google Busque «chocolate prehispánico». ¿Cómo utilizaban los mayas y los aztecas el cacao? (No solo lo utilizaban para beber.)

© Heinle, Cengage Learning

**8-26 Comprensión.** Conteste las siguientes preguntas después de ver el video.

1. ¿Dónde está Puebla?
2. ¿Cuántos ingredientes tiene el mole poblano clásico?
3. ¿Cuál es el origen de la palabra **chocolate**?
4. Para preparar chocolate caliente, ¿qué ingredientes se usan además del azúcar? ¿Qué ingrediente llegó a México después de la conquista?
5. Además del chocolate, ¿qué otros ingredientes se usan en la cocina mexicana?

**8-27 Puntos de vista.** Compare sus opiniones con las de dos o tres compañeros.

1. ¿A usted le gusta el chocolate? ¿Prefiere los platos dulces o salados? ¿Qué le parece la idea de combinar los dos como se hace con el mole?
2. ¿A usted le gusta la comida mexicana? ¿Cuáles son sus platos favoritos?
3. ¿Prepara usted platos mexicanos? ¿Qué ingredientes usa?
4. ¿Cree usted que existen mestizajes en las cocinas regionales de Estados Unidos y Canadá? Dé ejemplos.

# Síntesis

 **8-28 Juego de memoria: ¡Y entonces me acuesto!** La primera persona empieza diciendo qué hace primero durante el día. La segunda persona repite esta oración y agrega *(adds)* una nueva oración. La tercera persona repite las dos oraciones y agrega una tercera, y así continúa. Cuando alguien se equivoca o no puede recordar las oraciones anteriores, tiene que decir, «¡Y entonces me acuesto!» y se retira del juego. Entonces la próxima persona dice la última oración pronunciada y agrega una nueva. El juego seguirá hasta que se eliminen todos los jugadores excepto los que tienen muy buena memoria (o buena suerte).

> MODELO  A: *Me despierto a las siete y diez.*
> B: *Me despierto a las siete y diez. Me cepillo los dientes.*
> C: *Me despierto a las siete y diez. Me cepillo los dientes. Tomo un café con leche...*

 **8-29 Entrevista.** Entreviste a un(a) compañero(a) para averiguar cómo se siente y qué hace en las siguientes situaciones. Vocabulario: aburrirse, cansarse, enojarse, ponerse contento(a)/triste, preocuparse, quejarse

> MODELO  vienen las fiestas de Navidad
> A: *¿Qué haces (o cómo te sientes) cuando vienen las fiestas de Navidad?*
> B: *Me pongo triste. Me siento solo(a).*

1. andas de compras con un(a) amigo(a) indeciso(a)
2. te atienden muy mal en un restaurante
3. tienes exámenes
4. llueve todos los días
5. te cobran demasiado en una tienda
6. pasas mucho tiempo en el gimnasio (haciendo ejercicio, por ejemplo)
7. tienes que esperar mucho (en el aeropuerto, por ejemplo)
8. un(a) amigo(a) te miente *(lies)*

 **8-30 Costumbres distintas.** Trabaje con un(a) compañero(a). ¿Qué se hace en este país para celebrar los días de fiesta mencionados? Usen el **se** pasivo o impersonal en sus respuestas.

Vocabulario: comprar cajas *(boxes)* de chocolate en forma de corazón, abrir/dar regalos, ir a la iglesia (al templo), comer jamón (pavo), reunirse con los amigos

En muchos países hispanos…

> MODELO  El Día de Año Nuevo, se duerme hasta tarde porque todos están cansados después de celebrar el último día del año.
>
> *En este país, también se duerme hasta tarde y se miran partidos de fútbol americano en la televisión.*

1. En Nochebuena *(Christmas Eve),* se hace una cena especial y después se va a la misa de medianoche.
2. En Nochevieja *(New Year's Eve),* se comen doce uvas a medianoche, una con cada campanada *(stroke)* del reloj.
3. El Domingo de Pascua *(Easter Sunday),* se hacen procesiones, se va a misa y se prepara una comida especial.
4. El Día de la Madre se dan regalos o flores a la madre o se va a comer a un restaurante.
5. El Día de San Valentín, se le regalan flores a la novia.

## Composición

### Una celebración hispana

Usando las listas de vocabulario de este capítulo y las respuestas a las actividades 8-7, 8-22, 8-24 y 8-30, escriba un párrafo sobre una celebración española o latinoamericana. ¿Qué se hace? ¿Cuándo y dónde se celebra? ¿Qué se come? ¿Cuál es el origen de la celebración? Use el **se** impersonal o el **se** pasivo.

**Opción:** Entreviste a una persona hispana para obtener información sobre una celebración especial. Incluya un video de la entrevista, o haga una remezcla que incluya una foto o un video de la celebración que escogió.

**Tema alternativo:** Hay muchas culturas y grupos étnicos en el mundo hispano. Escoja uno de esos grupos (por ejemplo, el de los incas, los vascos o los judíos sefardíes) y escriba un párrafo sobre su historia; mencione por lo menos una de sus contribuciones a la cultura hispana. Podría usar sus respuestas a las actividades 8-1 a 8-5.

# CAPÍTULO 9

# Un planeta para todos

## METAS

En este capítulo vamos a aprender a…

- ▶ dar consejos
- ▶ expresar compasión o solidaridad o falta de compasión o solidaridad
- ▶ hablar de la naturaleza y del medio ambiente
- ▶ expresar situaciones hipotéticas

© Stuart Westmorland/Getty Images

Latinoamérica tiene cerca de la mitad de las selvas de la tierra.

### LENGUA VIVA
Consejos
Expresiones de compasión o solidaridad o falta de estas

### GRAMÁTICA
El imperfecto del subjuntivo
Cláusulas con **si** (1)
Los adverbios
El infinitivo

### VOCABULARIO
El medio ambiente
Problemas ambientales

### LECTURAS
«¿Cómo podemos salvar la Tierra?»
«In memoriam» de Federico García Lorca
«El pescador y el pez» de Toásiyé Alma Africana
«Noble campaña» de Gregorio López y Fuentes

# Presentación del tema

## Ecuador y los derechos de la «Pacha Mama»

¿Tiene la naturaleza derechos? Según la constitución ecuatoriana del 2008, sí los tiene. Ecuador es el primer país del mundo en reconocerlo: «La naturaleza o Pacha Mama, donde se reproduce y realiza la vida, tiene derecho a que se respete integralmente *(wholely)* su existencia…».* La «Pacha Mama» (una diosa de la gente indígena andina) ha sido muy generosa: en un solo parque ecuatoriano puede haber más especies de pájaros o mariposas que en todo Estados Unidos. La gente de Ecuador puede exigir que los abundantes recursos naturales del país sean protegidos bajo esta ley. En algunos lugares de Latinoamérica se ha comprobado *(proved)* que, sin destruir los bosques, la producción o recolección de nueces, semillas, flores y maderas tropicales puede ser muy lucrativa. El ecoturismo también ayuda a la gente a proteger el medio ambiente, mientras estimula la economía.

© Haroldo Castro

En Maldonado, Ecuador, hay una industria basada en la recolección de una nuez que se llama tagua. La gente de Maldonado (descendientes de esclavos africanos que llegaron a la región en el siglo XVIII) tiene gran respeto por la naturaleza; en la foto, las nueces de la tagua se transportan por canoa. La tagua se usa para hacer joyería *(jewelry)*, entre otras cosas.

Google | Busque «tagua» para ver imágenes de productos que se hacen de la tagua.

### 9-1 Preguntas

1. ¿Cuál fue el primer país en declarar o reconocer que la naturaleza tiene derechos?

2. ¿Qué puede hacer la gente que vive en una zona tropical para ganarse la vida sin destruir la selva?

3. ¿Qué se puede hacer en nuestro país para ayudar a proteger las selvas tropicales?

4. ¿Se puede justificar las acciones ilegales de algunos grupos ambientales para tratar de defender el medio ambiente en lugares donde no hay leyes para proteger la naturaleza?

---

*Artículo 17 de la Constitución de Ecuador

# VOCABULARIO ÚTIL

## EL MEDIO AMBIENTE

### COGNADOS

| | | |
|---|---|---|
| la contaminación | la especie | la naturaleza |
| destruir | la explosión demográfica | el petróleo |
| la ecología | la extinción | el reciclaje |
| el ecólogo (la ecóloga) | la gasolina | reciclar |
| el ecoturismo | | |

### EN LA SELVA (EL BOSQUE) *IN THE JUNGLE (FOREST)*

| | |
|---|---|
| la abeja | *bee* |
| el árbol | *tree* |
| la flor | *flower* |
| la mariposa | *butterfly* |
| la nuez | *nut* |
| el pájaro | *bird* |
| el pez | *fish* |
| la semilla | *seed* |
| la tortuga | *turtle* |

### OTRAS PALABRAS

| | |
|---|---|
| ambiental | *environmental* |
| la basura | *garbage* |
| el cambio climático | *climate change* |
| la capa de ozono | *ozone layer* |
| el control de la natalidad | *birth control* |
| desperdiciar | *to waste* |
| los envases retornables | *returnable containers* |
| la huerta | *(fruit, vegetable) garden* |
| la lata (de aluminio) | *(aluminum) can* |
| mejorar; mejorarse, ponerse mejor | *to improve; to get better* |
| empeorar; empeorarse, ponerse peor | *to get worse* |
| proteger | *to protect* |
| el recurso natural | *natural resource* |
| la reserva | *preserve* |

### ¡OJO!

**acabar** *to end, finish, run out;* **Se nos acaba el petróleo (tiempo, etcétera).** *We are running out of petroleum (time, etc.).*

**ahorrar** *to save (money, time, etc.)* / **conservar** *to save, preserve* / **salvar** *to save, rescue*

**la atmósfera** *air, atmosphere* / **el ambiente** *setting, ambience, environment* / **el medio ambiente** *(natural) environment*

# PRÁCTICA

**9-2 Conexiones.** Conecte la palabra de la columna derecha con su definición o descripción en la columna izquierda.

1. usar más de una vez
2. la sobrepoblación
3. cuidar
4. ponerse peor
5. la rosa, por ejemplo
6. el insecto que hace la miel *(honey)*
7. devastar, arruinar
8. el petróleo, los minerales, por ejemplo
9. una persona que se dedica al medio ambiente
10. latas o botellas que se pueden devolver

a. la abeja
b. empeorar
c. los envases retornables
d. la explosión demográfica
e. los recursos naturales
f. reciclar
g. destruir
h. la flor
i. proteger
j. el ecólogo (la ecóloga)

**9-3 El medio ambiente.** Escoja la palabra apropiada para completar las oraciones.

1. En los (árboles / bosques) tropicales la tierra es muy pobre; después de pocos años de utilización ya no es buena para la agricultura.
2. Es importante proteger (la capa de ozono / el cambio climático).
3. Tengo una (huerta / semilla) porque me gustan las frutas y las verduras frescas.
4. En muchos países, hay programas de control de la (natalidad / mortalidad) y de planificación familiar.
5. Todos debemos (ahorrar / conservar) energía.

**9-4 Entrevista.** Entreviste a un(a) compañero(a), usando las preguntas que siguen. Después su compañero(a) lo (la) entrevista a usted.

1. ¿Qué piensas del ecoturismo? ¿Has hecho ecoturismo alguna vez? ¿Dónde?
2. ¿A ti te gusta estar al aire libre *(outside)*, gozando de la naturaleza? ¿Te gusta hacer caminatas? ¿andar en bicicleta? ¿ir en kayak o canoa?
3. ¿Manejas mucho? ¿Tienes un auto grande o pequeño? ¿Qué piensas de los autos eléctricos o híbridos? ¿Debe el gobierno limitar el uso de la gasolina o subir los impuestos *(taxes)* de la gasolina?
4. ¿Participas en un programa de reciclaje?
5. ¿Cuál es un problema ecológico muy grave, según tu opinión (por ejemplo, el cambio climático, la explosión demográfica, la contaminación del aire o del agua, la destrucción de los bosques tropicales)? ¿Le ves alguna solución al problema?

# LENGUA VIVA

Julia Gutiérrez, estudiante colombiana

Pablo Reyes, guía de turismo en la Amazonia colombiana

Ana Ordóñez, amiga de Jessica que vive en Bogotá

Jessica Jones, estudiante norteamericana

## Audioviñetas: El ecoturismo y la ecología

**Conversación 1: Para dar consejos.** Julia está de visita en el Parque Amacayacu, una reserva en la Amazonia colombiana cerca de la ciudad de Leticia. Un guía habla con un grupo de turistas.

CD 2, Track 6

**9-5**   Escuche la **Conversación 1.** ¿Qué se puede ver en el parque?

_____ **1.** más de 450 especies de pájaros

_____ **2.** más de 150 especies de mamíferos *(mammals)*

_____ **3.** una cantidad extraordinaria de mariposas

_____ **4.** 1, 2 y 3

**9-6**   Escuche la **Conversación 1** otra vez. ¿Qué recomienda el guía?

_____ **1.** que caminen juntos en un solo grupo

_____ **2.** que hablen en voz alta

_____ **3.** que no asusten *(frighten)* a los animales

_____ **4.** que no recojan flores

_____ **5.** que visiten los mercados de Leticia

_____ **6.** que compren regalos hechos de plumas *(feathers)*

_____ **7.** que vayan a Iquitos desde Leticia

CD 2, Track 7

**Conversación 2: Para expresar compasión.** Jessica habla con Ana, una amiga colombiana.

**9-7**   Escuche la **Conversación 2.** ¿De qué hablan Jessica y Ana?

_____ **1.** del ecoturismo

_____ **2.** de la contaminación y del reciclaje

_____ **3.** del cambio climático

**9-8** Escuche la **Conversación 2** otra vez. Conteste **V** (verdadero) o **F** (falso).

_____ **1.** En Colombia hay un Ministerio del Medio Ambiente.

_____ **2.** La industria petrolera y las compañías multinacionales han causado mucha contaminación en la Amazonia.

_____ **3.** Según Ana, hay que enseñarles a los niños a querer la naturaleza para que la cuiden.

_____ **4.** En Colombia no hay programas de reciclaje.

_____ **5.** Los cartoneros van de basurero en basurero sacando cartones (*cardboard*), latas y papel.

**9-9** Escuche la **Conversación 2** una vez más. ¿Qué expresiones se usan para expresar compasión?

_____ **1.** ¡Es una lástima!        _____ **4.** ¡Cuánto lo siento!

_____ **2.** ¡Qué horror!        _____ **5.** ¡Caramba!

_____ **3.** ¡Qué desgracia!        _____ **6.** ¡Pobrecitos!

## En otras palabras

**Para dar consejos**

Here are some ways to give advice in Spanish.

> **Usted debe (Tú debes)...**
> **Usted debería (Tú deberías)...**
> **Le (Te) aconsejo que** *(+ subj.)*...
> **Es mejor que** *(+ subj.)*...
> **Le (Te) recomiendo que**
> *(+ subj.)*...

**Para expresar compasión o solidaridad o falta de compasión o solidaridad**

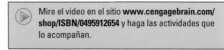

Mire el video en el sitio **www.cengagebrain.com/shop/ISBN/0495912654** y haga las actividades que lo acompañan.

© Anna Pérez

¿Dónde están Rafael y Javier? ¿Qué problema tiene Rafael?

When people tell you something sad, how do you show that you sympathize with them, that you feel sorry about what they're going through? Here are some ways to do that.

| | |
|---|---|
| **¡Qué lástima!** | **Eso debe ser terrible.** |
| **¡Qué desgracia!** (= **¡Qué mala suerte!**) | **¡Ay, Dios mío!** |
| **¡Qué barbaridad!** *Good grief! How awful!* | **¡Caramba!** |
| | **¡Caray!** |
| **¡Pobrecito(a)! ¡Pobre de ti!** | **Siento mucho que** *(+ subj.)*... |
| **¡Qué molestia!** *What a pain!* | **¡Cuánto lo siento!** |
| **¡Qué horror!** *How awful!* | |

Oftentimes, however, when friends or family are telling you a tale of woe, you don't necessarily feel sorry for them. Here are some ways to express lack of sympathy.

| | |
|---|---|
| **¿Y qué? ¿Qué más da? ¿Qué importancia tiene?** | *So what?* |
| **Es de esperar.** | *It's to be expected.* |
| **¿Qué esperaba(s)?** | *What did you expect?* |
| **La culpa es suya (tuya).** | *It's your own fault.* |
| **¡Buena lección! Ahora aprenderá(s) a... Eso le (te) enseñará a...** | |

## PRÁCTICA

 **9-10 Consejos.** Deles consejos a las personas que se encuentran en las siguientes situaciones. Invente varios consejos diferentes para cada caso. Use la forma **tú** de los verbos.

>  **MODELO** Quiero hacer una excursión a la Amazonia pero no sé a qué país ir ni cuánto costaría.
> *Te aconsejo que llames a la agencia Discovery Ecotours. Debes conseguir una guía de turismo sobre Sudamérica. Te recomiendo que busques información por Internet.*

1. Tengo ganas de trabajar para alguna organización que se dedique a proteger el medio ambiente.
2. Deseo saber más sobre ecología y cómo se puede ayudar a salvar la tierra.
3. Una amiga mía está deprimida porque sus padres piensan divorciarse.
4. Hace tres días que mi novio(a) no me llama.
5. Mis padres quieren que pase el verano con ellos, pero yo quiero ir a Latinoamérica.

 **9-11 Su amigo.** Usted tiene un amigo que siempre parece tener mala suerte, pero a veces él mismo se la busca *(sometimes he brings it on himself)*. Su amigo le cuenta sus problemas; a veces a usted le da lástima y a veces no, según el caso. Exprésalo en las siguientes situaciones.

1. Fracasé en el examen de biología porque no había estudiado.
2. Alguien me robó la bicicleta.
3. Se me acabaron las pilas *(batteries)* de la cámara y no pude sacar fotos de la reserva.
4. Mi hermano tuvo un accidente de automóvil y está en el hospital.
5. No conseguí el trabajo porque llegué dos horas tarde a la entrevista.

# GRAMÁTICA Y VOCABULARIO
## The Imperfect Subjunctive

1. The imperfect subjunctive for all verbs is formed by removing the **-ron** ending from the third-person plural of the preterit and adding the appropriate imperfect subjunctive endings: **-ra, -ras, -ra, -(´)ramos, -rais,** and **-ran.** Note that only the first-person plural (**nosotros**) form of the imperfect subjunctive has an accent.

| hablar | | comer | | vivir | |
|---|---|---|---|---|---|
| habla**ra** | habl**áramos** | comie**ra** | comi**éramos** | vivie**ra** | vivi**éramos** |
| habla**ras** | habla**rais** | comie**ras** | comie**rais** | vivie**ras** | vivie**rais** |
| habla**ra** | habla**ran** | comie**ra** | comie**ran** | vivie**ra** | vivie**ra** |

2. Here are some verbs that have irregular third-person preterit stems:

| andar | **anduvie-** | haber | **hubie-** | querer | **quisie-** |
|---|---|---|---|---|---|
| caer | **caye-** | hacer | **hicie-** | reír | **rie-** |
| conducir | **conduje-** | ir, ser | **fue-** | saber | **supie-** |
| construir | **construye-** | leer | **leye-** | tener | **tuvie-** |
| creer | **creye-** | morir | **murie-** | traer | **traje-** |
| dar | **die-** | oír | **oye-** | venir | **vinie-** |
| decir | **dije-** | poder | **pudie-** | ver | **vie-** |
| estar | **estuvie-** | poner | **pusie-** | | |

3. The imperfect subjunctive is used in dependent clauses just as the present subjunctive is used, but it expresses a past action or refers to the past.

Quieren que recojamos la basura.  *They want us to pick up the garbage.*
Querían que recogiéramos la basura.  *They wanted us to pick up the garbage.*

4. The imperfect subjunctive is used in the same situations as the present subjunctive (discussed in Chapters 5 and 7), although the verb in the main clause is usually in a past tense. It is used:

**a.** after main clauses containing verbs or impersonal expressions of doubt; emotion; will, preference, necessity; approval (disapproval); and advice

Dudaban que el agua fuera potable.  *They doubted that the water was potable (drinkable).*

Queríamos ir a un lugar donde pudiéramos ver pájaros tropicales.

| | |
|---|---|
| Tenían miedo de que el río estuviera contaminado. | They were afraid the river was polluted. |
| Papá me dijo que sacara la basura. | Dad told me to take out the garbage. |
| Nos aconsejaron que recicláramos los periódicos. | They advised us to recycle the newspapers. |
| Era lamentable que destruyeran el bosque. | It was sad that they were destroying the forest. |

**b.** in adjective clauses that describe something indefinite or unknown

| | |
|---|---|
| Quería conocer a alguien que supiera algo sobre las plantas tropicales. | I wanted to meet someone who knew something about tropical plants. |
| No había nadie en el grupo que pudiera decirnos qué tipo de pájaro era. | There was no one in the group who could tell us what kind of bird it was. |

**c.** after certain conjunctions, such as **a menos que, con tal (de) que, para que, sin que,** and **antes de que**

| | |
|---|---|
| La ecóloga esperó una hora para que el gobernador pudiera verla. | The ecologist waited an hour for the governor to be able to see her. |
| Marisol lo vio antes de que él fuera a Costa Rica. | Marisol saw him before he went to Costa Rica. |

However, note that after other time conjunctions, such as **hasta que, cuando, después de que,** and **mientras,** the subjunctive is used to express an indefinite past action or one projected into the future, and the indicative is used to express past actions viewed as definitely completed. Compare:

| | |
|---|---|
| Quería esperar hasta que llegaran. | I wanted to wait until they arrived (would arrive). |
| Esperé hasta que llegaron. | I waited until they arrived. |

5. The imperfect subjunctive is always used after **como si,** which implies a hypothetical or untrue situation.

| | |
|---|---|
| En la selva nos sentimos como si fuéramos los únicos seres humanos en la tierra. | In the jungle we felt as if we were the only human beings on earth. |

6. The **-ra** form of the imperfect subjunctive is generally preferred for conversation in Spanish America. An alternative form is found in many literary works and is often used in Spain. This second form consists of the third-person plural preterit without the **-ron** endings plus the following endings: **-se, -ses, -se, -(´)semos, -seis, -sen.** You should learn to recognize these forms; they are used just as the other forms except that they are not used to indicate politeness.

| | |
|---|---|
| Llevamos a los niños a la reserva para que gozasen de la naturaleza. | We took the children to the preserve so that they could enjoy nature. |

**¡OJO!** The imperfect subjunctive of **querer** is often used to indicate politeness: **Quisiera un café. Quiero** can sound childish and even a bit impolite.

# PRÁCTICA

**9-12 La tirolesa** *(zip line).* Complete las oraciones con las formas apropiadas de los verbos que están entre paréntesis; use el imperfecto de indicativo o de subjuntivo, según sea necesario.

AP Photo/Kent Gilbert

Carmen le habla a su amiga Diana.

DIANA: ¿Qué tal las vacaciones?

CARMEN: Muy mal. Todo muy caro. Además, ese paseo por las copas de los árboles *(canopy tour)* fue un desastre.

DIANA: ¿Por qué?

CARMEN: Yo pensaba que se trataba de *(it was a matter of)* una caminata por una plataforma alta con vista a la selva. Creía que [nosotros] (1) _ibamos_ (ir) a hacer una caminata. Y fíjate que se trataba de una tirolesa.

DIANA: ¡Qué barbaridad! ¿Y no tenías miedo?

CARMEN: Yo no subí, pero sí tenía miedo de que los niños se (2) _lastimaron_ (lastimar). Le dije a mi esposo que (3) _regresáramos_ (regresar) al hotel pero ni modo. Los niños no querían irse de allí a menos que (4) _pudieran_ (poder) subir.

En otro cuarto, dos niños están hablando.

MIGUEL: Y ¿cómo te fue en las vacaciones?

MARCOS: Súper bien. Comimos en unos restaurantes de película y fuimos a un parque donde (5) _había_ (haber) una tirolesa.

MIGUEL: ¡Caray!

MARCOS: Subimos a una plataforma y nos lanzamos al aire. Vimos monos *(monkeys)*, ardillas *(squirrels)*, mariposas... volamos como si (6) _fuéramos_ (ser) pájaros.

MIGUEL: No puedo creer que tu mamá los (7) _dejara_ (dejar) hacer eso.

MARCOS:    Ni yo tampoco. Ella dijo que no lo (8) _hicieramos_ (hacer),
           que tenía miedo de que nos (9) _cayeramos_ (caer), pero ya
           había pagado, así que nosotros le dijimos que no queríamos que
           (10) _perdería_ (perder) su dinero. Y papá fue con nosotros.

MIGUEL:    ¡Y tú temías que el viaje (11) _fuera_ (ser) aburrido!

**9-13 Cuando eras niño(a)...** Entreviste a un(a) compañero(a), usando las ideas que
siguen. Después su compañero(a) lo (la) entrevista a usted.

Cuando eras niño(a)...

**1.** ¿qué querían tus padres que hicieras?

Ideas: tocar un instrumento musical, sacar buenas notas, aprender a nadar,
hablar con los adultos que venían de visita

**2.** ¿qué te prohibían que hicieras?

Ideas: salir a jugar sin pedir permiso, estar con «malas compañías», hablar con
gente desconocida, pelear con tus hermanos

**3.** ¿qué te pedían o mandaban que hicieras?

Ideas: limpiar tu cuarto, recoger tus juguetes *(toys),* cuidar a un(a)
hermano(a) menor, ayudar con las tareas de la casa

**4.** ¿qué no te gustaba que tu familia hiciera?

Ideas: no respetar tu derecho a estar solo(a) en tu cuarto, entrar en tu cuarto
sin tocar *(knocking),* hablar mal de ti delante de otra gente, llamarte por un
nombre familiar como «Mikey» o «Jo-Jo»

**5.** ¿hiciste alguna travesura *(something mischievous)* alguna vez sin que tus papás
lo supieran? ¿Qué?

**9-14 Los animales y tú.**

**Paso 1.** Entreviste a un(a) compañero(a) sobre las mascotas *(pets)* o animales
domésticos. Después, su compañero(a) lo (la) entrevista a usted.

**1.** De niño(a), ¿tenías una mascota, como un perro (gato, pájaro, caballo, pez,
ratoncito) o una tortuga? ¿Cómo se llamaba?

**2.** ¿Cómo era tu mascota? ¿La adoptaste o la compraste?

**3.** ¿Quién la cuidaba? ¿Era importante que alguien la paseara? ¿que alguien le
cambiara el agua al acuario? ¿que le diera alguna comida especial?

**4.** ¿Qué te rogaban tus papás que hicieras por tu mascota? ¿Qué te pedían que
no hicieras?

**5.** ¿Era necesario que la llevaras frecuentemente al veterinario? ¿que le dieras
mucho cariño?

**6.** ¿Tenías miedo de que se perdiera (escapara)? ¿que se enfermara? ¿que no
se llevara bien con otros animales o con la gente? ¿que comiera algo que no
debía comer (e.g., un pájaro, un ratoncito, otra mascota)?

**Paso 2.** Cuéntele a su compañero(a) una breve anécdota sobre su mascota. Trate
de usar el imperfecto del subjuntivo por lo menos dos veces.

Si vamos a las islas Galápagos, veremos tortugas gigantes.

© Robin and Leslie Webster

Google Busque «islas Galápagos» para ver imágenes de otros animales únicos que viven allí.

# *If* Clauses (1)

1. An *if* clause in the present tense always takes the indicative, since a simple assumption is being made. The verb in the main clause may be in the present or future tense or the imperative mood.

| | |
|---|---|
| Si nos bajamos aquí, podemos caminar al parque. | *If we get off here, we can walk to the park.* |
| Si tienes frío, ponte el suéter. | *If you're cold, put on your sweater.* |

*If* clauses will be discussed further in Chapter 11. The important thing to remember is that the present subjunctive is not used after **si** meaning *if* (assuming that). **Si** meaning *whether* also takes the indicative in the present.

| | |
|---|---|
| No sé si podemos reciclar esta clase de plástico. | *I don't know if (whether) we can recycle this kind of plastic.* |

2. When an *if* clause expresses something hypothetical or contrary to fact (not true), a past subjunctive is used.

| | |
|---|---|
| Habla como si fuera experto en ecología. | *He talks as if he were an expert in ecology.* |

3. The conditional is generally used in the main clause when a past subjunctive is used in the *if* clause.

| | |
|---|---|
| Si hubiera más ecoturismo, la economía del país mejoraría. | *If there were more ecotourism, the economy of the country would improve.* |
| Si cuidáramos mejor la tierra, no habría tantos problemas ecológicos. | *If we took better care of the earth, there wouldn't be so many ecological problems.* |

4. If the speaker or writer is not discussing something contrary to fact, then the statement is assumed to be true and the indicative is used. Compare:

| | |
|---|---|
| Si no cuesta mucho, podemos visitar Monteverde. | *If it doesn't cost a lot, we can visit Monteverde.* |
| Si no costara mucho, podríamos visitar Monteverde. | *If it didn't cost a lot, we could visit Monteverde.* |
| Si llueve, no irán a la huerta. | *If it rains, they won't go to the orchard.* |
| Si lloviera, no irían a la huerta. | *If it were raining, they wouldn't go to the orchard.* |

The indicative can also be used in the past tense in an *if* clause, depending upon the point of view.

| | |
|---|---|
| Si Juan te dijo eso, se equivocó. | *If Juan told you that, he was wrong. (speaker believes that Juan made a certain statement)* |
| Si él me dijera eso, no lo creería. | *If he told me that, I wouldn't believe it. (hypothetical statement)* |

## PROBLEMAS AMBIENTALES

El siguiente gráfico apareció en la revista peruana *Debate*. Está basado en una encuesta *(survey)* de más de mil personas que contestaron la pregunta: «¿Cuál o cuáles de estos problemas ambientales diría usted que le preocupan más?» Los números representan porcentajes del total.

¿CUÁL O CUÁLES DE ESTOS PROBLEMAS AMBIENTALES DIRÍA UD. QUE LE PREOCUPAN MÁS?

% MULTIPLE

72 — BASURA EN LA CALLE Y OTROS LUGARES PUBLICOS

41 — LA CONTAMINACION DE LOS RIOS Y MARES

56 — LA CONTAMINACION DEL AIRE CAUSADA POR LOS ESCAPES DE LOS VEHICULOS

35 — LA CONTAMINACION DEL AIRE CAUSADA POR PLANTAS ELECTRICAS E INDUSTRIALES

31 — CONTAMINACION DEL AGUA POTABLE

24 — LA DESTRUCCION DE LOS BOSQUES TROPICALES

15 — CONGESTION VEHICULAR EN LOS CAMINOS

14 — PERDIDA DE CAMPO Y ESPACIOS ABIERTOS

9 — EXTINCION DE ALGUNAS ESPECIES ANIMALES

5 — CONTAMINACION POR RUIDO

© José San Martín Escobar

## OTRAS PALABRAS

| | |
|---|---|
| **llover (ue)** | *to rain* |
| **nevar (ie)** | *to snow* |

## ¡OJO!

**hacer calor (frío)** *to be warm (cold) (weather)* / **tener calor (frío)** *to be warm (cold), said of people or animals*

¡CUÍDALO! SÓLO HAY UNO

# PRÁCTICA

**9-15 Consejos para proteger el medio ambiente.** La señora Medina se preocupa mucho por el medio ambiente. ¿Qué le sugiere a su marido?

⚙ **MODELO** no comprar productos con envases innecesarios / ahorrar dinero
*Si no compráramos productos con envases innecesarios, ahorraríamos dinero.*

1. caminar al trabajo / ponernos en forma *(in good shape)*
2. secar la ropa afuera en vez de usar la secadora *(dryer)* / usar menos electricidad
3. usar detergente biodegradable / no contaminar el agua
4. tener una huerta / comer frutas y verduras frescas
5. plantar más árboles / ayudar a mejorar la calidad del aire
6. escribir en los dos lados de las hojas de papel / no desperdiciar tanto papel
7. apagar las luces al salir de una habitación / conservar energía

**9-16 Un día en Xcaret, México.**

**Paso 1.** Mire las páginas del panfleto de Xcaret, México, y conteste las preguntas. (Pronunciación: Ish-ka-RET) Vocabulario: invernadero *greenhouse*, anidación *nesting*, arrecife *reef*.

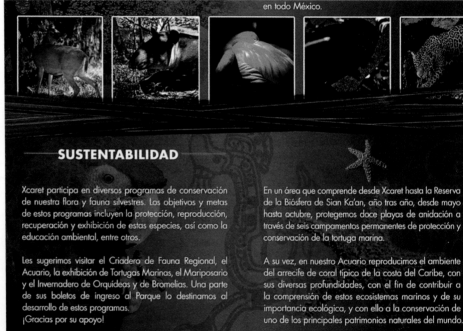

© www.xcaret.com

**SUSTENTABILIDAD**

Xcaret participa en diversos programas de conservación de nuestra flora y fauna silvestres. Los objetivos y metas de estos programas incluyen la protección, reproducción, recuperación y exhibición de estas especies, así como la educación ambiental, entre otros.

Les sugerimos visitar el Criadero de Fauna Regional, el Acuario, la exhibición de Tortugas Marinas, el Mariposario y el Invernadero de Orquídeas y de Bromelias. Una parte de sus boletos de ingreso al Parque lo destinamos al desarrollo de estos programas. ¡Gracias por su apoyo!

En un área que comprende desde Xcaret hasta la Reserva de la Biósfera de Sian Ka'an, año tras año, desde mayo hasta octubre, protegemos doce playas de anidación a través de seis campamentos permanentes de protección y conservación de la tortuga marina.

A su vez, en nuestro Acuario reproducimos el ambiente del arrecife de coral típico de la costa del Caribe, con sus diversas profundidades, con el fin de contribuir a la comprensión de estos ecosistemas marinos y de su importancia ecológica, y con ello a la conservación de uno de los principales patrimonios naturales del mundo.

1. ¿Cuáles son algunos de los animales y plantas que se pueden ver en Xcaret?
2. Desde mayo hasta octubre, ¿qué animal se protege en doce playas de anidación?
3. ¿Cómo es el acuario? ¿Qué tiene?

**Paso 2.** Complete las oraciones con el tiempo apropiado de los verbos entre paréntesis.

1. Si _____ (hacer) sol mañana, debes ir a Xcaret.
2. Si _____ (ser) la estación seca, haría sol todos los días.
3. Si (tú) _____ (ir) a Xcaret, lleva un traje de baño.
4. Si (yo) no _____ (tener) que trabajar, iría contigo.
5. Si (tú) _____ (llegar) por la mañana, tendrás tiempo para bucear y ver el parque también.
6. Si te _____ (interesar) los peces exóticos, debes ir al acuario.
7. Si no _____ (haber) acuario, no podrías ver peces de agua dulce *(fresh water)*.
8. Si todavía _____ (estar) allí de noche, no te pierdas el espectáculo.

**9-17 El ambiente.** Trabajando con tres o cuatro compañeros, contesten las siguientes preguntas y discutan las respuestas. Después, esté preparado(a) para explicarle a la clase las opiniones de su grupo.

1. Si el gobierno de Estados Unidos (o Canadá) pudiera resolver uno de los problemas que se presentan en el gráfico del **Vocabulario útil** de la página 211, ¿qué problema doméstico debería resolver primero? ¿Qué problema internacional debería tratar de resolver?
2. Si queremos dejar de hacerles daño *(harm)* a las especies animales, ¿qué podemos hacer? (Ideas: apoyar a organizaciones como..., no comer carne, no usar abrigos de piel, no comprar productos como...)
3. Si todos los países trabajaran juntos, ¿qué podrían hacer para parar la destrucción de los bosques tropicales? ¿la contaminación del agua? ¿del aire?
4. ¿Cuál es el problema más grande que tenemos ahora en este país? Si tuvieran poder y dinero, ¿qué harían para resolverlo?

¡DEVUELVELE EL EQUILIBRIO!

LA BASURA, EL POLVO, LOS GASES TÓXICOS, LAS SUSTANCIAS QUÍMICAS, LA DESTRUCCIÓN DE LAS ESPECIES, EL RUIDO... ¡TODO ESTO NOS ESTÁ DESEQUILIBRANDO! ¡HAZ ALGO!

¡NO CONTAMINES!

# Adverbs

1. Many adverbs are formed from the feminine form of an adjective plus the suffix **-mente.** In many cases, the masculine and feminine forms are the same.

| Masculine adjective | Feminine adjective | Adverb |
|---|---|---|
| misterioso | misteriosa | misteriosamente *mysteriously* |
| preciso | precisa | precisamente *precisely, exactly* |
| igual | igual | igualmente *equally; likewise* |
| común | común | comúnmente *commonly* |
| frecuente | frecuente | frecuentemente *frequently* |

| | |
|---|---|
| Caminábamos rápidamente por el bosque. | *We were walking quickly through the woods.* |

**¡OJO!** If two or more adverbs ending in **-mente** occur in a series, only the last one has the suffix **-mente: Viven sencilla y tranquilamente.** *They live simply and quietly.*

2. In Spanish as in English, adverbs usually follow the verbs they modify, as you can see in the preceding example. They generally precede adjectives they modify: **muy bonito; totalmente inolvidable.** Note that adverbs like **demasiado, bastante, poco,** and **mucho** can also be used as adjectives, in which case they agree with the nouns they modify.

| | |
|---|---|
| El gato come poco (demasiado). | *The cat eats very little (too much).* |
| Compramos pocos (demasiados) envases de plástico. | *We buy few (too many) plastic containers.* |

## PRÁCTICA

**9-18 Los efectos del tiempo.** Convierta en adverbios los adjetivos que están entre paréntesis y complete las oraciones. Después, tome una prueba sobre los efectos del tiempo; diga si las oraciones son verdaderas (**V**) o falsas (**F**). (Las respuestas están abajo.)

1. El tiempo afecta _____ (radical) a los seres humanos; por ejemplo, nos enfermamos más _____ (fácil, frecuente) durante el invierno. (**V F**)

2. Cuando hace frío, el pelo crece más _____ (rápido). (**V F**)

3. Durante un huracán, pensamos más _____ (claro). (**V F**)

4. _____ (normal), la presión atmosférica (*air pressure*) baja relaja a la gente. (**V F**)

5. _____ (preciso) por eso, durante un día de presión atmosférica baja tenemos tendencia a olvidar las cosas que llevamos como, por ejemplo, el paraguas, los paquetes... (**V F**)

6. Cuando la presión atmosférica baja muy _____ (lento), hay más accidentes, más suicidios y más crímenes. (**V F**)

1. V 2. F (Crece más lentamente.) 3. V 4. V 5. V 6. F (Cuando la presión atmosférica baja muy rápidamente hay más accidentes, suicidios y crímenes.)

**9-19 En mi caso...** Complete las oraciones con las formas apropiadas de **poco, mucho** o **demasiado,** según su propia situación.

**1.** Reciclo _____ latas y botellas.

**2.** Compro _____ artículos hechos de plástico.

**3.** Como _____ carne de vaca.

**4.** Uso _____ papel.

**5.** Compro _____ comida con hormonas y antibióticos.

**6.** En general, desperdicio _____.

 **9-20 ¿Pero cómo?** Trabaje con un(a) compañero(a). Turnándose, una persona le da un mandato a su compañero(a), según el modelo. Su compañero(a) hace lo que le dice.

> ⚙ **MODELO**  sacar / exacto / 25 centavos de la billetera *(wallet)*
> A: *Saca exactamente 25 centavos de la billetera.*
> B: *(Hace lo que le dijo: saca 25 centavos de la billetera.)*

**1.** levantarse / lento

**2.** bailar / alegre

**3.** sentarse / rápido

**4.** pedirme un lápiz / cortés

**5.** saludarme / cariñoso

**6.** levantar la mano / rápido

**7.** despedirse / triste y dramático

**8.** ir / directo / a la pizarra

**9.** escribir tu nombre / claro / en la pizarra

**10.** abrir la puerta / cuidadoso

## The Infinitive

As you have seen, the infinitive is commonly used after conjugated verbs (particularly verbs such as **tener que, deber, hay que, poder,** and **querer**) or after impersonal expressions (such as **es necesario, es importante,** and so on).

| | |
|---|---|
| Tengo que (Debo/Quiero) trabajar. | *I have to (should/want to) work.* |
| Es importante proteger el oso polar. | *It's important to protect the polar bear.* |

agujero  *hole*

incierto  *uncertain*

The infinitive is also used:

1. as a noun, sometimes preceded by **el**

| | |
|---|---|
| El fumar contamina el aire. | *Smoking contaminates the air.* |

2. after a preposition

| | |
|---|---|
| Fueron a Costa Rica para estudiar la flora y la fauna. | *They went to Costa Rica to study the flora and fauna.* |
| Siga por allí hasta llegar al parque. | *Continue that way until you reach the park.* |

3. with verbs like **dejar, hacer, mandar, permitir,** and **prohibir**

| | |
|---|---|
| Esa clase de música me hace dormir. | *That kind of music puts me to sleep (makes me sleep).* |
| Su madre no lo dejó ir. (No le permitió ir.) | *His mother didn't allow him to go. (She didn't permit him to go.)* |
| Cortés hizo destruir el templo de los aztecas y mandó construir en su lugar una catedral. | *Cortés had the temple of the Aztecs destroyed and ordered a cathedral built in its place.* |

4. after **al** to mean *on* or *upon doing something*

| | |
|---|---|
| Al hacer una visita, uno siempre tiene la seguridad de dar gusto; si no al llegar, al despedirse. | *Upon making a visit, one always has the certainty of giving pleasure; if not on arriving, on saying good-bye.* |

5. after **acabar de. Acabar de** + infinitive in the present tense means *have just;* in the imperfect, it means *had just.*

| | |
|---|---|
| Acabamos de oír las noticias. ¡Felicitaciones! | *We have just heard the news. Congratulations!* |
| Acababan de salir cuando empezó a nevar. | *They had just gone out when it started to snow.* |

# PRÁCTICA

**9-21 El sueño y la contaminación por el ruido.** En las grandes ciudades del mundo, mucha gente sufre de insomnio o de otros problemas relacionados con el sueño. El ruido, que se considera un agente contaminante, es uno de los muchos factores que afectan el sueño. Para saber más sobre este tema, tome esta prueba. Complete las oraciones con el equivalente en español; después, diga si las oraciones son verdaderas (**V**) o falsas (**F**). (Las respuestas están abajo.)

1. El ruido reduce la fase de sueño profundo y hasta puede _____ *(cause)* pesadillas *(nightmares)*. (**V F**)

2. _____ *(Upon hearing)* un ruido inesperado, como una sirena, una motocicleta, un avión o un tren que pasa, mucha gente se siente molesta; en cambio, los ruidos habituales, como el del aire acondicionado, no molestan tanto. (**V F**)

3. En general, los hombres se duermen más rápidamente que las mujeres y duermen más profundamente. Por eso, se oyen muchas anécdotas de mujeres que hacen levantar *(get up)* al esposo para _____ *(look for)* «al ladrón *(thief)* que está abajo». (**V F**)

4. La persona que duerme como una piedra *(rock)* lo hace _____ *(without changing)* mucho de posición. (**V F**)

5. El _____ *(Not dreaming)* es muestra *(sign)* de que una persona tiene la conciencia tranquila. (**V F**)

6. Un baño caliente inmediatamente _____ *(before going to bed)* produce un sueño rápido. (**V F**)

7. Las bebidas que contienen cafeína no afectan nuestra capacidad para _____ *(remain, stay)* dormidos. (**V F**)

8. Un vaso de leche caliente puede _____ *(make you fall asleep)* rápidamente. (**V F**)

9. Después de veinticuatro horas _____ *(without sleeping)*, mucha gente da muestras de irritabilidad, pérdida de memoria y alucinaciones. (**V F**)

10. El sueño le permite al cerebro _____ *(to solve)* problemas y procesar memorias (guardar algunas y eliminar otras). (**V F**)

**9-22 Refranes (Proverbios).** Todos los proverbios que aparecen a continuación llevan uno o más verbos en infinitivo. Trate de comprender su significado (pida ayuda a su instructor[a], si la necesita) y luego forme sus propios proverbios.

1. Ver es creer. Amar es...
2. El dar es honor, y el pedir dolor. El... es honor y el... dolor.
3. Para aprender nunca es tarde. Para... nunca es tarde.
4. Querer es poder. ... es...
5. Ir a la guerra ni casar no se debe aconsejar. ... ni... no se debe aconsejar.
6. Más vale *(It is better)* estar solo que mal acompañado. Más vale... que...

1. V 2. V 3. V 4. F 5. F (Todo el mundo sueña, pero solamente algunas personas recuerdan sus sueños.) 6. F (Un baño frío o caliente es demasiado estimulante. Pero un baño tibio *[lukewarm]* relaja los músculos y produce somnolencia.) 7. F 8. V 9. V 10. V

**9-23 ¿Qué hiciste al…?** Entreviste a un(a) compañero(a) para saber qué hizo, qué dijo o cómo se sentía en los siguientes momentos de su vida. Use las ideas que siguen o sus propias ideas y **al** (+ infinitivo).

> ⚙ **MODELO** *terminar la escuela secundaria*
> *A: ¿Qué hiciste o dijiste al terminar la escuela secundaria?*
> *¿Cómo te sentías?*
> *B: Al terminar la escuela secundaria, fui a una gran fiesta.*
> *Me sentía muy feliz.*

1. entrar en la escuela primaria por primera vez
2. ir solo(a) a un lugar lejos de tu familia por primera vez
3. sacar la licencia de manejar
4. cumplir dieciocho años
5. conseguir tu primer empleo

**9-24 Entrevista.** Turnándose con un(a) compañero(a), hagan y contesten las preguntas.

1. ¿Acabas de cambiar algo en tu vida? Por ejemplo, ¿acabas de empezar un nuevo programa de ejercicios? ¿iniciar una nueva relación amorosa? ¿adoptar una mascota?
2. ¿Se acaba de hacer algo en esta universidad o ciudad que mejore (empeore) la calidad de vida de los estudiantes o habitantes? ¿Qué?
3. ¿Qué cosas te molestan? Por ejemplo, ¿te molesta perder algo y no poder encontrarlo? ¿olvidar una fecha importante? ¿no poder despertarte a la hora por la mañana?
4. ¿Qué tienes que hacer antes de acostarte hoy?

# EN CONTACTO

 ## Videocultura: Las mariposas en Ecuador

En la reserva de Mindo, Ecuador, en el bosque ecuatoriano, hay gente que se dedica a estudiar las mariposas. Rossi Gómez de la Torre explica cómo estos insectos empiezan su vida y cómo se transforman de oruga *(caterpillar)* en pupa *(pupa, chrysalis)* y finalmente en mariposa. Mire el video y conteste esta pregunta: ¿Por qué es importante proteger las mariposas de Mindo?

**Vocabulario:** apareamiento *mating;* fecunde *fertilizes;* alimentarse (de) *to eat, get nourishment (from);* reventado *hatched;* colgarse *to hang, be suspended;* el invernadero *hothouse, greenhouse;* la sobrevivencia *survival;* el búho *owl;* talar *to cut down*

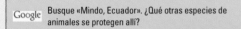

Google Busque «Mindo, Ecuador». ¿Qué otras especies de animales se protegen allí?

© Heinle, Cengage Learning

**9-25 Comprensión.** Conteste las siguientes preguntas después de ver el video.

1. ¿Cuántas variedades de mariposas hay en Mindo que no han sido investigadas todavía?
2. Durante la reproducción de las mariposas, ¿por cuánto tiempo se unen el macho y la hembra?
3. ¿Qué pasa después de que las orugas se cuelgan?
4. ¿Qué imagen tiene una de las mariposas raras en las alas *(wings)*? ¿Cómo la ayudará a sobrevivir?

**9-26 Puntos de vista.** Compare sus opiniones con las de dos o tres compañeros.

1. ¿A usted le interesaría estudiar entomología, es decir, la ciencia sobre los insectos? ¿Por qué sí o por qué no?
2. ¿Cree usted que es necesario proteger toda la flora y la fauna que existen hoy? Explique.
3. ¿Le gustaría estudiar una especie en peligro de extinción? ¿Cuál? ¿Por qué?

# Síntesis

**9-27 Soluciones.** Complete las oraciones con las formas correctas de los verbos que están entre parentesis.

Los mayas practicaban la apicultura *(bee-keeping)* hace siglos. En Calakmul, México, mucha gente vive de las colmenas *(hives)* de abejas, del ecoturismo y del cultivo de semillas y flores.

⚙ **MODELOS** Si los habitantes de Calakmul no pudieran ganarse la vida de manera sostenible, posiblemente _tendrían_ (tener) que cambiar la ecología de la región.
Si _compramos_ (comprar) productos de comercio justo *(fair trade)*, ayudaremos a la gente que los produce.

1. Si España no _produjera_ (producir) tanta energía solar, habría que usar más gas y electricidad en ese país.

2. Si no hubiera tanto viento en España, los molinos de viento *(windmills)* del país no _podrían_ (poder) producir tanta energía. (A veces hay que desconectar los molinos de viento porque producen más energía de la que se necesita.)

3. Si (nosotros) _usamos_ (usar) más productos reciclados en la construcción de los edificios, no desperdiciaremos tantos materiales.

4. Mucha gente usa el sistema de transporte público en España en vez de manejar. Si (nosotros) _tomamos_ (tomar) el AVE (el tren superrápido) de Madrid, llegaremos en menos de dos horas a Córdoba, en el sur.

5. Si no comiéramos «comida rápida», no _produciríamos_ (producir) tanta basura como tenedores de plástico o platos de papel.

6. Si (nosotros) _cultivacámos_ (cultivar) verduras en los techos *(roofs)* de los edificios de apartamentos, podríamos conservar mucho petróleo.

7. Si dejamos de usar pesticidas en los productos agrícolas, nuestra comida _será_ (ser) más saludable.

8. Si los cartoneros de Colombia no _reciclaran_ (reciclar) el papel, habría que cortar más árboles en ese país.

**9-28 Entrevista.** Con un(a) compañero(a), hagan y contesten las siguientes preguntas personales. Invente otras para conocer mejor a su compañero(a).

1. Si pudieras cambiar algo en tu vida, ¿qué cambiarías?
2. Si pudieras hablar con cualquier personaje histórico, ¿con quién hablarías?
3. Si estuvieras en una isla desierta, ¿con quién te gustaría estar? ¿Qué libros llevarías? ¿Qué otra cosa llevarías?

**9-29 Un día fatal.** Trabaje con un(a) compañero(a). Describa un día horrible. ¿Qué pasó? Trate de usar algunas de las siguientes estructuras. Su compañero(a) expresa compasión (o falta de compasión).

Mis papás (no) querían que... *(+ imp. subj.)*

Un amigo me pidió que... *(+ imp. subj.)*

Mi profesor de... me dijo que (no)... *(+ imp. subj.)*

Era sorprendente / increíble / horrible que... *(+ imp. subj.)*

Acababa de... cuando...

Al *(+ infinitive)*...

Desafortunadamente...

**9-30 ¡A disfrutar de la naturaleza!** Trabaje con un(a) compañero(a). Escojan un parque o una reserva natural que ustedes conocen y denle consejos a un(a) amigo(a) latino(a) que quiera visitarlo. Hagan por lo menos cinco oraciones que empiecen con **Si...**

> ⚙ **MODELO** querer visitar..., / ser mejor...
> *Si quieres visitar Yellowstone, es mejor ir en la primavera porque se pueden ver muchas clases de animales y el tiempo es muy agradable.*

1. querer pasar la noche allí, / ser una buena idea...
2. llevar..., / poder...
3. no importarte el dinero, / poder...
4. querer comer bien, / deber ir...
5. hacer buen tiempo, / poder...
6. tener un espíritu de aventura, / deber...

# Composición

## Usted y el medio ambiente

Usando las listas de vocabulario de este capítulo, escriba un párrafo sobre un problema ecológico que le interesa. Puede escoger uno de los problemas en la página 211 (por ejemplo, la contaminación del agua o una especie de animal que está en peligro de extinción). ¿Qué se puede hacer para resolver el problema (o proteger la especie de animal)? Trate de usar **si** *(if)* por lo menos dos veces. Puede usar algunas de las ideas de las actividades 9-1, 9-4, 9-15, 9-17 y 9-27.

**Tema alternativo: El ecoturismo.** Describa un lugar (como un parque nacional en este o en otro país) muy bonito para la práctica del ecoturismo. ¿Cómo se llama y dónde está? ¿Qué animales y plantas hay allí? ¿Cuándo se debe ir y qué tiempo hará? ¿Qué atracciones hay? Trate de usar **si** *(if)* por lo menos dos veces. Puede usar algunas de las ideas de las actividades 9-4, 9-16 y 9-30.

**Opción:** Consulte Google Earth™, «Global Awareness», para ver sitios de conservación (por ejemplo, del *World Wildlife Fund*) y reservas naturales. ¿Hay regiones donde el problema que escogió es más notable o más grave? ¿En qué región vive el animal que está en peligro o dónde está la reserva natural donde se puede hacer ecoturismo?

# CAPÍTULO 10

# Imágenes y negocios

## METAS

En este capítulo vamos a aprender a…

▶ regatear y hacer una compra

▶ solicitar o pedir algo

▶ ofrecer ayuda

▶ hablar de las imágenes y de la publicidad

© Peter Horree/Alamy

En las tiendas de Buenos Aires, Argentina, hay algo para todos los gustos.

### LENGUA VIVA

Expresiones para hacer una compra

Expresiones para solicitar o pedir algo y para ofrecer ayuda

### GRAMÁTICA

Los participios pasados

Los tiempos perfectos del indicativo

Los tiempos perfectos del subjuntivo

La voz pasiva

### VOCABULARIO

Imágenes y negocios

Compra y venta

### LECTURAS

«La imagen quebrada y el desafío de la realidad»

«Todas las crisis son oportunidades» (entrevista con Carlos Slim) de Miguel Jiménez y Amanda Mars

«El delantal blanco» de Sergio Vodanovic

# Presentación del tema

## La imagen vende

Ropa y perfume de Jennifer López. Zapatos de Carlos Santana. Cosméticos de Salma Hayek o Eva Longoria. Durante años los anuncios nos han sugerido cómo debemos vestir, a quién nos debemos parecer y qué tipo de productos debemos comprar para «dar una buena imagen». A menudo nos han convencido de que si compramos esos productos conseguiremos la felicidad, el éxito y la belleza. Y nos han vendido la idea de que se puede resolver cualquier problema en la vida comprando un producto determinado.

¿Es buena o mala la publicidad? Algunas personas opinan que es mala porque ha contribuido a cambiar nuestros valores. Dicen que nos ha hecho malgastar dinero y comprar cosas que no necesitamos. En cambio, otras personas opinan que la publicidad no es negativa. Según ellas, el ir de compras nos hace sentir bien. Comprando y usando los productos anunciados, nos identificamos con las personas que los promocionan. Así, todos podemos sentirnos jóvenes, ricos y bellos… o por lo menos, «en la onda» *("with it")*.

Penélope Cruz ha sido la imagen comercial para muchos productos y, con su hermana, ha diseñado *(designed)* joyería, bolsas y ropa.

© Allstar Picture Library/Alamy

You Tube Busque «Penélope Cruz anuncios» para ver videos publicitarios de esta actriz.

## 10-1 Preguntas.

1. ¿Cuáles son los valores o temas que los anuncios han usado con frecuencia para promocionar sus productos? ¿De qué nos han convencido, muchas veces?

2. ¿Qué otras personas famosas utilizan su imagen para vender productos comerciales? ¿Hay problemas con esta estrategia a veces (por ejemplo, cuando hay un escándalo personal, un accidente o…)?

3. ¿Por qué opinan algunas personas que la publicidad es mala? ¿Qué cree usted?

4. ¿Cree que los jóvenes de hoy se preocupan demasiado por la imagen externa (los estilos y las marcas de ropa, los peinados [*hairdos*], etcétera)? ¿Se sientan mal si no son guapos y delgados o musculares como los jóvenes de los anuncios?

5. ¿Qué tipo de cosas le gusta a usted comprar? ¿Qué tipo de cosas no le gusta comprar? ¿Cuáles son sus tiendas favoritas?

# VOCABULARIO ÚTIL

## IMÁGENES Y NEGOCIOS

### COGNADOS

| | |
|---|---|
| el comercio | el producto |
| la compañía | la publicidad |
| la imagen | el vendedor (la vendedora) |

### LOS GASTOS PERSONALES

| | |
|---|---|
| la alimentación | *food* |
| el alquiler | *rent* |
| la deuda | *debt* |
| el gasto | *expense* |
| el presupuesto | *budget* |
| el recibo | *receipt* |

### VERBOS

| | |
|---|---|
| ahorrar | *to save (money)* |
| anunciar | *to announce, advertise* |
| aumentar | *to increase, go up* |
| contratar | *to employ, hire* |
| deber | *to owe* |
| dirigir (j) | *to direct* |
| invertir (ie) en | *to invest in* |
| negociar | *to negotiate, do business* |
| prestar | *to lend* |
| promocionar | *to promote* |
| regatear | *to bargain* |

### OTRAS PALABRAS

| | |
|---|---|
| a precio reducido (rebajado) | *at a reduced (lower) price* |
| el ahorro | *savings* |
| el anuncio | *announcement, advertisement* |
| el, la comerciante | *businessperson* |
| los ingresos | *income* |
| el negocio | *business* |
| el precio fijo | *fixed price* |
| el sueldo | *salary* |

### ¡OJO!

**gastar** *to spend (money or energy)* / **malgastar** *to waste, spend badly* / **pasar** *to spend (time)*

**mantener** *to support (economically)* / **soportar** *to put up with, hold up (physically)*

## PRÁCTICA

**10-2 ¡Falta algo!** Escoja la palabra apropiada para completar las siguientes oraciones.

1. (Gastamos / Pasamos) tres días en Sevilla.
2. No puedo (soportar / mantener) a mi tío porque es muy rico y muy egoísta.
3. ¿Cuánto dinero (malgastas / gastas) tú en alimentación por semana?
4. Eduardo (mantiene / soporta) a su familia con un ingreso de solo cuatro mil pesos al mes.
5. ¿Me podrías (prestar / dirigir) ese lápiz, por favor?
6. Les pedí dinero a mis padres para (promocionar / invertir) en el negocio.

 **10-3 Entrevista: el dinero y tú.** Entreviste a un(a) compañero(a), usando las preguntas que siguen. Después, su compañero(a) lo (la) entrevista a usted. Comparen las respuestas con las de los otros estudiantes de la clase.

1. ¿En qué gastas más dinero: en la matrícula, la alimentación, el alquiler, los libros?
2. ¿Tienes un presupuesto? ¿Calculas tus gastos cada mes?
3. ¿Qué gastos han aumentado recientemente? ¿Cuáles han bajado?
4. ¿Qué porcentaje de tus ingresos gastas en alquiler? ¿Te importa vivir en un lugar lindo o prefieres ahorrar en alquiler y tener más dinero para otras cosas? Explica.
5. ¿Malgastas dinero a veces? ¿En qué malgastas dinero?
6. ¿Conoces a una persona adicta a las compras, del tipo «¡Compro, luego existo!»? Si es así, describe a esa persona.
7. Cuando quieres ahorrar dinero, ¿qué haces? Por ejemplo, ¿haces una lista de lo que necesitas antes de ir de compras? ¿Guardas todos los recibos después? ¿Tomas decisiones firmes sobre lo que *no* vas a comprar durante la semana?

8. ¿Tienes deudas? ¿A quién le debes dinero?
9. ¿Tienes una tarjeta de crédito? ¿A veces gastas más de lo que puedes pagar? ¿Es fácil conseguir las tarjetas de crédito? ¿Qué problemas económicos pueden causar?

© José San Martín Escobar

# LENGUA VIVA

🔊
CD 2,
Track 8,
9, 10

## Audioviñetas: Anuncios comerciales*

**10-4 Escuche los tres anuncios comerciales.** ¿Cuál de los tres anuncios (1, 2, 3) está dirigido a...?

_____ a.  una persona que quiera celebrar su cumpleaños con comida, música y baile

_____ b.  una persona que quiera escuchar música y noticias del mundo iberoamericano

_____ c.  una persona que quiera ir de viaje a Latinoamérica

**10-5 Escuche otra vez y conteste las preguntas.**

Anuncio 1

**1.** ¿Cómo se llama el programa de radio del anuncio?

**2.** ¿Es una producción realizada por músicos profesionales?

**3.** ¿Cuántas veces por semana se hace?

Anuncio 2

**1.** ¿Cómo se llama el restaurante?

**2.** ¿Qué clase de comida tiene?

**3.** ¿Qué se puede hacer allí, además de comer?

Anuncio 3

**1.** ¿En qué se especializa la agencia de viajes?

**2.** En general, ¿ofrece giras tipo «cinco estrellas»?

**3.** ¿Cómo se puede informar sobre los especiales de la semana?

**10-6 Escuche otra vez y complete las oraciones con los números correctos.**

**1.** El programa de radio dura _____ horas.

**2.** El restaurante está abierto los _____ días de la semana.

**3.** El número telefónico del restaurante es _____ .

**4.** Educational Tours and Travel está en la Avenida _____, oficina 1.

**5.** El número telefónico de la agencia de viajes es _____ .

_____

*Used by permission of Ingrid de la Barra, **Sin Fronteras** radio.

# En otras palabras

Mire el video en el sitio **www.cengagebrain.com/shop/ISBN/0495912654** y haga las actividades que lo acompañan.

**Para regatear y hacer una compra**

In the street, flea market, or countryside it is common to bargain, especially for crafts. This is not considered rude, and the rules are fairly simple. After asking the price and receiving a reply, you (1) praise the item or say you like it, (2) explain you can't pay much, and (3) offer about half the price mentioned.

> **Es muy linda (la bolsa), pero no puedo gastar mucho. Podría ofrecerle trescientos pesos.** (*Asking price was 600 pesos.*)
>
> **Me gusta (la cartera), pero no tengo mucho dinero. ¿Podría usted aceptar ciento cincuenta pesos?** (*Asking price was 300 pesos.*)
>
> (For a review of numbers, see Appendix B.)

Rafael está en un pequeño supermercado. ¿Cómo le pide ayuda al vendedor? ¿Qué decide comprar?

A common way to say you can't afford something is to say **No me alcanza el dinero** (*My money won't reach—or stretch—that far*). Usually, the person selling will then offer a new price, approximately two-thirds or three-quarters of the original. You can then accept (**Muy bien. Me lo [la] llevo.**) or continue bargaining, if you enjoy it, by offering a slightly lower price. Make sure your offers are reasonable in order not to insult the vendor.

In a store, there are **precios fijos.** Following is a list of expressions you might hear in a shop or store. Who would be likely to use each one, a customer or a salesperson? Mark C (**cliente**) or V (**vendedor**). The answers are at the bottom of the page.

\_\_\_\_ **1.** ¿Busca algo en especial?

\_\_\_\_ **2.** Sólo estoy mirando.

\_\_\_\_ **3.** ¿Me podría enseñar aquel..., por favor?

\_\_\_\_ **4.** ¿Hay uno más barato (grande, pequeño)?

\_\_\_\_ **5.** Es de muy buena calidad. Está hecho a mano.

\_\_\_\_ **6.** ¿Podría probármelo? (Me gustaría probármelo.)

\_\_\_\_ **7.** ¿Dónde está el probador (*fitting room*)?

\_\_\_\_ **8.** Le queda muy bien.

\_\_\_\_ **9.** No me gusta el color. ¿Hay otros colores (estilos)?

\_\_\_\_ **10.** Voy a pensarlo. No puedo decidirme.

\_\_\_\_ **11.** ¿Cómo quisiera pagar? ¿Va a pagar con dinero en efectivo?

\_\_\_\_ **12.** Sí, se puede pagar con tarjeta de crédito.

\_\_\_\_ **13.** ¿Se lo envuelvo (*wrap*)?

\_\_\_\_ **14.** ¿Me podría dar un recibo, por favor?

1. V 2. C 3. C 4. C 5. V
6. C 7. C 8. V 9. C 10. C
11. V 12. V 13. V 14. C

**Para solicitar algo**

**1.** on the street

> **¡Disculpe! (¡Oiga!) ¿Me podría decir...?**
> **Por favor, ¿podría usted ayudarme?**

**2.** in a shop or business

> **Buenos días. ¿Podría usted atenderme?**
> **Buenos días. Busco (Necesito) un buen jamón.**
> **Buenas tardes. Quisiera cambiar cien dólares a pesos mexicanos.**

Remember to greet the clerk or shopkeeper before making a request; it's considered rude not to. Also, polite forms like **podría** and **quisiera** are often used in requests, and it's better to avoid **quiero** or **deseo,** which are very direct and can sound childish or impolite.

**Para ofrecer ayuda**

Offering help or assistance goes hand in hand with requests. In a shop, the clerk or owner will normally say:

> **¿En qué le puedo servir?**          **¿En qué puedo ayudarle?**
> **¿Le puedo ayudar en algo?**

If you are in a position of offering assistance yourself, you might say the following:

> **¿Quiere(s) que yo... (+ *subj.*)?**          **Si gusta (quiere), yo podría...**
> **¿Desea(s) que yo... (+ *subj.*)?**          **Permítame (Permíteme)**
> **Haré... con mucho gusto.**                       **ayudarle(te) a...**

## PRÁCTICA

 **10-7 Breves conversaciones.** Trabaje con un(a) compañero(a).

**Paso 1.** Completen las conversaciones con frases apropiadas.

En el mercado

VENDEDOR:   (1) _____

CLIENTE:   Muy buenas. Este poncho, ¿cuánto vale?

VENDEDOR:   Doscientos pesos.

CLIENTE:   ¿Doscientos pesos? No me alcanza el dinero. Le podría
(2) _____ cien.

VENDEDOR:   Se lo doy por ciento cincuenta.

CLIENTE:   Entonces muy bien. (3) _____

VENDEDOR:   Si (4) _____, se lo envuelvo *(wrap).*

En la calle

UNA SEÑORA: (5) _____, señor. ¿Me (6) _____
decir qué hora es?

UN SEÑOR: Son las tres y veinte.

En una tienda

VENDEDORA: Buenos días. ¿En qué (7) _____?

CLIENTE: Buenos días. ¿Cuánto (8) _____ esta blusa?

VENDEDORA: Trescientos pesos.

CLIENTE: ¿Tiene de otros colores?

VENDEDORA: Sí, señorita, cómo no. Si me sigue, con (9) _____
le muestro otras de otros colores.

**Paso 2**. Hagan el papel del (de la) vendedor(a) y del (de la) cliente en la primera conversación, pero cambien los precios. Por ejemplo, el (la) vendedor(a) pide doscientos cincuenta pesos por el poncho en vez de doscientos.

**10-8 Situaciones**. ¿Cómo expresaría usted su solicitud *(request)* en cada una de las siguientes cinco situaciones?

1. Usted entra en el correo; necesita cuatro estampillas para mandar tarjetas por avión a Estados Unidos.
2. Usted está en un supermercado. No puede encontrar el jugo de naranja.
3. Usted está en un banco. Quiere cambiar cincuenta dólares a euros.
4. Alguien le ha robado el dinero. Usted no sabe qué hacer ni adónde ir.
5. El hombre sentado delante de usted en el cine habla mucho, y usted no puede escuchar el diálogo de la película.

¿Cómo ofrecería ayuda en estas dos situaciones?

6. Caminando a la terminal de autobuses, usted ve a una señora que está llevando dos maletas pesadas.
7. Entra en un banco y ve que detrás de usted hay un señor con cuatro paquetes muy grandes.

# GRAMÁTICA Y VOCABULARIO
## Past Participles as Adjectives
### Formation of the Past Participle

**Regular Past Participles**

To form the past participles of nearly all verbs, add **-ado** to the stems of **-ar** verbs and **-ido** to the stems of **-er** or **-ir** verbs. If an **-er** or **-ir** verb stem ends in **-a, -e,** or **-o,** the **-ido** ending takes an accent.

| | | |
|---|---|---|
| hablar → habl**ado** | comer → com**ido** | vivir → viv**ido** |
| traer → tra**ído** | leer → le**ído** | oír → o**ído** |

**Irregular Past Participles**

Some past participles are irregular.

| | | | |
|---|---|---|---|
| **abierto** | abrir | **muerto** | morir |
| **cubierto** | cubrir | **puesto** | poner |
| **descrito** | describir | **resuelto** | resolver |
| **dicho** | decir | **roto** | romper |
| **escrito** | escribir | **visto** | ver |
| **hecho** | hacer | **vuelto** | volver |

Verbs built upon these verbs will also have the irregularity. Some examples are **descubierto (descubrir), deshecho (deshacer), supuesto (suponer), devuelto (devolver).**

## Use of the Past Participle

1. Past participles used as adjectives agree in gender and number with the nouns they modify.

| | |
|---|---|
| diez mil pesos prestados y pagados | *ten thousand pesos loaned and paid back* |
| «Comida hecha, amistad deshecha». | *The meal done, the friendship undone (said jokingly of someone who "eats and runs").* |

2. Past participles are often used with **estar;** as adjectives, they agree with the subject.

| | |
|---|---|
| Las tazas están rotas. | *The cups are broken.* |
| ¿Está cerrado el negocio? | *Is the business closed?* |
| Los precios están rebajados. | *The prices are reduced.* |

3. Notice that **estar** with a past participle generally indicates the result of an action.

| | |
|---|---|
| La comerciante resolvió el problema. El problema está resuelto. | *The businesswoman solved the problem. The problem is solved.* |
| El vendedor abrió la tienda. La tienda está abierta. | *The salesperson opened the store. The store is open.* |

## PRÁCTICA

**10-9 El Día de los Reyes.** El 6 de enero se celebra el Día de los Reyes Magos (*Three Wise Men*), que conmemora (recuerda) el día en que, según la tradición, Melchor, Gaspar y Baltazar le hicieron regalos al Niño Jesús. Diga qué ha pasado, de acuerdo con el modelo.

⚙ **MODELO** Los comerciantes cerraron los negocios.
*Los negocios están cerrados.*

1. Vestimos a los niños con ropa bonita.
2. Los niños abrieron los regalos.
3. Hicimos la «rosca de reyes» (*special cake*).
4. Reunimos a la familia y a los amigos.
5. Pusimos la mesa.

**10-10 Para ahorrar dinero en una tienda...**

**Paso 1.** Complete las conversaciones con participios pasados. Use el participio pasado de cada uno de los siguientes verbos por lo menos una vez.

| | | |
|---|---|---|
| cerrar | importar | rebajar |
| hacer | pintar | romper |

| | |
|---|---|
| CLIENTE: | ¿Se puede lavar esta blusa a máquina? |
| VENDEDORA: | Cómo no, señora. |
| CLIENTE: | ¿De qué está (1) _____? |
| VENDEDORA: | Es de algodón (*cotton*) y poliéster. |
| CLIENTE: | ¿Es de color permanente? |
| VENDEDORA: | Sí, señora. |

\*\*\*

| CLIENTE: | Quisiera devolver estos vasos. |
|---|---|
| VENDEDOR: | ¿Cuándo los compró? |
| CLIENTE: | Hace dos días. Pero uno de ellos estaba (2) _____. |

***

| CLIENTE: | ¿Cuánto vale este televisor? |
|---|---|
| VENDEDOR: | Seis mil pesos. |
| CLIENTE: | Es un poco caro para mí. ¿No tiene otro a precio más bajo? |
| VENDEDOR: | Sí, señor. Tenemos este de aquí por tres mil quinientos pesos. El precio está (3) _____. |

***

| CLIENTE: | ¿De qué están (4) _____ estos platos? |
|---|---|
| VENDEDOR: | Son de cerámica, señorita. |
| CLIENTE: | ¡Qué bonitos! Me gustan los colores y el diseño. ¿Están (5) _____ a mano? |
| VENDEDOR: | Sí, señora. Hay un grupo de artistas en un pueblo cerca de aquí que los pintan. |

***

| CLIENTE: | Si a mi esposo no le gusta esta camisa, ¿podrá devolverla? |
|---|---|
| VENDEDOR: | Sí, señora, si nos trae el recibo y si lo hace antes del fin de semana. Los domingos la tienda está (6) _____. |

***

| CLIENTE: | ¿Estos collares (necklaces) son de oro puro? |
|---|---|
| VENDEDORA: | No, señor, no lo son. Pero son muy bonitos, ¿no? |
| CLIENTE: | Sí. ¿Se hacen aquí? |
| VENDEDORA: | No, señor. Son (7) _____. |

**Paso 2.** Conteste las siguientes preguntas.

**1.** ¿Qué podría decir para devolver algo a una tienda?

**2.** ¿Qué preguntas podría hacer en una tienda para ahorrar dinero?

**10-11 ¿Qué vas a comprar?** Túrnense para contarle a un(a) compañero(a) varias cosas que quisiera comprar, usando participios pasados.

> ⚙ **MODELO** una película / dirigir por...
> *Pienso comprar una película dirigida por Pedro Almodóvar.*

**Ideas**: un disco compacto de música / componer por..., una novela / escribir por..., un traje (auto, etc.) / hacer en..., un perfume (unos chocolates) / importar de..., unos zapatos / hacer en...

¿Sabes qué hay detrás de la **Platería Hecha en México**?

Contigo es posible

Geólogas    Mineros    Diseñadores    Artesanas

Al comprar productos hechos en México obtienes **calidad, buenos precios** y contribuyes a generar y conservar miles de **empleos**

Fíjate que esté
**MX**
HECHO EN MÉXICO

Secretaría de Economía de México

# The Perfect Indicative Tenses

Han reducido los precios aquí en esta tienda. Hemos comprado una computadora. Mucha gente ha llegado a hacer compras… ¡Qué emoción! Pero, ¡qué locura!

| Present perfect | | | Past perfect | | |
|---|---|---|---|---|---|
| he | hemos | + past participle | había | habíamos | + past participle |
| has | habéis | | habías | habíais | |
| ha | han | | había | habían | |

| Future perfect | | | Conditional perfect | | |
|---|---|---|---|---|---|
| habré | habremos | + past participle | habría | habríamos | + past participle |
| habrás | habréis | | habrías | habríais | |
| habrá | habrán | | habría | habrían | |

**1.** The perfect tenses are all formed with **haber** plus a past participle. The past participle does not agree with the subject—it always ends in -**o.**

¿Qué han hecho, niños? ¿Han roto algo?

*What have you done, children? Have you broken something?*

Recientemente hemos ahorrado diez mil pesos.

*Recently we've saved ten thousand pesos.*

2. The present perfect (the present tense of **haber** plus a past participle) is used to tell that an action *has occurred* recently or has some bearing upon the present. It is generally used without reference to a specific time in the past, since it implies an impact upon the present.

| | |
|---|---|
| Lo siento. Ya hemos contratado a alguien con más experiencia. | *I'm sorry. We've already hired someone with more experience.* |
| Han cambiado la imagen del producto. | *They've changed the product's image.* |
| ¡Mi hijo se ha graduado! | *My son has graduated!* |

3. The past perfect (imperfect of **haber** plus a past participle) is used for past actions that *had occurred* (before another past event, stated or implied). The second event, if mentioned, is usually in the preterit.

| | |
|---|---|
| Ya habían negociado el precio de la casa. | *They had already negotiated the price of the house.* |
| Ya había vendido el coche cuando llamé. | *He (She) had already sold the car when I called.* |

4. The future perfect (the future of **haber** plus a past participle) implies that something *will have taken place* (or *may have taken place*) by some time in the future. It can also imply probability in the past, that something *must have* or *might have occurred,* or that it *has probably occurred.*

| | |
|---|---|
| ¿Habremos terminado la campaña de publicidad para diciembre? | *Will we have finished the ad campaign by December?* |
| Usted habrá estado muy entusiasmado con el nuevo negocio, ¿no? | *You have probably been very excited about the new business, right?* |
| El comerciante parece muy contento. Habrán aumentado su presupuesto. | *The businessman looks very happy. They must have increased his budget.* |

5. The conditional perfect (the conditional of **haber** plus a past participle) is used to express actions or events that *would have* or *might have taken place.* Like the future perfect, it can imply probability in the past, that something *had probably occurred.*

| | |
|---|---|
| Yo no me habría olvidado de pagar la cuenta. | *I would not have forgotten to pay the check.* |
| Lo habrían soportado sin decir nada. | *They must have put up with it without saying anything.* |

6. The auxiliary form of **haber** and the past participle are rarely separated by another word—negative words and pronouns usually precede the auxiliary, as you have seen in the previous examples.

# PRÁCTICA

**10-12 Quejas.** La señora Vega se queja de la situación económica. ¿Qué le dice a su esposo? Siga el modelo.

⚙ **MODELO** Aumentan el alquiler.
*Han aumentado el alquiler.*

1. Los precios suben.
2. El costo de vida aumenta el doble.
3. No ahorramos nada este mes.
4. Tú tienes muchos gastos.
5. Tenemos que gastar todos nuestros ahorros.

**10-13 Una mañana de mala suerte.** El señor Ramos trabaja en la sección de marketing de una compañía grande y ayer llegó muy tarde al trabajo. ¿Qué había pasado allí por la mañana antes de su llegada?

⚙ **MODELO** El presidente y los gerentes tuvieron una reunión importante.
*El presidente y los gerentes habían tenido una reunión importante.*

Antes de la llegada del señor Ramos...

© Hugo Díaz

1. El presidente describió la mala situación de las ventas.
2. El abogado de la compañía llamó para dar más malas noticias.
3. El señor Ramos recibió muchas cartas de clientes descontentos.
4. Su secretaria perdió unos documentos legales.
5. Olvidó una cita con un cliente importante.
6. Todos los empleados tuvieron una mañana terrible.

**10-14 Anuncios clasificados.**

**Paso 1.** Lea los siguientes anuncios. Para cada puesto de trabajo invente dos preguntas que usted le haría a una persona que llegue a una entrevista. Use **ha** o **había.** Verbos útiles: servir, usar, estar, hacer, tener que.... Vocabulario: se requiere... . . . . *is required,* se valorará *will be valued or considered,* formación *training,* a cargo de la empresa *by the company,* talleres *shops,* a convenir *as appropriate,* tele- *distance-*

⚙ **MODELO** el anuncio número 1, para cocinero
*¿Ha trabajado en un restaurante antes? ¿Qué platos ha preparado?*

---

1. Se necesita cocinero con experiencia en Madrid. Empleo inmediato. Excelente sueldo. Tres años de experiencia. Cocina valenciana.

2. Buscamos camareros. Con capacidad para grupos grandes, se realizan servicios de convenciones, bodas y carta / restaurante. Se requiere vivir en Barcelona; tiempo parcial; se necesita vehículo propio. Se requiere experiencia.

3. Se necesitan vendedores(as) para centro comercial en Sevilla. No es necesaria experiencia aunque se valorará; formación a cargo de la empresa. Horario flexible.

4. Seleccionamos profesionales y ayudantes de mecánica para nuestros talleres de automóviles. Se requieren conocimientos de electromecánica y mecánica rápida. Sueldo a convenir según experiencia. Tiempo completo.

5. Necesitamos tutores para formación a distancia para cursos de inglés a nivel básico, intermedio y avanzado. Buscamos personas capaces de impartir inglés de negocios e inglés para habilidades directivas. 3 años de experiencia. Tiempo parcial.

6. Se necesitan profesores y tutores de francés (niveles básico, intermedio y avanzado); clases «online» a través de nuestro centro virtual de formación. Las teletutorías se realizarán desde su propia casa. Requisitos mínimos: Excelentes conocimientos hablados y escritos del idioma francés. Excelentes conocimientos de Internet. Experiencia en formación de adultos. Requisitos deseados: experiencia en teleformación.

❖ ❖ ❖

---

**Paso 2.** Haga una pequeña conversación entre una persona que busca trabajo y una persona que la entrevista. Trate de usar una forma de **haber** + participio pasado por lo menos dos veces.

**10-15 Mi rutina.** ¿Qué habrá hecho usted mañana a las seis y media? ¿a las once? ¿a las tres de la tarde? ¿a las diez de la noche?

⚙ **MODELO**  a las seis y media de la mañana
*No habré hecho nada. (Me habré despertado.)*

**10-16 ¿Qué habrías hecho tú?** Trabaje con un(a) compañero(a). Túrnense para darle consejos a un amigo suyo que acaba de graduarse, de acuerdo con el modelo.

> **MODELO** A: Alguien me ofreció un puesto con un sueldo *(salary)* anual de doce mil dólares, pero con la oportunidad de viajar por toda Latinoamérica con todos los gastos pagados. ¿Qué habrías hecho tú?
>
> B: *¡Lo habría aceptado! (Lo habría aceptado, pero solo por seis meses.)*

1. Alguien me ofreció un puesto ideal, exactamente lo que quería, pero solo pagaban quince mil dólares al año.
2. Mi novio(a) quería que trabajara en la compañía de su padre, y me gustaba el trabajo, pero su papá es una persona muy exigente.
3. Mis papás me querían regalar un viaje a Europa, pero yo quería un coche nuevo.
4. Harvard me aceptó para una maestría *(master's),* pero estaba un poco cansado de estudiar y hacer exámenes.
5. ¿...? (Invente una situación; por ejemplo, un trabajo en su universidad, un viaje a un lugar emocionante...)

> **Google**
>
> Busque «ofertas de trabajo». ¿Qué sitios con ofertas de trabajo se encuentran? ¿Ve algún trabajo que le gustaría hacer?

 **10-17 De trabajos y carreras.** Entreviste a un(a) compañero(a) sobre trabajos y carreras, usando las preguntas que siguen. Luego, su compañero(a) lo (la) entrevista a usted. Esté preparado(a) para compartir la información con la clase.

1. ¿Has trabajado alguna vez en una compañía o con un negocio? ¿En qué tipo de compañía o negocio? ¿Cómo era tu jefe?
2. Cuando llegaste a la universidad, ¿habías decidido ya qué especialidad o campo de estudio seguirías? ¿Habías escogido ya una profesión? ¿Habías tenido antes un trabajo relacionado con esa profesión?
3. Para el año 2025, ¿habrás terminado con tus estudios? ¿conseguido un buen puesto? ¿comprado una casa? ¿comprado un coche? ¿Te habrás casado? ¿Tendrás hijos?

**10-18 El trabajo más interesante (aburrido).** En grupos de cuatro o cinco estudiantes, cada persona describe un trabajo que ha hecho alguna vez. Puede ser un trabajo pagado o voluntario. ¿Quién ha tenido el trabajo más interesante? ¿más aburrido? ¿más difícil? ¿más extraño? Estén preparados para compartir la información con la clase.

> **MODELOS** A: *He trabajado de vendedor en una tienda de ropa deportiva. He vendido...*
>
> B: *He cuidado a cinco niños muy traviesos* (mischievous)...
>
> C: *He trabajado para el Club Sierra. He hecho llamadas para pedir dinero...*

# The Present Perfect and Past Perfect Subjunctive

| Present perfect | | |
|---|---|---|
| haya | hayamos | |
| hayas | hayáis | } + past participle |
| haya | hayan | |

| Past perfect | | |
|---|---|---|
| hubiera | hubiéramos | |
| hubieras | hubierais | } + past participle |
| hubiera | hubieran | |

Me alegro que te hayan ofrecido el trabajo. ¡Felicitaciones!

¡OJO! Alternate endings for **hubiera**, **hubieras**, etc., are: **hubiese, hubieses, hubiese, hubiésemos, hubieseis,** and **hubiesen,** as discussed in Chapter 9 in the section on the imperfect subjunctive.

1. The present perfect subjunctive, formed with the present subjunctive of **haber** plus a past participle, is used instead of the present perfect indicative when the subjunctive is required.

| | |
|---|---|
| Hemos perdido todo el dinero que invertimos en el proyecto. | *We have lost all the money we invested in the project.* |
| ¿Es posible que hayamos perdido todo el dinero que invertimos en el proyecto? | *Is it possible that we've lost all the money we invested in the project?* |
| Han cerrado la tienda. | *They have closed the store.* |
| Me sorpende que hayan cerrado la tienda. | *I'm surprised they have closed the store.* |

Remember that compound (perfect) tenses in Spanish are used similarly to their English equivalents, as discussed earlier in this chapter. Compare the following:

| | |
|---|---|
| ¿Es posible que hayamos perdido cinco mil euros? | *Is it possible that we have lost five thousand euros? (present perfect subjunctive)* |
| ¿Es posible que perdamos cinco mil euros? | *Is it possible that we might lose five thousand euros? (present subjunctive)* |
| Me sorprende que hayan cerrado la tienda. | *I'm surprised they've closed the store. (present perfect subjunctive)* |
| Me sorprende que cierren la tienda. | *I'm surprised they're closing the store. (present subjunctive)* |

2. After a main clause in the present tense, the present perfect subjunctive is generally used rather than the imperfect subjunctive to express a completed action or past situation.

| | |
|---|---|
| Espero que no hayas malgastado el dinero. | *I hope you haven't wasted the money.* |
| Es posible que hayan vendido el auto. | *It's possible that they've sold the car.* |

3. The past perfect subjunctive, formed with the imperfect subjunctive of **haber** plus a past participle, is used instead of the past perfect indicative when the subjunctive is required.

| | |
|---|---|
| Ya habían pagado la deuda. | *They had already paid the debt.* |
| Me sorprendió que ya hubieran pagado la deuda. | *It surprised me that they had already paid the debt.* |
| Había comprado el último boleto. | *I had bought the last ticket.* |
| Temían que yo hubiera comprado el último boleto. | *They were afraid I'd bought the last ticket.* |

> **¡OJO!** Remember that in Spanish **que** is always used in these constructions, even though *that* may be omitted in English. Also notice the contractions of *they have* to *they've, I had* to *I'd,* and so on.

4. Compare these sentences:

| | |
|---|---|
| Temían que yo comprara el último boleto. | *They were afraid I would buy the last ticket. (imperfect subjunctive)* |
| Temían que yo hubiera comprado el último boleto. | *They were afraid I had bought the last ticket. (past perfect subjunctive)* |

The use of the past perfect subjunctive in the dependent clause indicates that the action (or situation) preceded the action (or situation) expressed in the main clause—it *had occurred earlier.*

Sequence of tenses with the subjunctive will be discussed further in Chapter 11.

## VOCABULARIO ÚTIL

### COMPRA Y VENTA

| | |
|---|---|
| la caja | *register* |
| el, la dependiente | *salesclerk* |
| el dueño (la dueña) | *owner* |
| la etiqueta | *label* |
| la oferta; en oferta | *offer; on sale* |
| ¿Cuál es su talla (medida)? ¿Qué talla (medida) quiere? | *What size are you? What size do you want?* |
| Necesito un número más grande (pequeño) (e.g., para zapatos). Son anchos (estrechos). | *I need a larger (smaller) size (number) (e.g., for shoes). They're wide (narrow).* |
| ¿Qué número necesita (e.g., para zapatos)? | *What size (number) do you need (e.g., for shoes)?* |

# PRÁCTICA

 **10-19 ¿Cómo te ha ido?** Trabaje con un(a) compañero(a).

**Paso 1.** Túrnense para leer las siguientes oraciones y expresar sus reacciones, empezando con **Me alegro de que..., Es una lástima que..., Siento mucho que..., Es horrible (fantástico) que...** u otra expresión apropiada.

> ⚙ **MODELOS**  He conseguido trabajo en una tienda de música.
> *Me alegro de que hayas conseguido trabajo en una tienda de música.*
> Me he puesto un tatuaje de Jennifer López en el pecho *(chest)*.
> *¡Me sorprende que te hayas puesto un tatuaje de Jennifer López en el pecho!*

1. Me han robado el coche.
2. Me he casado.
3. Mis papás me han comprado un Jaguar.
4. He fracasado en todas mis clases.
5. Mis abuelos me han mandado quinientos dólares.

**Paso 2.** Dígale a su compañero(a) por lo menos cuatro cosas que usted ha hecho últimamente, cosas que lo (la) han hecho sentir feliz o triste. Su compañero(a) debe expresar sus reacciones, siguiendo los modelos.

**Ideas:**

> conseguir el trabajo perfecto
> sacar «A» en...
> conocer a...
> comprar... en oferta
> leer un libro fascinante (fatal)
> cambiar de medida (aumentar/perder peso)
> ir a una fiesta muy buena (horrible)
> hacer un viaje a...

 **10-20 ¿Y antes de llegar a la universidad?** Trabaje con tres compañeros. Dígales por lo menos dos cosas que le habían pasado antes de venir por primera vez a la universidad. Otras personas del grupo deben hacer comentarios, empezando con **Qué bueno (fantástico, horrible, malo, extraño, ridículo, increíble,** etcétera**) que...**

> ⚙ **MODELO**  *Antes de llegar a la universidad, había ahorrado dos mil dólares (vendido mi motocicleta, viajado por Europa).*
> *Qué bueno que hubieras ahorrado dos mil dólares (vendido tu motocicleta, viajado por Europa).*

# EN CONTACTO

## ▶ Videocultura: De compras en Madrid

Aunque no se puede comprar la felicidad, casi todo lo demás está a la venta en Madrid. En el video, se sigue una ruta comercial por las animadas calles de la capital. Mire el video y conteste esta pregunta: ¿Qué clase de tiendas o mercados hay en Madrid?

**Vocabulario:** grandes almacenes *department stores;* al peso *by the weight;* cazar una buena oferta *to hunt for a good deal (offer);* los deleites *delights;* el equipo electrónico *electronic equipment;* las golosinas *sweets;* el obsequio *gift, present;* por pieza *by the item;* el Rastro *Madrid flea market (literally, trace, trail)*

Google  Busque «El Palacio del Hierro» u otra tienda grande en el mundo hispano (El Corte Inglés, Falabella). ¿Cómo son los (las) modelos? ¿Qué clase de artículos se puede comprar allí?

© Bogdan Zlatkov

**10-24 Comprensión.** Conteste las siguientes preguntas después de ver el video.

1. ¿Cómo se llama la tienda madrileña que se ha convertido en «una institución»?
2. ¿Qué se puede comprar en la «calle del sonido»? ¿Qué habrán vendido allí en el pasado?
3. ¿Qué se vende en los mercados tradicionales? ¿Cómo se venden los productos?
4. ¿Cuándo es posible visitar el Rastro? ¿Qué se puede comprar allí?
5. ¿Cómo son los compradores madrileños? ¿A qué nivel han elevado la compra algunos de ellos?

**10-25 Puntos de vista.** Compare sus opiniones con las de dos o tres compañeros.

1. ¿Adónde va usted para comprar ropa, comida, equipo electrónico, regalos? ¿Al centro? ¿a un centro comercial? ¿Le gusta «cazar buenas ofertas»?

2. ¿Qué le parece el regateo? ¿Por qué objetos en nuestra sociedad es común regatear? ¿Dónde y cuándo ha tratado usted de negociar una rebaja de precio? ¿Qué tal le ha resultado cuando lo ha hecho?

3. Si pudiera ir de compras en Madrid, ¿adónde iría? ¿Qué compraría?

4. ¿Ha comprado usted objetos de segunda mano en un mercado como el Rastro? ¿Dónde?

## Síntesis

 **10-26 Un anuncio memorable.**

**Paso 1.** Escoja un anuncio comercial que usted haya visto en la televisión o escuchado en la radio. Descríbale el anuncio a un(a) compañero(a). ¿Qué producto o servicio se anunciaba? ¿Era chistoso? ¿tonto? ¿Le gustó? ¿Le molestó? Después, con su compañero(a), decidan por qué recuerdan algunos anuncios y se olvidan de otros. Hagan una lista de tres cosas importantes que debe tener un anuncio para tener éxito.

**Paso 2.** Escojan o inventen un producto y creen un anuncio para promocionarlo. Acuérdense de los tres factores importantes de su lista del Paso 1 e incluyan por lo menos dos participios pasados. ¿Quién ha comprado el producto? ¿Una persona famosa? ¿Por qué lo ha utilizado? ¿Qué habría hecho sin el producto? ¿Ha cambiado algún aspecto de su vida? ¿Ha solucionado algún problema que tenía? Compartan su anuncio con la clase.

 **10-27 ¿Quién es más rápido?** La clase se divide en dos equipos. Hay dos sillas cerca del (de la) profesor(a): una tiene la etiqueta «Verdad» y la otra «Mentira». Un(a) estudiante de cada equipo se levanta y se pone de pie *(stands)* delante de la clase. El (La) profesor(a) hace una serie de afirmaciones usando la voz pasiva. Algunas son verdaderas y otras, falsas. Si la afirmación es verdadera, el (la) primer(a) estudiante en llegar a la silla y sentarse gana un punto. Si se sienta en la silla equivocada *(wrong),* el otro equipo gana un punto. El (La) profesor(a) decidirá cuántos puntos hay que tener para ganar el juego.

**10-28 Mercado al aire libre.** Este juego es para toda la clase.

1. Cada persona trae uno o dos objetos para «vender» en el mercado (un libro, una planta o cualquier objeto).

2. Dos tercios (2/3) de la clase son los «turistas» que miran los objetos y regatean el precio de los que quieren. Los otros tratan de vender su mercancía. Refiérase a «Para regatear y hacer una compra» en la sección **En otras palabras.**

3. Después de un rato, cada persona «compra» algo y explica por qué. Luego llega otro grupo de «turistas».

# Composición

## Recomendaciones para hacer compras en mi pueblo (ciudad)

Uno de sus amigos hispanos le manda un e-mail y le pide información. Va a estar en su pueblo o su ciudad y quiere hacer unas compras. Quiere comprar unos discos compactos para su papá, unos libros para su mamá, ropa para su hermana, unos juguetes para su hermanito y recuerdos para sus amigos. Le pregunta adónde y cuándo ir para hacer compras, qué marcas comprar y cómo ahorrar dinero. Escríbale un e-mail con algunas recomendaciones. Podría mencionar las tiendas de segunda mano, los mercados de pulga *(flea)* y sus tiendas y marcas favoritas. También podría usar algunas ideas de las actividades 10-1, 10-10 y 10-25. Trate de usar por lo menos tres participios pasados.

**Tema alternativo:** Si hay alguna tienda o algún mercado en su pueblo donde el (la) vendedor(a) hable español, vaya allí para hacer un breve reportaje. ¿Qué clase de artículos se venden? ¿Cómo es el (la) vendedor(a)? Describa una compra típica.

**Opción:** Escriba un diálogo o haga un pequeño video sobre una compra típica. Podría usar algunas ideas de las actividades 10-7, 10-10 y 10-23.

# Capitalization, Punctuation, Syllabication, and Word Stress

## Capitalization

**A.** Names of languages and adjectives or nouns of nationality are not capitalized in Spanish; names of countries are.

Robin es inglés, pero habla muy bien el español. Pasó varios años en Panamá.

*Robin is English, but he speaks Spanish very well. He spent several years in Panama.*

**B.** The first-person singular **yo** is not capitalized, as *I* is in English. Days of the week and names of months are also lowercased in Spanish.

En enero, durante el verano, yo voy a la playa todos los domingos por la tarde.

*In January, during the summer, I go to the beach every Sunday afternoon.*

**C.** In Spanish titles, with rare exceptions, only the first word and any subsequent proper nouns are capitalized.

*El amor en los tiempos del cólera* — Love in the Time of Cholera
*La casa de Bernarda Alba* — The House of Bernarda Alba

**D.** **Usted** and **ustedes** are capitalized only when abbreviated: **Ud. (Vd.), Uds. (Vds.).** Similarly, **señor (Sr.), señora (Sra.),** and **señorita (Srta.)** are capitalized only in abbreviations.

## Punctuation

**A.** The question mark and exclamation mark appear, in inverted form, at the beginning of a question or exclamation. They are not always placed at the beginning of a sentence but, rather, at the beginning of the actual question or exclamation.

¡Hola! ¿Cómo estás? — *Hi! How are you?*
Si usted pudiera viajar a Sudamérica, ¿a qué país viajaría? — *If you could travel to South America, to what country would you travel?*

**B.** Guillemets (« ») are used instead of the quotation marks used in English.

«¡Felicitaciones!» me dijo. — *"Congratulations!" he said to me.*

# Syllabication

**A.** A single consonant forms a syllable with the following vowel(s), as do the letters **ch, ll,** and **rr.**

| | | |
|---|---|---|
| co-ci-na | ba-rrio | lla-ma |
| mu-cha-cha | de-sa-rro-lla-do | hu-ma-ni-dad |

**B.** Syllables are usually divided between two consonants.

Mar-ta      sal-go      gen-te      ár-bol

**C.** However, most consonants with **l** or **r** form a consonant group that can't be divided.

| | | |
|---|---|---|
| a-bril | so-pra-no | de-mo-cra-cia |
| re-gla | a-gra-da-ble | ha-bla-dor |

**D.** Groups of two or more consonants are normally divided so that the final consonant goes with the following vowel(s): pe**rs-p**ec-ti-va, i**ns-t**an-te. However, if there is a combination of consonants that can't be divided (one of the consonants is **r** or **l**), this rule does not apply: mo**ns-tr**uo (**tr** can't be divided), so**r-pr**en-der (**pr** can't be divided).

**E.** Combinations of strong vowels (**a, e, o**) are divided to form separate syllables.

ca-es      le-er      ca-no-a      pa-se-o

However, a weak vowel (**i** or **u**) combines with a strong vowel or with another weak vowel to form a diphthong, which functions with a consonant or consonants as a single syllable if unaccented.

ciu-dad      puer-to      bai-lar      au-di-to-rio

Note that in combinations of a weak and strong vowel where the weak vowel is accented, the two vowels are divided into separate syllables.

mí-o      pa-ís      re-ír      po-li-cí-a

# Word Stress

**A.** Words that end in a vowel, **n,** or **s** are stressed on the next-to-the-last syllable.

**dul**-ce      **dis**-co      man-**za**-nas      o-**ri**-gen

**B.** Words that end in a consonant other than **n** or **s** are stressed on the final syllable.

ju-ven-**tud**      ve-**jez**      pa-**pel**      ad-mi-**rar**

**C.** An accent changes the pattern; a word is always stressed on a syllable with an accent.

a-**diós**      **ár**-bol      **pá**-ja-ro      **ó**-pe-ra

# Numbers, Dates, and Time

## Cardinal Numbers

| | | | |
|---|---|---|---|
| 0 | cero | 29 | veintinueve (veinte y nueve) |
| 1 | uno, una | 30 | treinta |
| 2 | dos | 31 | treinta y un(o), una |
| 3 | tres | 40 | cuarenta |
| 4 | cuatro | 50 | cincuenta |
| 5 | cinco | 60 | sesenta |
| 6 | seis | 70 | setenta |
| 7 | siete | 80 | ochenta |
| 8 | ocho | 90 | noventa |
| 9 | nueve | 100 | ciento (cien) |
| 10 | diez | 101 | ciento un(o, a) |
| 11 | once | 110 | ciento diez |
| 12 | doce | 200 | doscientos(as) |
| 13 | trece | 300 | trescientos(as) |
| 14 | catorce | 400 | cuatrocientos(as) |
| 15 | quince | 500 | quinientos(as) |
| 16 | dieciséis (diez y seis) | 600 | seiscientos(as) |
| 17 | diecisiete (diez y siete) | 700 | setecientos(as) |
| 18 | dieciocho (diez y ocho) | 800 | ochocientos(as) |
| 19 | diecinueve (diez y nueve) | 900 | novecientos(as) |
| 20 | veinte | 1000 | mil |
| 21 | veintiún, veintiuno, veintiuna (veinte y un[o, a]) | 1100 | mil ciento (mil cien) |
| 22 | veintidós (veinte y dos) | 1500 | mil quinientos(as) |
| 23 | veintitrés (veinte y tres) | 2000 | dos mil |
| 24 | veinticuatro (veinte y cuatro) | 100 000 | cien mil |
| 25 | veinticinco (veinte y cinco) | 200 000 | doscientos(as) mil |
| 26 | veintiséis (veinte y seis) | 1 000 000 | un millón (de) |
| 27 | veintisiete (veinte y siete) | 2 000 000 | dos millones (de) |
| 28 | veintiocho (veinte y ocho) | 2 500 000 | dos millones quinientos(as) mil |

# Ordinal Numbers

| | | | | |
|---|---|---|---|---|
| 1st | primer(o, a) | | 6th | sexto(a) |
| 2nd | segundo(a) | | 7th | séptimo(a) |
| 3rd | tercer(o, a) | | 8th | octavo(a) |
| 4th | cuarto(a) | | 9th | noveno(a) |
| 5th | quinto(a) | | 10th | décimo(a) |

**A.** Cardinal numbers are invariable …

    cuatro hermanas y cinco hermanos      *four sisters and five brothers*

except **ciento** and **uno** and their compound forms:

| | |
|---|---|
| doscientas personas | *two hundred people* |
| un viudo y una viuda | *a widower and a widow* |
| treinta y una familias | *thirty-one families* |
| veintiún maridos y veintiuna esposas | *twenty-one husbands and twenty-one wives* |

**B. Ciento** becomes **cien** before a noun or before **mil** or **millones.**

*Cien años de soledad* es una novela famosa de Gabriel García Márquez.     One Hundred Years of Solitude *is a famous novel by Gabriel García Márquez.*

Hace cien mil años el hombre neandertal vivía en España.     *One hundred thousand years ago Neanderthal man lived in Spain.*

**C.** Above 999 **mil** must be used.

En mil novecientos cincuenta y nueve Fidel Castro llegó al poder en Cuba.     *In nineteen (hundred) fifty-nine Fidel Castro came to power in Cuba.*

**D. Un millón de** (**dos millones de,** etc.) are used for millions.

    España tiene unos 46 millones de habitantes.     *Spain has about 46 million inhabitants.*

**E.** Ordinal numbers have to agree in gender with the nouns they modify.

| | |
|---|---|
| la décima vez | *the tenth time* |
| el noveno día | *the ninth day* |

**F.** The final **o** of **primero** and **tercero** is dropped before a masculine singular noun.

    ¿Es el primer o el tercer día del mes?     *Is it the first or third day of the month?*

**G. El primero** is used in dates for the first of the month; cardinal numbers are used for other days of the month.

El primero de mayo es el Día del Trabajo; el cinco de mayo es el día de la batalla de Puebla contra los franceses en México.     *The first of May is Labor Day; the fifth of May is the day of the battle of Puebla against the French in Mexico.*

**H.** Ordinal numbers are used with names of kings or queens up to **décimo(a),** *tenth*; beyond that cardinal numbers are normally used.

Isabel Primera (I)          Carlos Quinto (V)          Alfonso Doce (XII)

**I.** Note that ordinal numbers are used for fractions up to *tenth*, except that **medio** is used for *half* and **tercio** for *third*. **La mitad (de algo)** is used for *half of a definite amount*.

| | |
|---|---|
| una cucharada y media | *a teaspoon and a half* |
| medio segundo | *half a second* |
| la mitad de una manzana | *half an apple* |
| dos tercios del trabajo | *two-thirds of the work* |
| un cuarto (quinto) del libro | *a fourth (fifth) of the book* |

# Days of the Week

| | | | | | |
|---|---|---|---|---|---|
| domingo | *Sunday* | miércoles | *Wednesday* | sábado | *Saturday* |
| lunes | *Monday* | jueves | *Thursday* | | |
| martes | *Tuesday* | viernes | *Friday* | | |

# Months of the Year

| | | | | | |
|---|---|---|---|---|---|
| enero | *January* | mayo | *May* | se(p)tiembre | *September* |
| febrero | *February* | junio | *June* | octubre | *October* |
| marzo | *March* | julio | *July* | noviembre | *November* |
| abril | *April* | agosto | *August* | diciembre | *December* |

# Seasons

| | | | |
|---|---|---|---|
| la primavera | *spring* | el otoño | *autumn* |
| el verano | *summer* | el invierno | *winter* |

# Time of Day

The verb **ser** is used to tell time in Spanish.

| | |
|---|---|
| ¿Qué hora es? | *What time is it?* |
| Era la una. | *It was one o'clock.* |
| Son las tres en punto. | *It's exactly three o'clock.* |
| Serán las diez y media. | *It must be 10:30.* |
| Son las cuatro y cuarto (quince). | *It's 4:15.* |
| Son las siete menos diez. | *It's 6:50.* |
| Eran las nueve y veinte de la noche. | *It was 9:20 at night.* |

# Use of Prepositions

**A.** Verbs that are followed by **a** before an infinitive:

| | | | |
|---|---|---|---|
| **acostumbrarse a** | to get used to | **enseñar a** | to teach (how) to |
| **aprender a** | to learn (how) to | **enviar a** | to send to |
| **atreverse a** | to dare to | **invitar a** | to invite to |
| **ayudar a** | to help to | **ir a** | to go to |
| **bajar a** | to come down to | **obligar a** | to force or oblige to |
| **comenzar a** | to begin to | **oponerse a** | to oppose |
| **contribuir a** | to contribute to | **pasar a** | to go to |
| **correr a** | to run to | **salir a** | to go out to |
| **decidirse a** | to decide to | **venir a** | to come to |
| **empezar a** | to begin to | **volver a** | to do (something) again |

**B.** Verbs followed by **a** before an object:

| | | | |
|---|---|---|---|
| **acercarse a** | to approach | **jugar a** | to play |
| **acostumbrarse a** | to get used to | **llegar a** | to arrive (at) |
| **asistir a** | to attend | **manejar a** | to drive to |
| **bajar a** | to come down to | **oler a** | to smell of |
| **contribuir a** | to contribute to | **oponerse a** | to oppose |
| **correr a** | to run to | **pasar a** | to go to |
| **corresponder a** | to correspond to | **referirse a** | to refer to |
| **dar a** | to face | **salir a** | to go out to |
| **dirigir a** | to direct to | **subir a** | to get on |
| **invitar a** | to invite | **venir a** | to come to |
| **ir a** | to go to | **volver a** | to return to |

**C.** Verbs followed by **con** before an object:

| | | | |
|---|---|---|---|
| **acabar con** | to finish, put an end to | **encontrarse con** | to run into, meet |
| **amenazar con** | to threaten with | **enfrentarse con** | to face |
| **casarse con** | to marry | **romper con** | to break (up) with |
| **consultar con** | to consult with | **soñar con** | to dream about |
| **contar con** | to count on | | |

**D.** Verbs followed by **de** before an infinitive:

| | | | |
|---|---|---|---|
| **acabar de** | to have just | **dejar de** | to stop |
| **acordarse de** | to remember to | **haber de** | to be supposed to |
| **alegrarse de** | to be happy to | **olvidarse de** | to forget to |
| **cansarse de** | to get tired of | **tratar de** | to try to |

**E.** Verbs followed by **de** before an object:

| | | | |
|---|---|---|---|
| **acordarse de** | to remember | **equivocarse de** | to (verb) the wrong (noun)* |
| **arrepentirse de** | to regret | **gozar de** | to enjoy |
| **bajarse de** | to get off | **jactarse de** | to boast about |
| **burlarse de** | to make fun of | **olvidarse de** | to forget |
| **cansarse de** | to get tired of | **padecer de** | to suffer from |
| **constar de** | to consist of | **preocuparse de** | to worry about |
| **cuidar(se) de** | to take care of (oneself) | **quejarse de** | to complain about |
| **darse cuenta de** | to realize | **reírse de** | to laugh at |
| **depender de** | to depend on | **salir de** | to leave |
| **despedirse de** | to say good-bye to | **servir de** | to serve as |
| **disfrutar de** | to enjoy | **sufrir de** | to suffer from |
| **enamorarse de** | to fall in love with | **tratar de** | to deal with, be about |

**F.** Verbs followed by **en** before an infinitive:

| | | | |
|---|---|---|---|
| **consentir en** | to consent to | **tardar en** | to delay in, take (so long, so much time) to |
| **insistir en** | to insist on | | |

**G.** Verbs followed by **en** before an object:

| | | | |
|---|---|---|---|
| **confiar en** | to trust in, to | **fijarse en** | to notice |
| **convertirse en** | to change into | **fracasar en** | to fail |
| **entrar en** | to go in, enter | **influir en** | to influence |
| **especializarse en** | to major in | **pensar en** | to think about |

**H.** Verbs followed by **por** before an infinitive:

| | |
|---|---|
| **preocuparse por** | to worry about |

**I.** Verbs followed by **por** before an object:

| | | | |
|---|---|---|---|
| **estar por** | to be in favor of | **preocuparse por** | to worry about; take care of |
| **luchar por** | to fight for | **votar por** | to vote for |
| **preguntar por** | to ask about | | |

---

*__Me equivoqué de autobús.__ *I took the wrong bus.* **Me equivoqué de puerta.** *I went to the wrong door.*

# Regular Verbs

## Simple Tenses

|  | Present | Imperfect | Preterit | Future | Conditional |
|---|---|---|---|---|---|
| **hablar** | hablo | hablaba | hablé | hablaré | hablaría |
|  | hablas | hablabas | hablaste | hablarás | hablarías |
|  | habla | hablaba | habló | hablará | hablaría |
|  | hablamos | hablábamos | hablamos | hablaremos | hablaríamos |
|  | habláis | hablabais | hablasteis | hablaréis | hablaríais |
|  | hablan | hablaban | hablaron | hablarán | hablarían |
| **comer** | como | comía | comí | comeré | comería |
|  | comes | comías | comiste | comerás | comerías |
|  | come | comía | comió | comerá | comería |
|  | comemos | comíamos | comimos | comeremos | comeríamos |
|  | coméis | comíais | comisteis | comeréis | comeríais |
|  | comen | comían | comieron | comerán | comerían |
| **vivir** | vivo | vivía | viví | viviré | viviría |
|  | vives | vivías | viviste | vivirás | vivirías |
|  | vive | vivía | vivió | vivirá | viviría |
|  | vivimos | vivíamos | vivimos | viviremos | viviríamos |
|  | vivís | vivíais | vivisteis | viviréis | viviríais |
|  | viven | vivían | vivieron | vivirán | vivirían |

# Simple Tenses

|  | Present Subjunctive | Imperfect Subjunctive | Imperative |
|---|---|---|---|
| **hablar** | hable | hablara (se) | — |
|  | hables | hablaras (ses) | habla (no hables) |
|  | hable | hablara (se) | hable |
|  | hablemos | habláramos (semos) | hablemos |
|  | habléis | hablarais (seis) | hablad (no habléis) |
|  | hablen | hablaran (sen) | hablen |
| **comer** | coma | comiera (se) | — |
|  | comas | comieras (ses) | come (no comas) |
|  | coma | comiera (se) | coma |
|  | comamos | comiéramos (semos) | comamos |
|  | comáis | comierais (seis) | comed (no comáis) |
|  | coman | comieran (sen) | coman |
| **vivir** | viva | viviera (se) | — |
|  | vivas | vivieras (ses) | vive (no vivas) |
|  | viva | viviera (se) | viva |
|  | vivamos | viviéramos (semos) | vivamos |
|  | viváis | vivierais (seis) | vivid (no viváis) |
|  | vivan | vivieran (sen) | vivan |

# Perfect Tenses

|  | Present Perfect | Past Perfect | Future Perfect | Conditional Perfect |
|---|---|---|---|---|
| **hablado** | he hablado | había hablado | habré hablado | habría hablado |
|  | has hablado | habías hablado | habrás hablado | habrías hablado |
|  | ha hablado | había hablado | habrá hablado | habría hablado |
|  | hemos hablado | habíamos hablado | habremos hablado | habríamos hablado |
|  | habéis hablado | habíais hablado | habréis hablado | habríais hablado |
|  | han hablado | habían hablado | habrán hablado | habrían hablado |
| **comido** | he comido | había comido | habré comido | habría comido |
|  | has comido | habías comido | habrás comido | habrías comido |
|  | ha comido | había comido | habrá comido | habría comido |
|  | hemos comido | habíamos comido | habremos comido | habríamos comido |
|  | habéis comido | habíais comido | habréis comido | habríais comido |
|  | han comido | habían comido | habrán comido | habrían comido |
| **vivido** | he vivido | había vivido | habré vivido | habría vivido |
|  | has vivido | habías vivido | habrás vivido | habrías vivido |
|  | ha vivido | había vivido | habrá vivido | habría vivido |
|  | hemos vivido | habíamos vivido | habremos vivido | habríamos vivido |
|  | habéis vivido | habíais vivido | habréis vivido | habríais vivido |
|  | han vivido | habían vivido | habrán vivido | habrían vivido |

# Progressive Tenses

|  | Present Progressive | Past Progressive |  | Present Progressive |
|---|---|---|---|---|
| **hablando** | estoy hablando | estaba hablando | **comiendo** | estoy comiendo |
|  | estás hablando | estabas hablando |  | estás comiendo |
|  | está hablando | estaba hablando |  | está comiendo |
|  | estamos hablando | estábamos hablando |  | estamos comiendo |
|  | estáis hablando | estabais hablando |  | estáis comiendo |
|  | están hablando | estaban hablando |  | están comiendo |

# Perfect Tenses

| Present Perfect Subjunctive | Past Perfect Subjunctive |
|---|---|
| haya hablado | hubiera (se) hablado |
| hayas hablado | hubieras (ses) hablado |
| haya hablado | hubiera (se) hablado |
| hayamos hablado | hubiéramos (semos) hablado |
| hayáis hablado | hubierais (seis) hablado |
| hayan hablado | hubieran (sen) hablado |
| haya comido | hubiera (se) comido |
| hayas comido | hubieras (ses) comido |
| haya comido | hubiera (se) comido |
| hayamos comido | hubiéramos (semos) comido |
| hayáis comido | hubierais (seis) comido |
| hayan comido | hubieran (sen) comido |
| haya vivido | hubiera (se) vivido |
| hayas vivido | hubieras (ses) vivido |
| haya vivido | hubiera (se) vivido |
| hayamos vivido | hubiéramos (semos) vivido |
| hayáis vivido | hubierais (seis) vivido |
| hayan vivido | hubieran (sen) vivido |

# Progressive Tenses

| Past Progressive | | Present Progressive | Past Progressive |
|---|---|---|---|
| estaba comiendo | **vivendo** | estoy viviendo | estaba viviendo |
| estabas comiendo | | estás viviendo | estabas viviendo |
| estaba comiendo | | está viviendo | estaba viviendo |
| estábamos comiendo | | estamos viviendo | estábamos viviendo |
| estabais comiendo | | estáis viviendo | estabais viviendo |
| estaban comiendo | | están viviendo | estaban viviendo |

# Spelling-Changing, Stem-Changing, and Irregular Verbs

## Orthographic Changes

Some rules to help you conjugate verbs that have orthographic (spelling) changes are:

1. A **c** before **a, o,** or **u** is pronounced like a *k* in English; a **c** before **e** or **i** is pronounced like *s* (except in certain parts of Spain, where it is pronounced like *th*). A **c** changes to **qu** before **e** or **i** to preserve the *k* sound.

2. A **g** before **a, o,** or **u** is pronounced like a *g* in English, but before **e** or **i** it is pronounced like a Spanish **j** (*h* in English). Before **e** or **i, g** is often changed to **gu** to preserve the *g* sound. Similarly, a **g** may be changed to **j** to preserve the *h* sound before **a, o,** or **u.**

3. A **z** is changed to **c** before **e** or **i.**

4. An unstressed **i** between two vowels is changed to **y.**

Examples of orthographic changes are noted in the list of verbs that follows.

## Verb Index

In the following list, the numbers in parentheses refer to the verbs conjugated in the charts on pages 304–315. Footnotes are on page 315.

**acordar** o *to* ue (*see* contar)
**acostar** o *to* ue (*see* contar)
**adquirir** i *to* ie, i (*see* sentir)
**agradecer** c *to* zc (*see* conocer)
**alargar** g *to* gu[1]
**almorzar** o *to* ue, z *to* c[2] (*see* contar)
**analizar** z *to* c[2]
**andar** (1)
**apagar** g *to* gu[1]
**aparecer** c *to* zc (*see* conocer)
**aplicar** c *to* qu[3]
**aprobar** o *to* ue (*see* contar)
**arrepentirse** e *to* ie, i (*see* sentir)
**atacar** c *to* qu[3]
**atender** e *to* ie (*see* perder)
**buscar** c *to* qu[3]

**caber** (2)
**caer** (3)
**cerrar** e *to* ie (*see* pensar)
**comenzar** e *to* ie, z *to* c[2] (*see* pensar)
**componer** (*see* poner)
**concluir** y[4] (*see* huir)
**conducir** (4) c *to* zc, j
**confiar** (*see* enviar)
**conocer** (5) c *to* zc
**conseguir**[6] (*see* seguir)
**construir** y[4] (*see* huir)
**contar** (6) o *to* ue
**contribuir** y[4] (*see* huir)
**costar** o *to* ue (*see* contar)
**crecer** c *to* zc
**creer** (7) i *to* y[5]

**criticar** c *to* qu[3]
**cruzar** z *to* c[2]
**dar** (8)
**decir** (9)
**defender** e *to* ie (*see* perder)
**demostrar** o *to* ue (*see* contar)
**desaparecer** c *to* zc (*see* conocer)
**despedir** e *to* i (*see* pedir)
**despertar** e *to* ie (*see* pensar)
**destruir** y[4] (*see* huir)
**detener** (*see* tener)
**diagnosticar** c *to* qu[3]
**dirigir** g *to* j
**divertirse** e *to* ie, i (*see* sentir)
**doler** o *to* ue (*see* volver)
**dormir** (10) o *to* ue, u

elegir e *to* ie, j (*see* pedir)
empezar e *to* ie, z to c[2] (*see* pensar)
encontrar o *to* ue (*see* contar)
enriquecer c *to* zc (*see* conocer)
entender e *to* ie (*see* perder)
enviar (11)
envolver o *to* ue (*see* volver)
escoger g *to* j
establecer c *to* zc (*see* conocer)
estar (12)
exigir g *to* j
explicar c *to* qu[3]
extender e *to* ie (*see* perder)
favorecer c *to* zc (*see* conocer)
gozar z *to* c[2]
haber (13)
hacer (14)
herir e *to* ie, i (*see* sentir)
hervir e *to* i (*see* pedir)
huir (15) y[4]
impedir e *to* i (*see* pedir)
influir y[4] (*see* huir)
intervenir (*see* venir)
introducir c *to* zc, j (*see* conducir)
invertir e *to* ie, i (*see* sentir)
ir (16)
jugar (17) g *to* gu[1]
justificar c *to* qu[3]
juzgar g *to* gu[1]
leer i *to* y[5] (*see* creer)
llegar g *to* gu[1]
llover o *to* ue (*see* volver)

mantener (*see* tener)
mentir e *to* ie, i (*see* sentir)
merecer c *to* zc (*see* conocer)
morir o *to* ue, u (*see* dormir)
mostrar o *to* ue (*see* contar)
nacer c *to* zc (*see* conocer)
negar e *to* ie, g *to* gu[1] (*see* pensar)
nevar e *to* ie (*see* pensar)
obtener (*see* tener)
ofrecer c *to* zc (*see* conocer)
oír (18)
oponer (*see* poner)
padecer c *to* zc (*see* conocer)
pagar g *to* gu[1]
parecer c *to* zc (*see* conocer)
pedir (19) e *to* i
pensar (20) e *to* ie
perder (21) e *to* ie
pertenecer c *to* zc (*see* conocer)
poder (22)
poner (23)
preferir e *to* ie, i (*see* sentir)
probar o *to* ue (*see* contar)
producir c *to* zc, j (*see* conducir)
publicar c *to* qu[3]
quebrar e *to* ie (*see* pensar)
querer (24)
reaparecer c *to* zc (*see* conocer)
reconocer c *to* zc (*see* conocer)
recordar o *to* ue (*see* contar)
reducir c *to* zc, j (*see* conducir)
reír (25)

renacer c *to* zc (*see* conocer)
repetir e *to* i (*see* pedir)
resolver o *to* ue (*see* volver)
rezar z *to* c[2]
rogar o *to* ue, g *to* gu[1] (*see* contar)
saber (26)
salir (27)
seguir e *to* i, gu *to* g[6] (*see* pedir)
sembrar e *to* ie (*see* pensar)
sentar e *to* ie (*see* pensar)
sentir (28) e *to* ie, i
ser (29)
servir e *to* i (*see* pedir)
sonreír (*see* reír)
soñar o *to* ue (*see* contar)
sostener (*see* tener)
sugerir e *to* ie, i (*see* sentir)
tener (30)
tocar c *to* qu[3]
traducir c *to* zc, j (*see* conducir)
traer (31)
tropezar e *to* ie, z *to* c[2] (*see* pensar)
utilizar z *to* c[2]
valer (32)
vencer c *to* z
venir (33)
ver (34)
vestir e *to* i (*see* pedir)
visualizar z *to* c[2]
volar o *to* ue (*see* contar)
volver (35) o *to* ue

# Verb Conjugations

| Infinitive | Indicative | | | | |
|---|---|---|---|---|---|
| | **Present** | **Imperfect** | **Preterit** | **Future** | **Conditional** |
| **1. andar** | ando | andaba | anduve | andaré | andaría |
| | andas | andabas | anduviste | andarás | andarías |
| | anda | andaba | anduvo | andará | andaría |
| | andamos | andábamos | anduvimos | andaremos | andaríamos |
| | andáis | andabais | anduvisteis | andaréis | andaríais |
| | andan | andaban | anduvieron | andarán | andarían |
| **2. caber** | quepo | cabía | cupe | cabré | cabría |
| | cabes | cabías | cupiste | cabrás | cabrías |
| | cabe | cabía | cupo | cabrá | cabría |
| | cabemos | cabíamos | cupimos | cabremos | cabríamos |
| | cabéis | cabíais | cupisteis | cabréis | cabríais |
| | caben | cabían | cupieron | cabrán | cabrían |
| **3. caer** | caigo | caía | caí | caeré | caería |
| | caes | caías | caíste | caerás | caerías |
| | cae | caía | cayó | caerá | caería |
| | caemos | caíamos | caímos | caeremos | caeríamos |
| | caéis | caíais | caísteis | caeréis | caeríais |
| | caen | caían | cayeron | caerán | caerían |
| **4. conducir** | conduzco | conducía | conduje | conduciré | conduciría |
| | conduces | conducías | condujiste | conducirás | conducirías |
| | conduce | conducía | condujo | conducirá | conduciría |
| | conducimos | conducíamos | condujimos | conduciremos | conduciríamos |
| | conducís | conducíais | condujisteis | conduciréis | conduciríais |
| | conducen | conducían | condujeron | conducirán | conducirían |
| **5. conocer** | conozco | conocía | conocí | conoceré | conocería |
| | conoces | conocías | conociste | conocerás | conocerías |
| | conoce | conocía | conoció | conocerá | conocería |
| | conocemos | conocíamos | conocimos | conoceremos | conoceríamos |
| | conocéis | conocíais | conocisteis | conoceréis | conoceríais |
| | conocen | conocían | conocieron | conocerán | conocerían |
| **6. contar** | cuento | contaba | conté | contaré | contaría |
| | cuentas | contabas | contaste | contarás | contarías |
| | cuenta | contaba | contó | contará | contaría |
| | contamos | contábamos | contamos | contaremos | contaríamos |
| | contáis | contabais | contasteis | contaréis | contaríais |
| | cuentan | contaban | contaron | contarán | contarían |

| Subjunctive | | Commands | Participles | |
|---|---|---|---|---|
| **Present** | **Imperfect** | | **Present** | **Past** |
| ande | anduviera (se) | — | andando | andado |
| andes | anduvieras (ses) | anda (no andes) | | |
| ande | anduviera (se) | ande | | |
| andemos | anduviéramos (semos) | andemos | | |
| andéis | anduvierais (seis) | andad (no andéis) | | |
| anden | anduvieran (sen) | anden | | |
| quepa | cupiera (se) | — | cabiendo | cabido |
| quepas | cupieras (ses) | cabe (no quepas) | | |
| quepa | cupiera (se) | quepa | | |
| quepamos | cupiéramos (semos) | quepamos | | |
| quepáis | cupierais (seis) | cabed (no quepáis) | | |
| quepan | cupieran (sen) | quepan | | |
| caiga | cayera (se) | — | cayendo | caído |
| caigas | cayeras (ses) | cae (no caigas) | | |
| caiga | cayera (se) | caiga | | |
| caigamos | cayéramos (semos) | caigamos | | |
| caigáis | cayerais (seis) | caed (no caigáis) | | |
| caigan | cayeran (sen) | caigan | | |
| conduzca | condujera (se) | — | conduciendo | conducido |
| conduzcas | condujeras (ses) | conduce (no conduzcas) | | |
| conduzca | condujera (se) | conduzca | | |
| conduzcamos | condujéramos (semos) | conduzcamos | | |
| conduzcáis | condujerais (seis) | conducid (no conduzcáis) | | |
| conduzcan | condujeran (sen) | conduzcan | | |
| conozca | conociera (se) | — | conociendo | conocido |
| conozcas | conocieras (ses) | conoce (no conozcas) | | |
| conozca | conociera (se) | conozca | | |
| conozcamos | conociéramos (semos) | conozcamos | | |
| conozcáis | conocierais (seis) | conoced (no conozcáis) | | |
| conozcan | conocieran (sen) | conozcan | | |
| cuente | contara (se) | — | contando | contado |
| cuentes | contaras (ses) | cuenta (no cuentes) | | |
| cuente | contara (se) | cuente | | |
| contemos | contáramos (semos) | contemos | | |
| contéis | contarais (seis) | contad (no contéis) | | |
| cuenten | contaran (sen) | cuenten | | |

| Infinitive | Indicative | | | | |
|---|---|---|---|---|---|
| | Present | Imperfect | Preterit | Future | Conditional |
| **7. creer** | creo | creía | creí | creeré | creería |
| | crees | creías | creíste | creerás | creerías |
| | cree | creía | creyó | creerá | creería |
| | creemos | creíamos | creímos | creeremos | creeríamos |
| | creéis | creíais | creísteis | creeréis | creeríais |
| | creen | creían | creyeron | creerán | creerían |
| **8. dar** | doy | daba | di | daré | daría |
| | das | dabas | diste | darás | darías |
| | da | daba | dio | dará | daría |
| | damos | dábamos | dimos | daremos | daríamos |
| | dais | dabais | disteis | daréis | daríais |
| | dan | daban | dieron | darán | darían |
| **9. decir** | digo | decía | dije | diré | diría |
| | dices | decías | dijiste | dirás | dirías |
| | dice | decía | dijo | dirá | diría |
| | decimos | decíamos | dijimos | diremos | diríamos |
| | decís | decíais | dijisteis | diréis | diríais |
| | dicen | decían | dijeron | dirán | dirían |
| **10. dormir** | duermo | dormía | dormí | dormiré | dormiría |
| | duermes | dormías | dormiste | dormirás | dormirías |
| | duerme | dormía | durmió | dormirá | dormiría |
| | dormimos | dormíamos | dormimos | dormiremos | dormiríamos |
| | dormís | dormíais | dormisteis | dormiréis | dormiríais |
| | duermen | dormían | durmieron | dormirán | dormirían |
| **11. enviar** | envío | enviaba | envié | enviaré | enviaría |
| | envías | enviabas | enviaste | enviarás | enviarías |
| | envía | enviaba | envió | enviará | enviaría |
| | enviamos | enviábamos | enviamos | enviaremos | enviaríamos |
| | enviáis | enviabais | enviasteis | enviaréis | enviaríais |
| | envían | enviaban | enviaron | enviarán | enviarían |
| **12. estar** | estoy | estaba | estuve | estaré | estaría |
| | estás | estabas | estuviste | estarás | estarías |
| | está | estaba | estuvo | estará | estaría |
| | estamos | estábamos | estuvimos | estaremos | estaríamos |
| | estáis | estabais | estuvisteis | estaréis | estaríais |
| | están | estaban | estuvieron | estarán | estarían |

| Subjunctive | | Commands | Participles | |
| --- | --- | --- | --- | --- |
| Present | Imperfect | | Present | Past |
| crea | creyera (se) | — | creyendo | creído |
| creas | creyeras (ses) | cree (no creas) | | |
| crea | creyera (se) | crea | | |
| creamos | creyéramos (semos) | creamos | | |
| creáis | creyerais (seis) | creed (no creáis) | | |
| crean | creyeran (sen) | crean | | |
| dé | diera (se) | — | dando | dado |
| des | dieras (ses) | da (no des) | | |
| dé | diera (se) | dé | | |
| demos | diéramos (semos) | demos | | |
| deis | dierais (seis) | dad (no deis) | | |
| den | dieran (sen) | den | | |
| diga | dijera (se) | — | diciendo | dicho |
| digas | dijeras (ses) | di (no digas) | | |
| diga | dijera (se) | diga | | |
| digamos | dijéramos (semos) | digamos | | |
| digáis | dijerais (seis) | decid (no digáis) | | |
| digan | dijeran (sen) | digan | | |
| duerma | durmiera (se) | — | durmiendo | dormido |
| duermas | durmieras (ses) | duerme (no duermas) | | |
| duerma | durmiera (se) | duerma | | |
| durmamos | durmiéramos (semos) | durmamos | | |
| durmáis | durmierais (seis) | dormid (no durmáis) | | |
| duerman | durmieran (sen) | duerman | | |
| envíe | enviara (se) | — | enviando | enviado |
| envíes | enviaras (ses) | envía (no envíes) | | |
| envíe | enviara (se) | envíe | | |
| enviemos | enviáramos (semos) | enviemos | | |
| enviéis | enviarais (seis) | enviad (no enviéis) | | |
| envíen | enviaran (sen) | envíen | | |
| esté | estuviera (se) | — | estando | estado |
| estés | estuvieras (ses) | está (no estés) | | |
| esté | estuviera (se) | esté | | |
| estemos | estuviéramos (semos) | estemos | | |
| estéis | estuvierais (seis) | estad (no estéis) | | |
| estén | estuvieran (sen) | estén | | |

| Infinitive | Present | Imperfect | Indicative Preterit | Future | Conditional |
|---|---|---|---|---|---|
| **13. haber** | he | había | hube | habré | habría |
| | has | habías | hubiste | habrás | habrías |
| | ha | había | hubo | habrá | habría |
| | hemos | habíamos | hubimos | habremos | habríamos |
| | habéis | habíais | hubisteis | habréis | habríais |
| | han | habían | hubieron | habrán | habrían |
| **14. hacer** | hago | hacía | hice | haré | haría |
| | haces | hacías | hiciste | harás | harías |
| | hace | hacía | hizo | hará | haría |
| | hacemos | hacíamos | hicimos | haremos | haríamos |
| | hacéis | hacíais | hicisteis | haréis | haríais |
| | hacen | hacían | hicieron | harán | harían |
| **15. huir** | huyo | huía | huí | huiré | huiría |
| | huyes | huías | huiste | huirás | huirías |
| | huye | huía | huyó | huirá | huiría |
| | huimos | huíamos | huimos | huiremos | huiríamos |
| | huís | huíais | huisteis | huiréis | huiríais |
| | huyen | huían | huyeron | huirán | huirían |
| **16. ir** | voy | iba | fui | iré | iría |
| | vas | ibas | fuiste | irás | irías |
| | va | iba | fue | irá | iría |
| | vamos | íbamos | fuimos | iremos | iríamos |
| | vais | ibais | fuisteis | iréis | iríais |
| | van | iban | fueron | irán | irían |
| **17. jugar** | juego | jugaba | jugué | jugaré | jugaría |
| | juegas | jugabas | jugaste | jugarás | jugarías |
| | juega | jugaba | jugó | jugará | jugaría |
| | jugamos | jugábamos | jugamos | jugaremos | jugaríamos |
| | jugáis | jugabais | jugasteis | jugaréis | jugaríais |
| | juegan | jugaban | jugaron | jugarán | jugarían |
| **18. oír** | oigo | oía | oí | oiré | oiría |
| | oyes | oías | oíste | oirás | oirías |
| | oye | oía | oyó | oirá | oiría |
| | oímos | oíamos | oímos | oiremos | oiríamos |
| | oís | oíais | oísteis | oiréis | oiríais |
| | oyen | oían | oyeron | oirán | oirían |

| Subjunctive | | Commands | Participles | |
|---|---|---|---|---|
| Present | Imperfect | | Present | Past |
| haya | hubiera (se) | | habiendo | habido |
| hayas | hubieras (ses) | | | |
| haya | hubiera (se) | | | |
| hayamos | hubiéramos (semos) | | | |
| hayáis | hubierais (seis) | | | |
| hayan | hubieran (sen) | | | |
| haga | hiciera (se) | — | haciendo | hecho |
| hagas | hicieras (ses) | haz (no hagas) | | |
| haga | hiciera (se) | haga | | |
| hagamos | hiciéramos (semos) | hagamos | | |
| hagáis | hicierais (seis) | haced (no hagáis) | | |
| hagan | hicieran (sen) | hagan | | |
| huya | huyera (se) | — | huyendo | huido |
| huyas | huyeras (ses) | huye (no huyas) | | |
| huya | huyera (se) | huya | | |
| huyamos | huyéramos (semos) | huyamos | | |
| huyáis | huyerais (seis) | huid (no huyáis) | | |
| huyan | huyeran (sen) | huyan | | |
| vaya | fuera (se) | — | yendo | ido |
| vayas | fueras (ses) | ve (no vayas) | | |
| vaya | fuera (se) | vaya | | |
| vayamos | fuéramos (semos) | vayamos | | |
| vayáis | fuerais (seis) | id (no vayáis) | | |
| vayan | fueran (sen) | vayan | | |
| juegue | jugara (se) | — | jugando | jugado |
| juegues | jugaras (ses) | juega (no juegues) | | |
| juegue | jugara (se) | juegue | | |
| juguemos | jugáramos (semos) | juguemos | | |
| juguéis | jugarais (seis) | jugad (no jugéis) | | |
| jueguen | jugaran (sen) | jueguen | | |
| oiga | oyera (se) | — | oyendo | oído |
| oigas | oyeras (ses) | oye (no oigas) | | |
| oiga | oyera (se) | oiga | | |
| oigamos | oyéramos (semos) | oigamos | | |
| oigáis | oyerais (seis) | oíd (no oigáis) | | |
| oigan | oyeran (sen) | oigan | | |

| Infinitive | | | Indicative | | |
|---|---|---|---|---|---|
| | **Present** | **Imperfect** | **Preterit** | **Future** | **Conditional** |
| **19. pedir** | pido | pedía | pedí | pediré | pediría |
| | pides | pedías | pediste | pedirás | pedirías |
| | pide | pedía | pidió | pedirá | pediría |
| | pedimos | pedíamos | pedimos | pediremos | pediríamos |
| | pedís | pedíais | pedisteis | pediréis | pediríais |
| | piden | pedían | pidieron | pedíran | pedíran |
| **20. pensar** | pienso | pensaba | pensé | pensaré | pensaría |
| | piensas | pensabas | pensaste | pensarás | pensarías |
| | piensa | pensaba | pensó | pensará | pensaría |
| | pensamos | pensábamos | pensamos | pensaremos | pensaríamos |
| | pensáis | pensabais | pensasteis | pensaréis | pensaríais |
| | piensan | pensaban | pensaron | pensarán | pensarían |
| **21. perder** | pierdo | perdía | perdí | perderé | perdería |
| | pierdes | perdías | perdiste | perderás | perderías |
| | pierde | perdía | perdió | perderá | perdería |
| | perdemos | perdíamos | perdimos | perderemos | perderíamos |
| | perdéis | perdíais | perdisteis | perderéis | perderíais |
| | pierden | perdían | perdieron | perderán | perderían |
| **22. poder** | puedo | podía | pude | podré | podría |
| | puedes | podías | pudiste | podrás | podrías |
| | puede | podía | pudo | podrá | podría |
| | podemos | podíamos | pudimos | podremos | podríamos |
| | podéis | podíais | pudisteis | podréis | podríais |
| | pueden | podían | pudieron | podrán | podrían |
| **23. poner** | pongo | ponía | puse | pondré | pondría |
| | pones | ponías | pusiste | pondrás | pondrías |
| | pone | ponía | puso | pondrá | pondría |
| | ponemos | poníamos | pusimos | pondremos | pondríamos |
| | ponéis | poníais | pusisteis | pondréis | pondríais |
| | ponen | ponían | pusieron | pondrán | pondrían |
| **24. querer** | quiero | quería | quise | querré | querría |
| | quieres | querías | quisiste | querrás | querrías |
| | quiere | quería | quiso | querrá | querría |
| | queremos | queríamos | quisimos | querremos | querríamos |
| | queréis | queríais | quisisteis | querréis | querríais |
| | quieren | querían | quisieron | querrán | querrían |

| Subjunctive | | Commands | Participles | |
| Present | Imperfect | | Present | Past |
|---|---|---|---|---|
| pida | pidiera (se) | — | pidiendo | pedido |
| pidas | pidieras (ses) | pide (no pidas) | | |
| pida | pidiera (se) | pida | | |
| pidamos | pidiéramos (semos) | pidamos | | |
| pidáis | pidierais (seis) | pedid (no pidáis) | | |
| pidan | pidieran (sen) | pidan | | |
| piense | pensara (se) | — | pensando | pensado |
| pienses | pensaras (ses) | piensa (no pienses) | | |
| piense | pensara (se) | piense | | |
| pensemos | pensáramos (semos) | pensemos | | |
| penséis | pensarais (seis) | pensad (no penséis) | | |
| piensen | pensaran (sen) | piensen | | |
| pierda | perdiera (se) | — | perdiendo | perdido |
| pierdas | perdieras (ses) | pierde (no pierdas) | | |
| pierda | perdiera (se) | pierda | | |
| perdamos | perdiéramos (semos) | perdamos | | |
| perdáis | perdierais (seis) | perded (no perdáis) | | |
| pierdan | perdieran (sen) | pierdan | | |
| pueda | pudiera (se) | — | pudiendo | podido |
| puedas | pudieras (ses) | | | |
| pueda | pudiera (se) | | | |
| podamos | pudiéramos (semos) | | | |
| podáis | pudierais (seis) | | | |
| puedan | pudieran (sen) | | | |
| ponga | pusiera (se) | — | poniendo | puesto |
| pongas | pusieras (ses) | pon (no pongas) | | |
| ponga | pusiera (se) | ponga | | |
| pongamos | pusiéramos (semos) | pongamos | | |
| pongáis | pusierais (seis) | poned (no pongáis) | | |
| pongan | pusieran (sen) | pongan | | |
| quiera | quisiera (se) | — | queriendo | querido |
| quieras | quisieras (ses) | quiere (no quieras) | | |
| quiera | quisiera (se) | quiera | | |
| queramos | quisiéramos (semos) | queramos | | |
| queráis | quisierais (seis) | quered (no queráis) | | |
| quieran | quisieran (sen) | quieran | | |

| Infinitive | | | Indicative | | |
|---|---|---|---|---|---|
| | **Present** | **Imperfect** | **Preterit** | **Future** | **Conditional** |
| **25. reír** | río | reía | reí | reiré | reiría |
| | ríes | reías | reíste | reirás | reirías |
| | ríe | reía | rió | reirá | reiría |
| | reímos | reíamos | reímos | reiremos | reiríamos |
| | reís | reíais | reísteis | reiréis | reiríais |
| | ríen | reían | rieron | reirán | reirían |
| **26. saber** | sé | sabía | supe | sabré | sabría |
| | sabes | sabías | supiste | sabrás | sabrías |
| | sabe | sabía | supo | sabrá | sabría |
| | sabemos | sabíamos | supimos | sabremos | sabríamos |
| | sabéis | sabíais | supisteis | sabréis | sabríais |
| | saben | sabían | supieron | sabrán | sabrían |
| **27. salir** | salgo | salía | salí | saldré | saldría |
| | sales | salías | saliste | saldrás | saldrías |
| | sale | salía | salió | saldrá | saldría |
| | salimos | salíamos | salimos | saldremos | saldríamos |
| | salís | salíais | salisteis | saldréis | saldríais |
| | salen | salían | salieron | saldrán | saldrían |
| **28. sentir** | siento | sentía | sentí | sentiré | sentiría |
| | sientes | sentías | sentiste | sentirás | sentirías |
| | siente | sentía | sintió | sentirá | sentiría |
| | sentimos | sentíamos | sentimos | sentiremos | sentiríamos |
| | sentís | sentíais | sentisteis | sentiréis | sentiríais |
| | sienten | sentían | sintieron | sentirán | sentirían |
| **29. ser** | soy | era | fui | seré | sería |
| | eres | eras | fuiste | serás | serías |
| | es | era | fue | será | sería |
| | somos | éramos | fuimos | seremos | seríamos |
| | sois | erais | fuisteis | seréis | seríais |
| | son | eran | fueron | serán | serían |
| **30. tener** | tengo | tenía | tuve | tendré | tendría |
| | tienes | tenías | tuviste | tendrás | tendrías |
| | tiene | tenía | tuvo | tendrá | tendría |
| | tenemos | teníamos | tuvimos | tendremos | tendríamos |
| | tenéis | teníais | tuvisteis | tendréis | tendríais |
| | tienen | tenían | tuvieron | tendrán | tendrían |

| Subjunctive | | Commands | Participles | |
| --- | --- | --- | --- | --- |
| Present | Imperfect | | Present | Past |
| ría | riera (se) | — | riendo | reído |
| rías | rieras (ses) | ríe (no rías) | | |
| ría | riera (se) | ría | | |
| riamos | riéramos (semos) | riamos | | |
| riáis | rierais (seis) | reíd (no riáis) | | |
| rían | rieran (sen) | rían | | |
| sepa | supiera (se) | — | sabiendo | sabido |
| sepas | supieras (ses) | sabe (no sepas) | | |
| sepa | supiera (se) | sepa | | |
| sepamos | supiéramos (semos) | sepamos | | |
| sepáis | supierais (seis) | sabed (no sepáis) | | |
| sepan | supieran (sen) | sepan | | |
| salga | saliera (se) | — | saliendo | salido |
| salgas | salieras (ses) | sal (no salgas) | | |
| salga | saliera (se) | salga | | |
| salgamos | saliéramos (semos) | salgamos | | |
| salgáis | salierais (seis) | salid (no salgáis) | | |
| salgan | salieran (sen) | salgan | | |
| sienta | sintiera (se) | — | sintiendo | sentido |
| sientas | sintieras (ses) | siente (no sientas) | | |
| sienta | sintiera (se) | sienta | | |
| sintamos | sintiéramos (semos) | sintamos | | |
| sintáis | sintierais (seis) | sentid (no sintáis) | | |
| sientan | sintieran (sen) | sientan | | |
| sea | fuera (se) | — | siendo | sido |
| seas | fueras (ses) | sé (no seas) | | |
| sea | fuera (se) | sea | | |
| seamos | fuéramos (semos) | seamos | | |
| seáis | fuerais (seis) | sed (no seáis) | | |
| sean | fueran (sen) | sean | | |
| tenga | tuviera (se) | — | teniendo | tenido |
| tengas | tuvieras (ses) | ten (no tengas) | | |
| tenga | tuviera (se) | tenga | | |
| tengamos | tuviéramos (semos) | tengamos | | |
| tengáis | tuvierais (seis) | tened (no tengáis) | | |
| tengan | tuvieran (sen) | tengan | | |

| Infinitive | Indicative | | | | |
|---|---|---|---|---|---|
| | **Present** | **Imperfect** | **Preterit** | **Future** | **Conditional** |
| **31. traer** | traigo | traía | traje | traeré | traería |
| | traes | traías | trajiste | traerás | traerías |
| | trae | traía | trajo | traerá | traería |
| | traemos | traíamos | trajimos | traeremos | traeríamos |
| | traéis | traíais | trajisteis | traeréis | traeríais |
| | traen | traían | trajeron | traerán | traerían |
| **32. valer** | valgo | valía | valí | valdré | valdría |
| | vales | valías | valiste | valdrás | valdrías |
| | vale | valía | valió | valdrá | valdría |
| | valemos | valíamos | valimos | valdremos | valdríamos |
| | valéis | valíais | valisteis | valdréis | valdríais |
| | valen | valían | valieron | valdrán | valdrían |
| **33. venir** | vengo | venía | vine | vendré | vendría |
| | vienes | venías | viniste | vendrás | vendrías |
| | viene | venía | vino | vendrá | vendría |
| | venimos | veníamos | vinimos | vendremos | vendríamos |
| | venís | veníais | vinisteis | vendréis | vendríais |
| | vienen | venían | vinieron | vendrán | vendrían |
| **34. ver** | veo | veía | vi | veré | vería |
| | ves | veías | viste | verás | verías |
| | ve | veía | vio | verá | vería |
| | vemos | veíamos | vimos | veremos | veríamos |
| | veis | veíais | visteis | veréis | veríais |
| | ven | veían | vieron | verán | verían |
| **35. volver** | vuelvo | volvía | volví | volveré | volvería |
| | vuelves | volvías | volviste | volverás | volverías |
| | vuelve | volvía | volvió | volverá | volvería |
| | volvemos | volvíamos | volvimos | volveremos | volveríamos |
| | volvéis | volvíais | volvisteis | volveréis | volveríais |
| | vuelven | volvían | volvieron | volverán | volverían |

| Subjunctive | | Commands | Participles | |
|---|---|---|---|---|
| Present | Imperfect | | Present | Past |
| traiga | trajera (se) | — | trayendo | traído |
| traigas | trajeras (ses) | trae (no traigas) | | |
| traiga | trajera (se) | traiga | | |
| traigamos | trajéramos (semos) | traigamos | | |
| traigáis | trajerais (seis) | traed (no traigáis) | | |
| traigan | trajeran (sen) | traigan | | |
| valga | valiera (se) | — | valiendo | valido |
| valgas | valieras (ses) | val (no valgas) | | |
| valga | valiera (se) | valga | | |
| valgamos | valiéramos (semos) | valgamos | | |
| valgáis | valierais (seis) | valed (no valgáis) | | |
| valgan | valieran (sen) | valgan | | |
| venga | viniera (se) | — | viniendo | venido |
| vengas | vinieras (ses) | ven (no vengas) | | |
| venga | viniera (se) | venga | | |
| vengamos | viniéramos (semos) | vengamos | | |
| vengáis | vinierais (seis) | venid (no vengáis) | | |
| vengan | vinieran (sen) | vengan | | |
| vea | viera (se) | — | viendo | visto |
| veas | vieras (ses) | ve (no veas) | | |
| vea | viera (se) | vea | | |
| veamos | viéramos (semos) | veamos | | |
| veáis | vierais (seis) | ved (no veáis) | | |
| vean | vieran (sen) | vean | | |
| vuelva | volviera (se) | — | volviendo | vuelto |
| vuelvas | volvieras (ses) | vuelve (no vuelvas) | | |
| vuelva | volviera (se) | vuelva | | |
| volvamos | volviéramos (semos) | volvamos | | |
| volváis | volvierais (seis) | volved (no volváis) | | |
| vuelvan | volvieran (sen) | vuelvan | | |

---

[1] In verbs ending in -gar, the g is changed to gu before e: jugué, llegué, negué, pagué, rogué.
[2] In verbs ending in -zar, the z is changed to c before e: almorcé, analicé, comencé, empecé, especialicé, gocé, recé.
[3] In verbs ending in -car, the c is changed to qu before an e: ataqué, busqué, critiqué, equivoqué, publiqué.
[4] In verbs like concluir, a y is inserted before any ending that does not begin with i: concluyo, construyo, contribuyo, destruyo, huyo.
[5] An unstressed i between two vowels is changed to y: creyó, leyó.
[6] In verbs ending in -guir, the gu is changed to g before a and o: sigo (siga).

# Spanish-English Vocabulary

The following vocabulary includes all Spanish words used in this text except exact or certain very close cognates, cognates ending in -**ción** or -**sión,** most proper nouns, most numbers, most conjugated verb forms, regular past participles when the infinitive is listed, and adverbs ending in -**mente** when the corresponding adjective is listed. Stem-changing verbs are indicated by (**ie**), (**ue**), or (**i**) following the infinitive. A (**zc**) after an infinitive indicates that **c** is changed to **zc** in the first-person singular form of the present tense; similarly, (**z**) indicates a change from **c** to **z**. The following abbreviations are used:

| | |
|---|---|
| *abbr.* abbreviation | *obj. of prep.* object of a preposition |
| *adj.* adjective | *obj. pron.* object pronoun |
| *adv.* adverb | *p. part.* past participle |
| *coll.* colloquial | *pl.* plural |
| *conj.* conjunction | *prep.* preposition |
| *dir. obj.* direct object | *pron.* pronoun |
| *f.* feminine | *recip. reflex.* reciprocal reflexive |
| *fam.* familiar (**tú** or **vosotros**) | *refl. pron.* reflexive pronoun |
| *indir. obj.* indirect object | *rel. pron.* relative pronoun |
| *inf.* infinitive | *sing.* singular |
| *m.* masculine | *subj. pron.* subject pronoun |
| *n.* noun | |

Note also that in Spanish **ñ**—a separate letter of the alphabet—follows **n** in dictionaries, so that, for example, **bañar** would occur after **bandera.**

# A

**a**   at; to; for; from; on
**abajo**   below, underneath
**abandonar**   to abandon, leave
la **abeja**   bee
**abierto**   open
el **abogado** (la **abogada**)   lawyer
**abrazar**   to embrace
el **abrazo**   hug
**abrigado**   heavy, warm
el **abrigo**   coat, overcoat
**abril**   April
**abrir**   to open
**absoluto**   absolute; **no... en absoluto**   not ... at all

**absurdo**   absurd, ridiculous
la **abuela**   grandmother
el **abuelo**   grandfather; *pl.* grandparents
la **abundancia**   abundance
**abundante**   abundant
**aburrido**   bored; boring
**aburrir**   to bore; **aburrirse**   to get bored
el **abuso**   abuse
**acá**   here
**acabar**   to end, finish, run out; **acabar bien (mal)**   to end well (badly), have a happy (sad) ending; **acabar de** + *inf.*   to have just (done something)
la **academia**   academy

**académico**   academic
**acaso**   perhaps
**acceder a**   to get into
el **acceso**   access
el **accidente**   accident
la **acción**   action; **Día de Acción de Gracias**   Thanksgiving Day
el **aceite**   oil
**acelerado**   accelerated, hurried
el **acento**   accent
**aceptar**   to accept
**acerca (de)**   concerning, about
**acercarse (a)**   to approach
**acompañar**   to accompany, go with
**acondicionado: aire acondicionado**   air conditioning

**aconsejar**  to advise, counsel
**acordar (ue)**  to agree; **acordarse de**  to remember
**acortar**  to shorten
**acostar (ue)**  to put to bed; **acostarse**  to go to bed
**acostumbrarse (a)**  to become accustomed to, get used to
la **actitud**  attitude, position
la **actividad**  activity
**activo**  active
el **acto**  act
el **actor**  actor
la **actriz**  actress
**actual**  current, present day
la **actualidad**  present, present time
**actualizar**  to update
**actualmente**  currently
**actuar**  to act (out), play a role
el **acuario**  aquarium
**acuático**  aquatic
**acudir a**  to go (come) to
el **acueducto**  aqueduct
el **acuerdo**  agreement; **¿de acuerdo?** okay?; **estar de acuerdo con**  to agree with, be in agreement with; **ponerse de acuerdo**  to come to an agreement; **Sí, de acuerdo.**  All right, okay.
**acumular**  to accumulate
**acusar**  to accuse
la **adaptación**  adjustment, adaptation
**adaptarse a**  to adapt to
**adecuado**  adequate
**adelantado**  ahead
**adelante**  forward; **adelante con...** on with . . .; **desde ese día en adelante**  from that day on; **salir adelante**  to get ahead, make progress; **seguir adelante**  to proceed straight ahead
**además**  besides; also, in addition; **además de**  in addition to
**adentro**  inside
**adicional**  additional
**adicto a**  addicted to
**adiós**  good-bye
**adivinar**  to guess
el **adjetivo**  adjective
la **administración de empresas**  business administration
**administrar**  to administer, keep account of

**admirar**  to admire
el, la **adolescente**  adolescent
**adonde**  where
**¿adónde?**  (to) where?
**adoptar**  to adopt
**adorar**  to adore
**adornar**  to adorn, decorate
**adquirir (ie)**  to acquire
la **aduana**  customs (office)
**adulto**  adult
el **adverbio**  adverb
**aéreo**  *adj.* air
**aeróbico**  aerobic
la **aerolínea**  airline
el **aeropuerto**  airport
**afectar**  to affect
el **aficionado** (la **aficionada**)  fan
la **afirmación**  statement
**afirmar**  to state, affirm
**afirmativo**  affirmative
**afortunadamente**  fortunately
**africano**  African
**afrocubano**  Afro-Cuban
**afuera**  outside
la **agencia**  agency; **agencia de empleos**  employment agency
la **agenda**  calendar
el, la **agente**  agent; **agente de viajes** travel agent
**agosto**  August
**agradable**  pleasant
**agradar**  to give pleasure, please
**agradecer (zc)**  to thank
**agradecido**  grateful, thankful
**agregar**  to add
**agresivo**  aggressive
**agrícola**  agricultural
el **agricultor** (la **agricultora**)  farmer
la **agricultura**  agriculture
el **agua**  *f.* water
**ahora**  now, currently, at present; **ahora más que nunca**  now more than ever; **ahora mismo**  right away, immediately
**ahorrar**  to save (money, time, etc.)
el **ahorro**  saving(s)
el **aire**  air; **al aire libre**  in the open air
**aislado**  isolated
el **ajo**  garlic
**al** (*contraction of* **a** + **el**); **al** + *inf.* on or upon doing something; **al aire libre**  in the open air; **al amanecer**  at dawn;

**al contrario**  on the contrary; **al fin**  finally; **al final de**  at the end of; **al mismo tiempo**  at the same time; **al peso**  by the weight; **de al lado**  next door
**alargar**  to lengthen
la **alberca**  swimming pool
el **albergue**  inn, hostel
**alcanzar**  to catch; to reach; to be enough; **No me alcanza el dinero.**  My money won't reach—or stretch—that far.
la **alcoba**  bedroom
**alcohólico**  alcoholic
**alegrar**  to make happy: **alegrar la vida**  to cheer up
**alegrarse (de)**  to be glad, happy; **¡Cuánto me alegro!**  How happy I am!
**alegre**  cheerful, happy
la **alegría**  joy, happiness; **¡Qué alegría!** How terrific!; **¡Qué alegría verte!** How nice to see you!
**alemán**  German
el **alfabeto**  alphabet
**algo**  *pron.* something, anything; *adv.* somewhat; **tener algo que ver con**  to have something to do with
**alguien**  someone, somebody; anyone, anybody
**algún, alguno**  some; any; some sort of; *pl.* some; a few; some people; **a (en) alguna parte**  somewhere; **alguna vez**  ever; **algunas veces**  sometimes; **de alguna manera**  in some way, somehow; **en algunas partes**  in some places, somewhere; **sin duda alguna**  with no doubt
la **alimentación**  food
**alimentarse (de)**  to nourish oneself (by)
el **alimento**  nourishment, food
el **alivio**  relief; **¡Qué alivio!**  What a relief!
**allá**  there
**allí**  there; **Sigan por allí.**  Continue that way (direction).
el **alma**  *f.* soul, spirit, heart
la **almeja**  clam
el **almirante**  admiral
**almorzar (ue)**  to have lunch, a large midday meal
el **almuerzo**  lunch
**Aló.**  Hello. *(on telephone)*

el **alojamiento**   lodging, boarding
el **alpinismo**   climbing, hiking
**alquilar**   to rent
el **alquiler**   rent
**alrededor (de)**   around
**alternado: en forma
   alternada**   alternating, taking turns
**alternativo**   alternative
la **alternativa**   alternative, choice
los **altibajos**   ups and downs
la **altitud**   height
**alto**   tall, high; **la clase alta**   upper
   class
la **altura**   height; **tener seis pies de
   altura**   to be six feet tall
la **alucinación**   hallucination
el **aluminio**   aluminum
el **alumno (la alumna)**   student
el **ama de casa**   *f.* housewife
la **amabilidad**   friendliness
**amable**   kind
**amanecer**   to dawn; to get up;
   *m. n.* dawn, daybreak
el, la **amante**   lover
**amar**   to love
**amarillo**   yellow
la **Amazonia**   the Amazon (region)
**ambiental**   environmental
el **ambiente**   environment; setting,
   ambience; **medio ambiente**
   (natural) environment
**ambos**   both
**americano**   American; **fútbol
   americano**   football
el **amigo (la amiga)**   friend; **ser muy
   amigo de**   to be a good friend of
la **amistad**   friendship
**amistosamente**   in a friendly way
el **amor**   love
**amoroso**   loving, affectionate;
   amorous
**ancho**   wide; **tener 50 pies de
   ancho**   to be 50 feet wide
el **anciano (la anciana)**   elderly person
**anciano**   old, aged, elderly
**andaluz**   Andalusian
**andar**   to walk; to ride in; to function
**andino**   Andean, in the Andes
la **anécdota**   anecdote
la **angustia**   anxiety, anguish
**animado**   animated, lively
el **ánimo**   spirit
el **aniversario**   anniversary
**anoche**   last night

**anochecer**   to get dark; *m. n.* dusk,
   nightfall
**ante**   before; in the presence of
el **antepasado (la antepasada)**
   ancestor
**anterior**   preceding; **anterior
   a**   before
**antes**   before, first; **antes de
   (que)**   before
el **antibiótico**   antibiotic
la **antigüedad**   antique
**antiguo**   old, ancient; former
**antipático(a)**   unfriendly, not nice,
   unlikeable
el **antónimo**   antonym
la **antropología**   anthropology
el **antropólogo (la antropóloga)**
   anthropologist
**anunciar**   to announce
el **anuncio**   announcement,
   advertisement
el **año**   year; **a fines del año**   at the
   end of the year; **a los siete años**
   at the age of seven; **celebrar tus
   80 años**   to celebrate your 80th
   birthday; **durante dos años**   for
   two years; **el año pasado**   last year;
   **el año que viene**   next year; **los
   años 70**   the seventies; **hace un
   año**   a year ago; **tener 19 años**
   to be 19 years old
**apagar**   to turn off
el **aparato**   appliance
**aparecer (zc)**   to appear
la **apariencia**   appearance
el **apartamento**   apartment
**aparte**   apart
el **apellido**   last name
el **apéndice**   appendix
el **aperitivo**   aperitif, appetizer
el **apetito**   appetite
**aplicar**   to apply
la **aplicación**   application, app
**aportar**   to bring
**apoyar**   to support, back
el **apoyo**   support
**apreciar**   to appreciate
**aprender**   to learn
**aprobar (ue)**   to pass (e.g., an exam)
**apropiado**   appropriate
**aproximadamente**   approximately
**aproximarse a**   to approach, move
   near
**apuntar**   to make a note of

el **apunte**   note; **tomar apuntes**   to
   take notes
**aquel, aquella**   *adj., pron.* that (one)
**aquello**   *pron.* that
**aquellos, aquellas**   *adj., pron.* those
**aquí**   here; **aquí cerca**   nearby; **Aquí
   tienes.**   Here you are.
el, la **árabe**   Arab
el **árbol**   tree
**archivar**   to file
el **archivo**   file
el **área**   *f.* area
la **arepa**   corn pancake
**argentino**   Argentinean
la **armonía**   harmony
la **aromaterapia**   aromatherapy
el **arquitecto (la arquitecta)**
   architect
la **arquitectura**   architecture
**arreglar**   to fix
**arrepentirse (ie)**   to repent;
   **arrepentirse de**   to regret
**arriba**   on top; up; **de arriba**   above
la **arroba**   @ or at sign
el **arroz**   rice
**arruinar**   to ruin
el **arte**   art; *pl.* **las artes**   arts; **bellas
   artes**   fine arts
la **artesanía**   handicrafts
el **artesano (la artesana)**   artisan,
   craftsperson
el **artículo**   article; **artículo
   definido**   definite article; **artículo
   indefinido**   indefinite article
el, la **artista**   artist; actor, actress
**artístico**   artistic
**asar**   to roast
la **ascendencia**   descent, origin
**ascender**   to ascend, go up
el **ascensor**   elevator
**asegurar(se)**   to make sure
**así**   in this way; like this (that); so;
   thus; **así que**   so, in that way; **si es
   así**   if so
**asiático**   Asian
el **asiento**   seat; **tomar asiento**   to
   take a seat
la **asignatura**   subject, class
**asistir (a)**   to attend
**asociado**   associate(d)
**asociarse**   to be associated
el **aspecto**   aspect
la **astronauta**   astronaut
el **asunto**   matter, subject, issue, affair

atacar   to attack
el **ataque**   attack
la **atención**   attention; **prestar
    atención**   to pay attention
**atender (ie)**   to attend to; to wait on,
    respond
el, la **atleta**   athlete
**atlético**   athletic
la **atmósfera**   atmosphere, air
**atmosférico**   atmospheric
la **atracción**   attraction; **el parque de
    atracciones**   amusement park
**atractivo**   attractive
**atraer**   to attract
**atrás**   behind
**atreverse a**   to dare
el **audiolibro**   audiobook
la **audioviñeta**   audiovignette
el **auditorio**   auditorium
**aumentar**   to go up; to increase;
    **aumentar de peso**   to gain weight;
    **aumentar el doble**   to double
el **aumento**   increase; **aumento de
    sueldo**   increase in salary, raise
**aun**   even
**aún**   still, yet
**aunque**   even though, although
**auténtico**   authentic
la **autoayuda**   self help
la **autobiografía**   autobiography
el **autobús**   bus; **en autobús**
    by bus
**automático**   automatic
el **automóvil**   automobile, car
la **autonomía**   autonomy,
    independence
el **autor (la autora)**   author
la **autoridad**   authority
**autoritario**   authoritarian
el **autostop**   hitchhiking; **hacer
    autostop**   to hitchhike
**avanzado**   advanced
**avanzar**   to advance
la **avenida**   avenue
la **aventura**   adventure
**aventurero**   adventurous
**avergonzado**   embarrassed
**averiguar**   to find out
el **avión**   plane; **en avión**   by plane
**¡Ay!**   Ouch! Oh!
**ayer**   yesterday
la **ayuda**   help
el, la **ayudante**   helper, assistant
**ayudar**   to help, assist

**azteca**   Aztec
el **azúcar**   sugar
**azul**   blue

# B

el **bachillerato**   secondary school
    degree
el **bailador (la bailadora)**   dancer
**bailar**   to dance
el **bailarín (la bailarina)**   dancer
el **baile**   dance
**bajar**   to descend; to go down; **bajar
    de peso**   to lose weight; **bajar un
    archivo**   to download a file; **bajarse
    de**   to get off
**bajo**   *prep.* under; *adj.* short; low; **a
    precio más bajo**   at a lower price
el **balcón**   balcony
el **banco**   bank; bench
la **bandera**   flag
el **bandido**   bandit
**bañar**   to bathe; **bañarse**   to take a
    bath
el **baño**   bath; bathroom
el **bar**   bar
**barato**   cheap
la **barbaridad**   atrocity; **¡Qué
    barbaridad!**   Good grief! How
    awful!
**barcelonés**   of or from Barcelona,
    Spain
el **barco**   boat
la **barra**   bar
**el barrio**   neighborhood
**basar (en)**   to base (on)
la **base**   staple, basis; **a base de**
    based on
**básico**   basic
el **básquetbol**   basketball
**bastante**   *adj.* enough; *adv.* rather;
    quite a bit; **bastante bien**   pretty
    good
**bastar**   to be enough, suffice;
    **¡Basta!**   That's enough!
la **basura**   garbage
el **basurero**   garbage can
la **batalla**   battle
el **bautismo**   baptism
el **bebé**   baby
**beber**   to drink
la **bebida**   drink, beverage
la **beca**   scholarship

el **béisbol**   baseball
la **belleza**   beauty
**bello**   beautiful; **bellas artes**   fine arts
el **beneficio**   benefit
**besar**   to kiss
el **beso**   kiss
la **biblioteca**   library
la **bicicleta**   bicycle; **andar en
    bicicleta**   to go by bicycle
**bien**   well; very; good, fine; **acabar
    bien**   to have a happy ending;
    **bastante bien**   pretty good; **¿Está
    bien que**   + *subjunctive…* ? Is it okay
    to…?; **pasarlo bien**   to have a
    good time
la **bienvenida**   welcome; **dar la
    bienvenida a**   to welcome
**bienvenido**   welcome
**bilingüe**   bilingual
el **billete** *(Spain)* ticket
la **biografía**   biography
la **biología**   biology
el **biólogo (la bióloga)**   biologist
la **bisabuela**   great-grandmother
el **bisabuelo**   great-grandfather;
    *pl.* great-grandparents
la **bisnieta**   great-granddaughter
el **bisnieto**   great-grandson;
    *pl.* great-grandchildren
**blanco**   white; **en blanco**   blank
la **blusa**   blouse
la **boca**   mouth
la **boda**   wedding
el **bolero**   slow-tempo Latin music
el **boleto**   ticket
el **bolígrafo**   ballpoint pen
la **bolsa**   bag; **bolsa de valores**   stock
    market
el **bolsillo**   pocket
el **bolso**   bag, purse
**bombardear**   to bombard
**bonito**   pretty
**borracho**   drunk
el **bosque**   forest
la **botella**   bottle
el **Brasil**   Brazil
**brasileño**   Brazilian
**breve**   brief, short
**brillante**   brilliant
la **brillantez**   brilliance
la **broma**   joke; **en broma**   in fun,
    jokingly
**bromear**   to joke
**bucear**   to dive, go diving

el **buceo** (scuba) diving; **hacer buceo** to go diving
**buen, bueno** good, nice; well, okay; **¡Buen provecho!** Enjoy your meal!; **Buen viaje.** Have a good trip.; **¡Buena lección!** That will teach you (him, her, etc.)!; **Bueno.** Hello. (*Mexico, used as telephone greeting*); Well...; **Hace buen tiempo.** The weather is nice.; **¡Qué buenas noticias!** What good news!; **¡Qué bueno!** Great!
el **búho** owl
**burlarse de** to mock; to make fun of
la **burra** female donkey
el **burrito** large tortilla rolled around meat, beans, etc.
el **buscador** search engine
**buscar** to look for; **en busca de** in search of
la **búsqueda** search; **en búsqueda de** in search of
el **buzón** mailbox

# C

**caballeresco** knightly, chivalrous
la **caballería** chivalry
el **caballero** gentleman
el **caballo** horse; **montar a caballo** to go horseback riding
**caber** to fit
la **cabeza** head; **de cabeza** on its head; **le duele la cabeza** his (her) head aches
el **cabo** end; **al fin y al cabo** in the end
el **cacao** cacao tree or bean; chocolate, cocoa bean
**cada** each, every
**caer(se)** to fall (off)
el **café** coffee; café
la **cafeína** caffeine
la **caja** box; (cash) register
el **cajero** (la **cajera**) cashier
el **calcetín** sock
la **calculadora** calculator
**calcular** to calculate
el **calendario** calendar
la **calidad** quality
**caliente** hot (temperature)
la **calificación** grade
**callar** to quiet, silence; **callarse** to keep quiet

la **calle** street; **calle principal** main street
la **calma** calmness, composure; **con calma** calmly
el **calor** heat, warmth; **hace calor** the weather is hot; **tener calor** to be warm, hot
la **caloría** calorie
la **cama** bed
la **cámara** camera
el **camarero** (la **camarera**) (*Spain*) waiter (waitress)
el **camarón** shrimp
**cambiar** to change; to exchange; **Cambiando de tema...** Changing the subject . . .; **cambiar de opinión** to change one's mind; **cambiar de residencia** to move; **cambiar de trabajo** to change jobs
el **cambio** change; **en cambio** on the other hand, in contrast; **la casa de cambio** place for currency exchange; **la tasa de cambio** rate of exchange
**caminar** to walk
la **caminata** walk; **hacer una caminata** to take a walk
el **camino** road
el **camión** truck
la **camisa** shirt
la **camiseta** T-shirt
el **campamento** camp; **ir de campamento** to go camping
la **campaña** campaign
el **campeón** (la **campeona**) champion
el **campeonato** championship
el **campesino** (la **campesina**) country person, peasant, farmer
el **campo** country; field
**canadiense** Canadian
el **canal** channel
la **canción** song
la **canoa** canoe
**cansado** tired
**cansar** to tire out; **cansarse** to become tired
el, la **cantante** singer
**cantar** to sing
la **cantidad** quantity; **cantidad** *coll.* a whole lot
el **cañón** canyon; cannon
la **capa (de ozono)** (ozone) layer
la **capacidad** capacity
**capaz** able, capable

**Caperucita Roja** Little Red Riding Hood
el **capítulo** chapter
**capturar** to capture
la **cara** face
el **carácter** character; nature; **de buen carácter** good-natured
la **característica** characteristic
**caracterizar** to characterize
**¡Caramba!** Good grief!
el **caramelo** sweet, candy
**¡Caray!** Good grief! Wow!
**carecer de** to lack; to be without
el **cargo: a cargo de** in charge of
el **Caribe** Caribbean
**caribeño** Caribbean
el **cariño** affection
**cariñoso** affectionate, loving
**carismático** charismatic
**Carnaval** Mardi Gras celebration
la **carne** meat; **carne de vaca (de res)** beef
**caro** expensive
la **carpintería** carpentry
el **carpintero** (la **carpintera**) carpenter
la **carrera** career; race; course of study; **estudiar a la carrera** to cram
la **carretera** highway
la **carta** letter; card
la **cartera** small purse; (*Mexico*) wallet
el **cartón** cardboard
el **cartonero** (la **cartonera**) (*Colombia*) person who collects recyclable materials from garbage bins or cans
la **casa** house; **en casa** in the home, at home; **fuera de casa** outside the home, out; **casa de cambio** place for currency exchange
el **casamiento** wedding
**casar** to marry; **casarse (con)** to get married (to)
**casi** almost
el **caso** case; **en caso de que** in case; **hacer caso** to pay attention
el **castellano** Castilian, Spanish (language)
el **castillo** castle
**catalán** of or from Catalonia, Spain
la **catarata** waterfall
la **catedral** cathedral
la **categoría** category, class
**católico** Catholic
la **causa** cause; **a causa de** because of

**causar** to cause

la **cebolla** onion

**ceder** to cede, give up

**celebrar** to celebrate

**célebre** famous

el **celo** jealousy; **tener celos** to be jealous

**celoso** jealous

**celta** Celtic

**celtíbero** Celtiberian

**celular: el (teléfono) celular** cell (phone)

el **cementerio** cemetery

la **cena** dinner

**cenar** to eat dinner

el **censo** census

el **centavo** cent

**céntrico** central

el **centro** center; downtown; **centro comercial** shopping center

**Centroamérica** Central America

**centroamericano** Central American

**cepillar: cepillarse los dientes** to brush one's teeth

la **cerámica** ceramics

**cerca (de)** near; **aquí cerca** nearby

**cercano(a)** nearby

el **cerdo** pork

el **cereal** grain

el **cerebro** brain

la **ceremonia** ceremony

**cero** zero

**cerrar (ie)** to close; **cerrar con llave** to lock

el **cerro** hill

la **cerveza** beer

el **chaleco** vest

la **chaqueta** jacket

la **charla** talk, chat

**charlar** to chat, talk

el **chat** chatroom

**¡Chau!** (*Southern Cone of South America, from Italian "ciao"*) So long!, Bye!

**checar** (*Mexico, Anglicism*) to check

el **cheque** check; **cheque de viajero** traveler's check

**chequear** (*parts of L. America, Anglicism*) to check

la **chica** girl

el **chico** boy; *pl.* boys or boys and girls

**chico** small

el **chile** chili pepper

**chileno** Chilean

**¡Chin chin!** Cheers! (*said when clinking glasses together*)

**chino** Chinese

el **chiste** joke

**chistoso** amusing, witty, funny

el **ciberamigo** (la **ciberamiga**) cyberfriend

el **cibercafé** cybercafé

el **ciclismo** cycling

el, la **ciclista** cyclist

**ciego** blind

el **cielo** sky, heaven

**cien, ciento** one hundred; **por ciento** per cent

la **ciencia** science; **ciencias de computación** computer science; **ciencia ficción** science fiction; **ciencias políticas** political science; **ciencias sociales** social sciences

el **científico** (la **científica**) scientist

**cierto** *adj.* certain, a certain; true; *adv.* of course, certainly; **lo cierto es que** the fact is that

el **cine** cinema, movie theater

el **círculo** circle

la **cita** appointment; date

la **ciudad** city

el **ciudadano** (la **ciudadana**) citizen

el **clarinete** clarinet

**claro** clear; light; **¡Claro!** Of course! **¡Claro que no!** Of course not!

la **clase** class; kind, type; **clase alta** upper class; **compañero(a) de clase** classmate

**clásico** classical

la **cláusula** clause

el, la **cliente** customer

el **clima** climate

**climático** climate; **el cambio climático** climate change

la **clínica** clinic

**cobrar** to charge

el **coca-colero** Coca-Cola man

la **cocaína** cocaine

el **coche** car; **en coche** by car

la **cocina** cuisine, cooking; kitchen; stove

**cocinar** to cook

el **cocinero** (la **cocinera**) cook, chef

el **coco** coconut

el **cocodrilo** crocodile

el **cognado** cognate

la **coincidencia** coincidence

la **cola** line; **hacer cola** to stand in line

**colaborar** to collaborate

**colectivo** collective

el, la **colega** colleague

el **colegio** (elementary or secondary) school, usually private

el **collar** necklace

el **colmo** height, limit; **¡Esto es el colmo!** This is the last straw!

**colocar** to place

**colombiano** Colombian

la **colonia** colony

**coloquial** colloquial, informal

la **columna** column

la **comadre** close family friend; godmother of one's child

el, la **comandante** commander

**combinar** to combine

el **comediante** (la **comedianta**) comedian (comedienne)

el **comedor** dining room

**comentar** to comment (on)

el **comentario** comment; commentary

**comenzar (ie)** to begin

**comer** to eat

**comercial** commercial

el, la **comerciante** businessperson

el **comercio** commerce, business

**cometer** to commit, make

**cómico** comical, funny; **la tira cómica** cartoon, comic strip

la **comida** food; meal

el **comienzo** beginning; **a comienzos de** at the beginning of

**como** *adv.* as, as though; like, such as; how; *conj.* since, as long as; **cómo** how (to); **como quieras** as you like; **como si** as if; **tan... como** as . . . as; **tanto (...) como** as much (. . .) as

**¿cómo?** (**¡cómo!**) how? (how); what? what did you say? what is it?; **¡cómo no!** of course!; **¿Cómo se dirá...?** How does one say . . . ?; **¿Cómo te va?** *How's it going?*

**cómodo** comfortable

el **compa'** short for **compadre**

el **compadre** close family friend; godfather of one's child

el **compañero** (la **compañera**) companion; **compañero(a) de clase** classmate; **compañero(a) de cuarto** roommate

la **compañía** company; **malas compañías** bad company

la **comparación** comparison

**comparar** to compare

**comparativo** comparative

**compartir** to share

la **compasión** compassion, pity, sympathy
la **competencia** competition
el **complemento** object (grammar)
**completar** to complete
**completo** complete; full (i.e., no vacancies)
**complicado** complicated
**componer** to compose
**comportarse** to behave
el **compositor** (la **compositora**) composer
la **compra** purchase; **ir de compras** to go shopping
el **comprador** (la **compradora**) buyer
**comprar** to buy
**comprender** to understand
la **comprensión** understanding, comprehension; empathy
**comprensivo** understanding
**comprobar (ue)** (Spain) to check (e-mail)
**compuesto** adj. composed; compound
la **computación** computation; **las ciencias de computación** computer science
la **computadora** computer; **computadora portátil** laptop computer
**común** common; **en común** in common
la **comunicación** communication
**comunicar(se)** to communicate
la **comunidad** community
**comunista** communist
**con** with; **con gran interés en** greatly interested in; **con más razón** all the more reason; **con mucho gusto** gladly; **con permiso** excuse me, with your permission; **con respecto a** with respect to, in reference to; **con tal (de) que** provided that
**concentrarse en** to be centered in
el **concepto** concept
la **conciencia** conscience; consciousness
el **concierto** concert
**concluir** to finish
**concreto** concrete
**conducir (zc)** to drive (Spain); to lead, conduct
el **conejo** rabbit, bunny

la **conferencia** lecture
**confesar (ie)** to confess
la **confianza** confidence, trust
**confiar (en)** to trust
el **congreso** congress; conference
el **conjunto** band
**conmemorar** to commemorate
**conmigo** with me
**conocer (zc)** to meet; to know; to know about, be familiar with; (preterit) to meet for the first time; **¡Qué gusto conocerlo(la)!** Nice to meet you! Pleasure to meet you!
el **conocido** (la **conocida**) acquaintance; adj. known, well known
el **conocimiento** knowledge
la **conquista** conquest
el **conquistador** conqueror
la **consecuencia** consequence
**consecutivo** consecutive
**conseguir (i)** to obtain, get
el **consejero** (la **consejera**) adviser; counselor
el **consejo** piece of advice; **dar consejos** to advise
**conservador** conservative
**conservar** to conserve; save
**considerar** to consider
**consigo** pron. with you (him, her, them, yourself, yourselves, himself, herself, oneself, themselves)
**consistir (en)** to consist (of)
**consolado** consoled
**constante** constant
**construir** to build
el **consuelo** consolation
**consultar** to consult
el **consumidor** (la **consumidora**) consumer
**consumir** to consume
el **consumo** consumption
el **contacto** contact; **los datos de contacto** contact information; **en contacto** in touch
**contado: pagar al contado** to pay cash
la **contaduría** accounting
**contagioso** contagious
la **contaminación** pollution
**contaminante** contaminating, polluting
**contaminar** to pollute
**contar (ue)** to tell; **contar (con)** to count (on)
**contemplar** to contemplate
**contemporáneo** contemporary

**contener (ie)** to contain
el **contenido** contents
**contento** happy
el **contestador** answering machine
**contestar** to answer, respond
el **contexto** context
**contigo** with you (fam. sing.)
el **continente** continent
**continuación: a continuación** immediately after(wards), following
**continuar** to continue
**contra** against
**contrario: al contrario** on the contrary; **por el contrario** on the contrary, however
**contrastar** to contrast
el **contraste** contrast
**contratar** to hire, employ
el **contrato** contract
**contribuir (con)** to contribute
**controlar** to control; to check
**convencer (z)** to convince
**convenir (ie)** to be convenient, suitable
el **convento** convent
**conversar** to converse
**convertir (ie, i)** to convert, change; **convertirse en** to become
**convivir** to live together, live with
la **copa** drink, cup; **tomar una copa** to have a drink (usually alcoholic)
la **copia** copy; **copia de seguridad** backup copy or file
**copiar** to copy
**coqueto** flirtatious
el **corazón** heart
la **corbata** necktie
la **cordillera** range, chain (of mountains)
el **coro** chorus
**Correcaminos** Roadrunner
**correcto** correct, right
**corregir (i)** to correct
el **correo** post office; mail; **correo postal** regular mail (through the post office)
**correr** to run
**corresponder** to correspond
**cortar** to cut
la **corte** court (royal or of justice)
**cortés** courteous
la **cortesía** courtesy, politeness
**corto** short, brief
la **cosa** thing
**coser** to sew

la **costa** coast; **costa marítima** seacoast

**costar (ue)** to cost

el **costo** cost; **costo de vida** cost of living

la **costumbre** custom, habit

el **creador** (la **creadora**) creator; *adj.* creative

**crear** to create

la **creatividad** creativity

**creativo** creative

**crecer (zc)** to grow; to grow up

el **crecimiento** growth

el **crédito** credit; **la tarjeta de crédito** credit card

la **creencia** belief

**creer** to believe, think; **Creo que no.** I don't think so.; **¿No crees?** Don't you think so?; **¡Ya lo creo!** I believe it!

**criarse** to grow up, be brought up

el **crimen** crime; murder

el **cristal** glass, crystal

**cristiano** Christian

**criticar** to criticize

la **crónica** chronicle

la **cruz** cross

**cruzar** to cross

el **cuaderno** notebook

la **cuadra** city block

el **cuadro** picture, painting; chart; square

**cual, cuales: el (la) cual, los (las) cuales** which, whom; **lo cual** which

**¿cuál? ¿cuáles?** which? which one(s)? what?

la **cualidad** quality, attribute, characteristic

**cualquier** any; **cualquiera** anyone

**cuando** when, whenever

**¿cuándo?** when?

**cuanto: en cuanto** as soon as; **en cuanto a** as far as . . . is concerned; **unos cuantos** a few

**¿cuánto?** how much? how many?; **¡Cuánto me alegro!** How happy I am!; **¡Cuánto lo siento!** How sorry I am! I'm very sorry!; **¿cuánto tiempo?** how long?

el **cuarto** room; quarter; fourth; **cuarto de baño** bathroom; **cuarto doble** double room; **cuarto sencillo (individual)** single room

**cubano** Cuban

**cubierto (de)** covered (with); *m.* tableware

**cubista** cubist (art)

**cubrir** to cover

la **cuchara** spoon

el **cuchillo** knife

la **cuenta** bill, check; **a fin de cuentas** in the final analysis; **darse cuenta de** to realize

el **cuento** story

el **cuerpo** body

la **cuestión** question, matter, issue

el **cuestionario** questionnaire

el **cuidado** care; **Cuidado.** Be careful.; **tener cuidado** to be careful

**cuidadoso** careful

**cuidar(se)** to take care of (oneself)

la **culpa** blame, guilt; **La culpa fue mía.** It was my fault.; **por culpa de** because of; **tener la culpa** to be guilty

**culpable** guilty

**cultivar** to cultivate

el **cultivo** cultivation

**culto** well educated, cultured

la **cultura** culture

el **cumpleaños** birthday

**cumplir** to reach; fulfill; **cumplir... años** to be . . . years old

la **cuna** cradle

la **cuota** fee; installment, payment

el **cura** priest

la **cura** cure

**curar(se)** to cure (oneself)

la **curiosidad** curiosity

**curioso** curious, strange

el **curso** course; **seguir un curso** to take a course

**cuyo** *rel pron.* whose, of whom, of which

# D

**dado** given

la **danza** dance

el **daño** harm; **hacer daño** to harm

**dar** to give; **dar a** to face, be on; **dar la bienvenida a** to welcome; **dar consejos** to give advice; **dar importancia a** to consider (something) important; **dar un paseo** to take a walk; **dar un paso** to take a step; **dar una vuelta** to go for a walk; **darse cuenta de** to realize; **darse la mano** to shake hands; **darse por vencido** to give up, surrender; **darse prisa** to be in a hurry; **¿Qué más da?** So what?

los **datos** data; **datos de contacto** contact information

**de** of, from, about; in; on (*after a superlative*); by; made of; as, with; **De nada.** You're welcome.; **de veras** really; **más de** more than (*before a number*)

**debajo de** underneath

**deber** to owe; to be obliged to, have to, ought to, should; *m. n.* duty; *pl.* homework

**debido: debido a** due to

**débil** weak

la **década** decade

la **decepción** disappointment

**decepcionado** disappointed

**decidir** to decide

**decir (i)** to say, tell; **¿Cómo se dice (dirá)... ?** How does one say . . . ?; **es decir, ...** that is, . . .; **¿Es decir que... ?** Is that to say . . . ? Do you mean . . . ?; **querer decir** to mean

la **decisión** decision; **tomar una decisión** to make a decision

**declarar** to declare

**dedicar** to dedicate; **dedicarse a** to dedicate oneself to

el **defecto** defect

**defender (ie)** to defend

la **defensa** defense

**definido** definite

**degustar** to taste, try

**dejar** to leave (something behind); to let, allow; **dejar de** to stop; **Déjeme presentarme.** Allow me to introduce myself.; **dejar caer** to let fall; to drop

**del** *contraction of* **de** + **el**

**delante (de)** in front of, before

el **delfín** dolphin

**delgado** slender

**delicado** delicate

**delicioso** delicious

**demás** rest, remaining; **lo demás** the rest; **los demás** (the) others

**demasiado** too, too much; *pl.* too many

la **democracia**   democracy
el, la **demócrata**   democrat
**democrático**   democratic
**demográfico: la explosión
    demográfica**   population explosion
**demostrar (ue)**   to demonstrate, show
el **demostrativo**   demonstrative
el, la **dentista**   dentist
**dentro (de)**   inside; within
**depender (de)**   to depend (on)
el, la **dependiente**   clerk
el **deporte**   sport; **hacer deportes**   to
    play sports
el, la **deportista**   athlete
**deportivo**   *adj.* relating to sports
**deprimido**   depressed
**derecho**   straight; right; **a la derecha**
    to the right; **seguir derecho**   to
    proceed straight ahead
el **derecho**   right; law (as a field)
**derivar**   to derive
el **desacuerdo**   disagreement;
    **estar en desacuerdo con**
    to disagree with
**desafortunadamente**   unfortunately
**desagradable**   unpleasant
**desaparecer (zc)**   to disappear
la **desaprobación**   disapproval
**desarrollar**   to develop; to unfold
el **desarrollo**   development; growth;
    evolution
el **desastre**   disaster
**desayunar(se)**   to have breakfast
el **desayuno**   breakfast; **tomar el
    desayuno**   to have breakfast
**descansar**   to rest
**descargar**   to download (e.g., files)
**descender (ie)**   to descend
el, la **descendiente**   descendent
**descomponer**   to break down
**desconectar**   to disconnect
**desconocido**   unfamiliar, not known;
    *n.* stranger
**descontento**   unhappy
**descortés**   impolite, rude
**describir**   to describe
**descriptivo**   descriptive
**descubierto**   discovered
el **descubrimiento**   discovery
**descubrir**   to discover
el **descuento**   discount
**desde**   since; from; **desde chico**   since
    childhood; **desde ese día en adelante**
    from that day on; **desde hace mucho**

**tiempo**   for a long time; **desde hace
    muchos años**   for many years
**deseable**   desirable
**desear**   to wish, want
el **desempleo**   unemployment
el **deseo**   wish
**desesperar**   to despair, lose hope
la **desgracia**   misfortune; **¡Qué
    desgracia!**   What bad luck!
**deshacer**   to undo, take apart
**deshonesto**   dishonest
el **desierto**   desert; *adj.* deserted,
    desert
la **desigualdad**   inequality
**desorganizado**   disorganized
**despacio**   slow
la **despedida**   farewell, good-bye
**despedir (i)**   to fire; **despedirse (de)**
    to say goodbye (to), take leave (of)
**desperdiciar**   to waste
**despertar (ie)**   to waken;
    **despertarse**   to wake up, awaken
**despierto**   awake; alert; bright
**después (de)**   after, afterwards;
    **después (de) que**   *conj.* after;
    **después de todo**   after all, in
    the end; **poco después**   shortly
    afterwards
**destruir**   to destroy
la **desventaja**   disadvantage
el **detalle**   detail
**determinar**   to determine, fix
**detestar**   to hate, detest
**detrás de**   behind
la **deuda**   debt
**devastar**   to devastate
**devolver (ue)**   to return, give back
el **día**   day; **al día siguiente**   on the
    following day; **Buenos días.**   Good
    morning.; **de día**   by day; **día de
    fiesta**   holiday; **el Día de Acción de
    Gracias**   Thanksgiving Day; **el Día
    de Año Nuevo**   New Year's Day; **el
    Día de la Independencia**
    Independence Day; **el Día de la
    Madre**   Mother's Day; **el Día de los
    Muertos**   All Souls' Day, Day of the
    Dead; **el Día de la Raza (o Día de
    la Hispanidad)**   Columbus Day; **el
    Día de los Reyes Magos**   Epiphany;
    **el Día de San Valentín**   Valentine's
    Day; **el Día del Trabajo**   Labor
    Day; **hoy (en) día**   today, nowadays;
    *pl.* **en aquellos días**   in those days;

**en unos días**   in a few days; **todos
    los días**   every day
el **diablo**   devil
el **diálogo**   dialogue
**diario**   daily; *m. n.* newspaper; diary
el, la **dibujante**   illustrator
**dibujar**   to draw
el **dibujo**   drawing
el **diccionario**   dictionary
el **dicho**   saying; *p. part.* said, told
**diciembre**   December
el **dictador**   dictator
el **diente**   tooth
la **dieta**   diet; **estar a dieta**   to be on
    a diet
la **diferencia**   difference
**diferente**   different
**difícil**   difficult, hard
la **dificultad**   difficulty
la **dignidad**   dignity
el **diminutivo**   diminutive; *adj.* tiny
**dinámico**   dynamic, energetic
el **dinero**   money; **dinero en efectivo**
    cash; **¡Ni por todo el dinero del
    mundo!**   Not (even) for all the
    money in the world!
el **dios (la diosa)**   god (goddess);
    **¡Dios mío!**   My goodness!; **si Dios
    quiere**   God willing
**diplomático**   diplomatic
el **diputado (la diputada)**
    representative
la **dirección**   address, direction;
    **dirección electrónica o de correo
    electrónico**   e-mail address
**directo**   direct
el **director (la directora)**   conductor;
    director
**dirigir**   to direct
la **disciplina**   discipline
el **disco**   record; disk; **disco compacto**
    compact disc; **disco duro**   hard disk
la **discoteca**   discotheque
**discreto**   discreet
**discriminar (a)**   to discriminate
    (against)
la **disculpa**   excuse
**disculpar**   to excuse, forgive;
    **disculparse**   to apologize
la **discusión**   argument; discussion
**discutir**   to discuss; to argue
**diseñar**   to design, draw
el **diseño**   design, drawing
**disfrutar (de)**   to enjoy

**disminuir** to go down, decrease

la **disputa** fight, argument

la **distancia** distance; **larga distancia** long-distance

**distinguir** to distinguish

**distinto** different, distinct, peculiar

la **diversidad** diversity

la **diversión** entertainment, diversion

**diverso** diverse, different; *pl.* several

**divertido** amusing, funny; amused

**divertir (ie)** to amuse, entertain; **divertirse** to have a good time

**dividir** to divide, separate, part; **dividirse en** to be divided into

**divorciar** to divorce; **divorciarse** to get a divorce

el **divorcio** divorce

**doblar** to double; to fold; to turn

el **doble** double; **aumentar el doble** to double

la **docena** dozen

el **doctor (la doctora)** doctor

el **doctorado** doctorate

**documentar** to document

el **documento** document

el **dólar** dollar

**doler (ue)** to hurt, ache; **Me duele la cabeza.** My head aches.

el **dolor** pain, ache; regret, sorrow

**doméstico** domestic; **animal doméstico** pet

**dominante** dominating

**dominar** to dominate, control, rule, master

el **domingo** Sunday

**dominicano** Dominican; of the Dominican Republic

**dominico-americano** Dominican American

**don, doña** titles of respect or affection used before a first name

**donde** where

**¿dónde?** where?; **¿de dónde?** from where?

**dormido** asleep

**dormir (ue)** to sleep; **dormirse** to fall asleep

el **dormitorio** bedroom

**dramático** dramatic

**drástico** drastic

la **droga** drug(s)

la **ducha** shower

**ducharse** to take a shower

la **duda** doubt

**dudar** to doubt

**dudoso** doubtful, dubious

el **dueño (la dueña)** owner, proprietor

el **dulce** sweet, piece of candy; *adj.* sweet; fresh

**durante** for; during; **¿durante cuánto tiempo?** for how long?

**durar** to last; to take (time)

**durmiente: la Bella Durmiente** Sleeping Beauty

**duro** hard; difficult

# E

**e** and (*replaces* **y** *before words beginning with* **i**- *or* **hi**-)

**echar** to throw (out)

la **ecología** ecology

el **ecólogo (la ecóloga)** ecologist

la **economía** economics; economy

**económico** economic

el, la **economista** economist

el **ecoturismo** ecotourism

el **ecuador** equator

**ecuatoriano** Ecuadorian

la **edad** age; **la Edad Media** Middle Ages; **¿Qué edad tienes?** How old are you?; **tener... años de edad** to be ... years old

el **edificio** building; **edificio de apartamentos** apartment building

**editar** to publish

la **educación** upbringing; education

**educado** brought up; educated; **bien educado** well brought up; **mal educado** badly brought up, rude, spoiled

**educar** to bring up; to educate

**efectivo** actual, real; **dinero en efectivo** cash

el **efecto** effect; **efecto de sonido** sound effect

**eficiente** efficient

el **egoísmo** selfishness

**egoísta** selfish

**ejecutivo** executive

el **ejemplo** example; **por ejemplo** for example

el **ejercicio** exercise; **hacer ejercicio** to exercise

**el** the; **el que** he who, the one who

**él** *subj. pron.* he; *obj. of prep.* him, it; **de él** (of) his

la **elección** choice; *pl.* election

la **electricidad** electricity

**eléctrico** electric

la **elegancia** elegance

**elegante** elegant, stylish

**elegir (i)** to elect; to choose

el **elemento** element

**elevar** to raise, elevate

**eliminar** to eliminate

**ella** *subj. pron.* she; *obj. of prep.* her, it; **de ella** her, (of) hers

**ellos, ellas** *subj. pron.* they; *obj. of prep.* them; **de ellos (ellas)** their, (of) theirs

**emailear** *coll.* to e-mail

**embarazada** pregnant

**embargo: sin embargo** however

la **emergencia** emergency

el, la **emigrante** emigrant

**emocional** emotional

**emocionante** exciting, moving

**emotivo** emotional

**empeorar(se)** to become worse

el **emperador (la emperadora)** emperor (empress)

**empezar (ie)** to begin, start, initiate

el **empleado (la empleada)** employee

el **empleador (la empleadora)** employer

**emplear** to use; to employ

el **empleo** employment, job; **la agencia de empleos** employment agency; **dar empleo** to employ, hire

la **empresa** company, business; **administración de empresas** business administration

**en** in; into; at; on; **en busca (búsqueda) de** in search of; **en cambio** on the other hand, in contrast; **en casa** at home; **en caso (de) que** in case; **en cuanto** as soon as; **en cuanto a** as far as ... is concerned; **en la gloria** in seventh heaven; **en punto** on the dot; **en realidad** in reality; **en resumen** in summary; **en seguida** at once; **en serio** seriously; **en síntesis** in short; **en vez de** instead of; **en vivo** live (performance); **pensar en** to think about

**enamorado (de)** in love (with)

enamorarse (de)   to fall in love
   (with)
encantador   charming, enchanting
encantar   to delight, enchant;
   Encantado.   Delighted.; Glad to
   meet you.; Me encanta(n)...
   I love . . .
el encanto   enchantment, charm
encargarse de   to be in charge of
la enchilada   enchilada (a tortilla
   wrapped around meat or cheese and
   served with a rich sauce)
encima (de)   above, on top (of)
encontrar (ue)   to find, encounter;
   encontrarse con   to meet, run
   across
la encuesta   poll
enemigo   hostile; n. enemy
la energía   energy
enero   January
enfermarse   to become ill, get sick
la enfermedad   illness
la enfermería   nursing
el enfermo (la enferma)   sick person;
   adj. sick, ill
el enfoque   focus
enfrentar   to confront, face
enfrente de   in front of
el enlace   link
enojado   angry
enojar   to anger; enojarse   to
   become angry, get mad
enorme   enormous
enriquecer (zc)   to enrich;
   enriquecerse   to be enriched; to
   get rich
la ensalada   salad
el ensayo   essay
la enseñanza   teaching; education;
   instruction
enseñar   to teach; to show
entender (ie)   to understand; to hear
entero   whole, entire
el entierro   funeral, burial
la entomología   entomology, study of
   insects
entonces   then; and so
la entrada   entrance, entry;
   el salón de entrada   lobby
entrado: entrado en años   getting on
   in years
entrar   to enter, go or come into;
   entrar al chat   to go into a
   chatroom

entre   between; among; entre
   tanto   in the meantime
el entremés   appetizer
entretener (ie)   to entertain
el entretenimiento   entertainment
la entrevista   interview
entrevistar   to interview
entusiasmado (con)   excited,
   enthusiastic (about)
entusiasmarse por   to be (get)
   enthusiastic about
el envase (retornable)   (returnable)
   container
enviar   to send
la envidia   envy
envolver (ue)   to wrap
la epidemia   epidemic
el episodio   episode
la época   age, time
el equipaje   luggage; equipment
el equipo   team; equipment
equivalente   equivalent
equivocar   to mistake, get wrong;
   equivocarse   to be mistaken, be
   wrong; to make a mistake
la escalera   stairs; ladder
el escándalo   scandal
escanear   to scan
escaparse de   to escape from, get out of
el (tubo de) escape   exhaust pipe
la escena   scene
el escenario   stage, set
el esclavo (la esclava)   slave
escoger   to choose, select
escolar   school
esconder   to hide
escribir   to write
escrito   p. part. of escribir   written
el escritor (la escritora)   writer
el escritorio   desk
la escritura   writing
el escuadrón   squad; escuadrón de la
   muerte   death squad
escuchar   to listen to
la escuela   school; escuela primaria
   elementary school; escuela
   secundaria   high school
el escultor (la escultora)   sculptor
la escultura   sculpture
ese, esa   adj., pron. that (one)
el esfuerzo   effort
la esmeralda   emerald
eso   pron. that; a eso de   at around
   (time of day); Eso es.   That's right.;

Eso no se hace.   That's not allowed
   (done).; por eso   that's why, for that
   reason
esos, esas   adj., pron. those
el espacio   space; espacio en
   blanco   blank
la espalda   back
español   Spanish
especial   special
la especialidad   specialty; major
especializarse en   to major in; to
   specialize in
especialmente   especially
la especie   species; type, kind
específico   specific
el espectáculo   show
el espejo   mirror
la esperanza   hope
esperar   to wait for; to hope;
   to expect; Es de esperar.
   It's to be expected.; ¡No esperaba
   esto!   I didn't expect this!;
   ¿Qué esperabas?   What did
   you expect?
el espíritu   spirit, soul
espiritual   spiritual
espléndido   splendid
espontáneo   spontaneous
la esposa   wife
el esposo   husband; pl. husband and
   wife, spouses
el esquí   ski
esquiar   to ski
la esquina   corner
la estabilidad   stability
estable   stable
establecer (zc)   to establish
la estación   season; station
el estadio   stadium
la estadística   statistic(s)
el estado   state; status; estado libre
   asociado   free associated state;
   Estados Unidos   United States
estadounidense   of or from the
   United States
la estampilla   stamp
estar   to be; ¿Está bien que +
   subjunctive... ?   Is it okay to . . . ?;
   estar cansado   to be tired;
   estar de acuerdo con   to be in
   agreement with; estar de buen (mal)
   humor   to be in a good (bad)
   mood; estar de visita   to be visiting;
   estar despierto   to be alert, awake;

**estar por salir (comer)** to be about to leave (eat)

la **estatua** statue

**este, esta** *adj., pron.* this (one); **Este…** Uh . . . *(hesitation word)*

el **este** east

el **estereotipo** stereotype

el **estilo** style; **estilo de vida** lifestyle

**estimado** esteemed; dear

**estimulante** stimulating

**estimular** to stimulate

el **estímulo** stimulant

**esto** *pron.* this (one)

el **estómago** stomach

la **estrategia** strategy

**estrecho** narrow, closed in; *n. m.* straits

la **estrella** star

el **estrés** stress *(Anglicism)*

**estricto** strict

la **estructura** structure

el, la **estudiante** student

**estudiantil** *adj.* student; **la residencia estudiantil** dorm

**estudiar** to study

el **estudio** study; survey

**estupendo** wonderful, great

**eterno** eternal

la **etiqueta** label

**étnico** ethnic

el **euro** unit of money in Europe

**europeo** European

el **evento** event, happening

**evidente** evident, obvious

**evitar** to avoid, keep away from

**evocar** to evoke

**exacto** exact; **¡Exacto!** Right! Precisely!

**exagerar** to exaggerate

el **examen** examination, test; **fracasar en un examen** to fail an exam; **hacer (presentar) un examen** to take an exam

**examinar** to examine

**excelente** excellent

**excepto** except

**exceso: en exceso** excessively

**exclamar** to exclaim

**exclusivo** exclusive

la **excusa** excuse

**exigente** demanding

**exigir** to demand

la **existencia** existence

**existente** existing

**existir** to exist, be

el **éxito** success; **tener éxito** to be successful

**exitoso** successful

**exótico** exotic

**expensas: a expensas de** at the expense of

la **experiencia** experience

**experimentar** to experience

el **experto (la experta)** expert

la **explicación** explanation

**explicar** to explain

el **explorador (la exploradora)** explorer

**explorar** to explore

**exponer** to exhibit

**exportar** to export

la **exposición** exhibit

**expresar(se)** to express (oneself)

**extender (ie)** to extend

**extenso** extended; extensive

**externo** foreign; outer

el **extranjero (la extranjera)** foreigner; *adj.* foreign; **en el extranjero** abroad

**extrañar** to miss

**extraño** strange, odd

**extraordinario** extraordinary

**extremo** extreme

**extrovertido** extroverted

# F

la **fábrica** factory

**fabuloso** fabulous, unreal

**fácil** easy, simple

la **facultad** school (of a university), department

la **falda** skirt

**falso** false

la **falta** lack; **sin falta** without fail

**faltar** to be lacking; **Me falta(n)…** I need . . . ; **¡No faltaba más!** That's all we need!

la **fama** fame

la **familia** family

**familiar** *adj.* family; *n.* family member

**famoso** famous

la **fantasía** fantasy

**fantástico** fantastic, unreal

la **farmacia** pharmacy; pharmacology

la **farra** *(coll., Spain)* party; **montar una farra** to have a party

**fascinante** fascinating

**fascinar** to fascinate

la **fase** phase

**fatal** *coll.* horrible, awful

el **favor** favor; **por favor** please; **favor de...** please . . .

**favorito** favorite

**febrero** February

la **fecha** date

la **felicidad** happiness; *pl.* congratulations

las **felicitaciones** congratulations

**feliz** happy; **Feliz fin de semana.** Have a nice weekend.

**femenino** feminine

**fenicio** Phoenician

**fenomenal** phenomenal, terrific

el **fenómeno** phenomenon

**feo** ugly

**ficticio** fictitious

la **fidelidad** loyalty

la **fiebre** fever

**fiel** faithful

la **fiesta** party; **día de fiesta** holiday; **hacer una fiesta** to have a party

**fijar** to affix; **fijarse (en)** to notice

**fijo** fixed, set

**filmar** to film

la **filosofía** philosophy

el **fin** end; **a fin de cuentas** in the final analysis; **a fines de** at the end of; **al fin** finally; **al fin y al cabo** in the end (to make a long story short); **fin de semana** weekend; **poner fin a** to put an end to; **por fin** finally

el **final** end; **al final (de)** at the end (of); **dejarlo todo para el final** to leave it all until the end or last minute

**finalizar** to finalize

**finalmente** finally

**financiar** to finance

**financiero** financial

**fino** fine

la **firma** signature

**firmar** to sign

**firme** firm; hard

la **física** physics

el **físico (la física)** physicist; *adj.* physical

**flamenco** pertaining to Gypsy music

el **flan** dessert somewhat like a custard

la **flauta** flute

la **flor** flower

**folklórico** folk (music), folkloric

el **fondo de pantalla** screensaver

**fonético** phonetic
la **forma** form; type; shape
la **formación** education, training
**formar** to form, make
el **formulario** form
el **foro de discusión** chat or discussion group
la **foto(grafía)** photo(graph); photography; **sacar fotos** to take pictures
el **fotógrafo (la fotógrafa)** photographer
**fracasar (en)** to fail
el **fragmento** fragment
**francés** French
la **frase** sentence, phrase
la **frecuencia: con frecuencia** frequently
**frecuente** frequent
**frente a** opposite, facing
**fresco** fresh; cool; **hace fresco** the weather is cool
el **frijol** bean
el **frío** cold; **hace frío** the weather is cold; **tener frío** to be cold
**frito** fried
la **frontera** border; frontier
**frustrado** frustrated
la **fruta** fruit
el **fuego** fire; **fuegos artificiales** fireworks
la **fuente** source; fountain
**fuera (de)** outside (of)
**fuerte** strong; intense; loud; **el plato fuerte** main course
la **fuerza** force, power
**fumar** to smoke
**funcionar** to function; **Esto no funciona.** This doesn't work (is out of order).
la **fundación** foundation
el **fundador (la fundadora)** founder
**fundar** to found, establish
**furioso** furious
el **fútbol** soccer; **fútbol americano** football
el, la **futbolista** soccer player
el **futuro** future

# G

la **galaxia** galaxy
el **gallo** rooster
el **galón** gallon

el **ganador (la ganadora)** winner
**ganar** to earn; to win
las **ganas: tener ganas de** + *inf.* to feel like (doing something)
la **gasolina** gasoline
**gastar** to spend (money, for instance)
el **gasto** expenditure, expense
el **gato** cat
**general** general, usual; **por lo general** in general, generally
**generalizar** to generalize
**generar** to generate
el **género** gender; genre, type
**generoso** generous
**genial** brilliant (having genius); *coll.* great
la **gente** people
la **geografía** geography
**geográfico** geographic
el, la **gerente** manager
el **gesto** gesture, expression
el **gigante** giant
el **gimnasio** gym
la **gira** tour
**girar** (*Spain*) to turn
**gitano** Gypsy
la **gloria: estar en la gloria** to be in seventh heaven
el **gobernador (la gobernadora)** governor
el **gobierno** government
el **golpe** blow, hit
**gordo** fat
**gozar (de)** to enjoy; **gozar de buena salud** to enjoy good health
la **gracia** grace, charm; humor, quality of being funny or amusing; *pl.* thanks; **el Día de Acción de Gracias** Thanksgiving Day; **¡Gracias!** Thank you! Thanks!; **Gracias por llamar (venir).** Thanks for calling (coming).
**gracioso** funny, amusing
el **grado** degree; grade
**graduarse** to graduate
**gráfico** graphic; *n.* graphic
la **gramática** grammar
el **gramo** gram
**gran** (*apocope of* **grande**) great, large; **la Gran Bretaña** Great Britain; **gran parte** a large part
**grande** big, large; great
el **grano** grain, bean
**gratis** free of charge

**gratuito** free of charge
**grave** grave, serious
**griego** Greek
**gritar** to shout
el **grupo** group
**guapo** good-looking
**guardar** to keep; to put away; to save (e.g., files)
**guatemalteco** Guatemalan
la **guerra** war
el, la **guía** guide; **la guía** guidebook
el **guión** script
la **guitarra** guitar
**gustar** to please, be pleasing to; **Me gusta(n)...** I like...; **Si gusta...** If you like...
el **gusto** pleasure; taste; **con mucho gusto** gladly; **¡Cuánto gusto de verte!** How nice to see you!; **El gusto es mío.** The pleasure is mine.; **Mucho (Tanto) gusto.** Pleased to meet you.; **No he tenido el gusto.** I haven't had the pleasure.; **¡Qué gusto!** What a pleasure!

# H

**haber** to have (*auxiliary verb to form compound tenses*); to be (*impersonal*); **haber de** + *inf.* to be supposed to, be expected to; **había** there was (were); **habrá** there will be; **hay** there is (are); **hay que** + *inf.* it is necessary to, one must (should); **No hay de qué.** You're welcome. Don't mention it.; **¿Qué hay?** What's up?; What's the matter?; **¿Qué hay de nuevo?** What's new?
la **habilidad** ability; skill
la **habitación** room
el, la **habitante** inhabitant
**habitar** to inhabit, live
**habituarse a** to get used to, accustomed to
el **habla: de habla hispana** Spanish-speaking
**hablador** talkative
**hablar** to talk, speak; **hablando de todo un poco** to change the subject; **¡Ni hablar!** Don't even mention it!

**hace** (*with a verb in the past tense*) ago; **hace dos años** two years ago; **¿cuánto tiempo hace que... ?** how long has . . . ?; **hace** + *time period* **que** + *present tense* something has been going on for + *time period*

**hacer** to make; to do; **hacer** + *inf.* to have something done; **hacer buen (mal) tiempo** to be good (bad) weather; **hacer calor (frío, sol, viento)** to be hot (cold, sunny, windy); **hacer cola** to stand in line; **hacerle compañía a alguien** to keep someone company; **hacer deportes** to play sports; **hacer ejercicio** to exercise; **hacer un examen** to take a test; **hacer falta** to be lacking, missing (*often translated as to need*); **hacer una fiesta** to have a party; **hacer mal a alguien** to harm someone; **hacer un papel** to play a role; **hacer una pregunta** to ask a question; **hacer trampa** to cheat; **hacer uso de** to make use of; **hacer un viaje** to take a trip; **hacerse** + *noun* (or *adj.*) to become; **Eso no se hace.** That's not allowed (done).

**hacia** toward

**hacía: hacía** + *time period* **que** (+ *imperfect*) something had been going on for + *time period*

**hallar** to find

**el hambre** *f.* hunger; **tener hambre** to be hungry

**la hamburguesa** hamburger

**hasta** until; as far as; up to; even; **desde... hasta** from . . . to; **Hasta luego.** See you later.; **Hasta pronto.** See you soon.; **Hasta la vista.** See you.; **hasta que** *conj.* until

**hecho** made; *m. n.* event; fact

**el helado** ice cream

**el helicóptero** helicopter

**la hembra** female

**la herencia** heritage; inheritance

**la hermana** sister

**el hermano** brother; *pl.* brothers, brothers and sisters

**hermoso** beautiful, handsome

**el héroe** hero

**la heroína** heroine

**híbrido** hybrid

**el hidalgo** (la **hidalga**) nobleman (noblewoman)

**el hielo** ice

**la hierba** herb; grass

**el hierro** iron

**la hija** daughter

**el hijo** son; *pl.* children, sons and daughters

**hipotético** hypothetical

**hispánico** Hispanic

**hispano** Hispanic

**hispanoamericano** Hispanic American

**la historia** story; history

**el historiador** (la **historiadora**) historian

**histórico** historic

**el hogar** home

**la hoja** leaf; sheet (of paper)

**¡Hola!** Hello! Hi!

**holandés** Dutch

**el hombre** man; **¡Hombre!** *coll.* Wow! Man! (*used as a form of address for women or men*)

**el hombro** shoulder

**homogéneo** homogeneous, similar

**hondureño** Honduran

**honesto** honest

**la hora** hour; time; **a la hora de irse** when it is (was) time to go; **durante una hora** for an hour; **Es hora de...** It's time to . . .; **hora de partida** time of departure; **No veo la hora** + *inf...* I can't wait to . . .; **¿Qué hora es?** What time is it?

**el horario** schedule, timetable

**la hormona** hormone

**la hostería** inn, hostel

**el hotel** hotel; **hotel de lujo** luxury hotel

**la hotelería** hotel business

**hoy** today; **hoy (en) día** these days, nowadays; **hoy mismo** this very day

**la huelga** strike; **hacer huelga** to be on strike

**la huerta** fruit or vegetable garden

**el hueso** bone

**el, la huésped** guest

**el huevo** egg

**huir** to flee

**humanístico** humanistic

**humano** human

**el humor** humor; mood; **estar de buen (mal) humor** to be in a good (bad) mood

**humorístico** humorous

**el huracán** hurricane

**¡Huy!** Ow!

# I

**ibérico** Iberian

**el ibero** (la **ibera**) Iberian (Spanish or Portuguese)

**iberoamericano** Iberian American

**ida: de ida y vuelta** roundtrip

**el idealismo** idealism

**la identidad** identity

**identificarse (con)** to identify oneself (with)

**ideográfico** ideographic, using symbols

**el idioma** language

**la idiosincrasia** idiosyncrasy

**la iglesia** church

**ignorar** to ignore, not know

**igual** the same; equal; **igual que** the same as

**la igualdad** equality

**igualmente** equally; likewise; **Igualmente.** Same to you. You too.

**ilegal** illegal

**iluminar** to illuminate

**ilustrar** to illustrate

**la imagen** image, picture; **dar una buena imagen** to make a good impression

**imaginar(se)** to imagine; **¡Imagínese! ¡Imagínate!** Just imagine!

**imaginativo** imaginative

**imitar** to imitate

**impaciente** impatient

**impartir** to impart (e.g., knowledge)

**imperativo** imperative, command

**imperfecto** imperfect

**el imperio** empire

**el impermeable** raincoat

**la importancia** importance; **dar importancia a** to consider (something) important; **¿Qué importancia tiene?** So what?

**importante** important

**importar** to matter, be important; to import; **No importa.** It doesn't matter.

la **imposibilidad**  impossibility
**imposible**  impossible
**impresionante**  impressive
**impresionar**  to impress
**impresionista**  impressionist
la **impresora**  printer
**imprimir**  to print
**improvisar**  to improvise
el **impuesto**  tax; *p. part. of* **imponer**
**inca**  Inca
el **incidente**  incident
**incierto**  unsure, uncertain
**incluir**  to include
**incluso**  including; even
**incómodo**  uncomfortable
**incompleto**  incomplete
la **incredulidad**  disbelief
**increíble**  incredible; **¡Qué increíble!**
  How amazing!
**indeciso**  indecisive
**indefinido**  indefinite
la **independencia**  independence
**independiente**  independent
**independizarse**  to become
  independent, self-sufficient
**indeseable**  undesirable
la **indicación**  direction, instruction
**indicar**  to indicate; to note
**indicativo**  indicative
**indiferente**  indifferent
**indígena**  native; indigenous
**indio**  Indian
**indirecto**  indirect
el **individuo**  individual
**indocumentado**  undocumented
la **industria**  industry
**inesperado**  unexpected
**inexplicable**  unexplainable
el **infierno**  hell
el **infinitivo**  infinitive
la **influencia**  influence
**influir**  to influence
**informarse**  to get information
la **informática**  computer science
**informático**  *adj.* computer science
el **informe**  report
la **ingeniería**  engineering
el **ingeniero** (la **ingeniera**)  engineer
**ingenioso**  ingenious
**Inglaterra**  England
**inglés**  English
el **ingrediente**  ingredient
los **ingresos**  income
**iniciar**  to initiate, strike up

**inimaginable**  unimaginable
la **injusticia**  injustice
**injusto**  unfair; unjust
**inmediato**  immediate
**inmenso**  immense
el, la **inmigrante**  immigrant
**inmigrar**  to immigrate
**innecesario**  unnecessary
**innovador**  innovative
**innumerable**  numerous
**inocente**  innocent
**inolvidable**  unforgettable
el **insecto**  insect
la **inseguridad**  insecurity
**insistir en**  to insist on
**insociable**  unsociable
el **insomnio**  insomnia
**insoportable**  unbearable
**inspirar**  to inspire
**instalar**  to install
**instantáneamente**  instantaneously
el **instrumento**  instrument
**insultante**  insulting
**insultar**  to insult
el **insulto**  insult
**intelectual**  intellectual
la **inteligencia**  intelligence
**inteligente**  intelligent
la **intensidad**  intensity
**intensivo**  intensive
**intenso**  intense
**intentar**  to try
**intercambiar**  to exchange
el **intercambio**  exchange
**interconectar**  to interconnect
el **interés**  interest
**interesante**  interesting
**interesar**  to interest; **interesarse**  to
  be interested
**interior: venir del interior**  to come
  from within
**intermedio**  intermediate
**internacional**  international
**interpretar**  to interpret
**interrogar**  to interrogate, question
**interrumpir**  to interrupt
**íntimo**  intimate, close
**intolerante**  intolerant
**introducir (zc)**  to introduce
**introvertido**  introverted
**inútil**  useless
**inventar**  to invent
el **invento**  invention
el **inventor** (la **inventora**)  inventor

el **invernadero**  greenhouse
**invertir (ie)**  to invest
la **investigación**  research; investigation
**investigar**  to research
el **invierno**  winter
el **invitado** (la **invitada**)  guest
**invitar**  to invite; to treat
**ir**  to go; **ir a**  + *inf.* to be going to
  + *inf.*; **ir a pie**  to go by foot; **ir de
  campamento**  to go camping; **ir
  de compras**  to go shopping; **ir
  de paseo**  to go for a stroll; **ir de
  regreso**  to go back; **ir en avión
  (tren, barco,** etc.)  to go by plane
  (train, boat, etc.); **irse**  to go (away),
  leave; **¡Qué va!, ¡Vaya!**  Come on
  now!
la **ironía**  irony
**irresponsable**  irresponsible
la **irritabilidad**  irritability
la **isla**  island
**islámico**  Islamic
el **istmo**  isthmus
**italiano**  Italian
el **itinerario**  schedule
**izquierdo**  left; **a la izquierda**  on
  (to) the left

# J

**jamás**  never, (not) ever
el **jamón**  ham
**japonés**  Japanese
el **jardín**  garden
la **jardinería**  gardening
el, la **jefe** (*also* **la jefa**)  boss, leader
el, la **joven**  young person; *adj.* young
la **joyería**  jewelry store; jewelry
**judío**  Jewish
el **juego**  (type of) game
el **jueves**  Thursday
el **juez** (la **jueza**)  judge
el **jugador** (la **jugadora**)  player
**jugar (ue) (a)**  to play (sports, games);
  to gamble
el **jugo**  juice
el **juguete**  toy
**julio**  July
**junio**  June
la **junta**  junta; board, council;
  meeting
**juntarse**  to get together
**junto**  together, near

**justificar**   to justify
**justo**   fair, just
la **juventud**   youth

# K

el **kilo(gramo)**   kilo(gram)
el **kilómetro**   kilometer

# L

**la**   the ( *f. sing.* ); *dir. obj.* her, it, you (**Ud.**); **la de**   that of; **la que**   the one that
**laboral**   work
**laboralmente**   in terms of work
el **laboratorio**   laboratory
el **lado**   side; **al lado de**   next to, next door to; **al otro lado**   on the other side; **de al lado**   next door; **del lado de**   on the side of; **por todos lados**   everywhere
el **ladrón**   thief
el **lago**   lake
**lamentar**   to lament, be sad
**lanzar**   to throw
el **lápiz**   pencil
**largo**   long; **a lo largo de**   along, throughout
**las**   the ( *f. pl* ); *dir. obj.* them, you (**Uds.**); **las de**   those of; **las que**   the ones (those) that
la **lástima**   pity; **¡Qué lástima!**   What a shame! How unfortunate!
**lastimar**   to hurt, injure; **lastimarse**   to hurt oneself
la **lata**   tin (can); **¡Qué lata!**   *coll.* What a pain!
el **latín**   Latin (language)
**latino**   Latin; Latino
**latinoamericano**   Latin American
**lavar**   to wash; **lavarse**   to get washed, wash up; **lavarse las manos**   to wash one's hands
**le**   *indir. obj.* (to, for, from) him, her, it, you (**Ud.**)
la **lección**   lesson
la **leche**   milk
la **lectura**   reading
**leer**   to read
**legalizar**   to legalize
la **legumbre**   vegetable, legume

**lejos**   far; far away
la **lengua**   language; tongue; **lengua materna**   native language
el **lenguaje**   language, terminology
**lento**   slow
**les**   *indir. obj.* (to, for, from) them, you (**Uds.**)
la **letra**   letter; lyrics; *pl.* letters; literature
**levantar**   to raise; to lift up; **levantarse**   to get up; to stand up
la **ley**   law
**libanés**   Lebanese
la **libertad**   liberty; freedom
**libertar**   to free; to liberate
la **libra**   pound
**libre**   free, at liberty; unoccupied, not in use; **al aire libre**   in the open air; **los ratos libres**   free time
la **librería**   bookstore
el **libro**   book; **libro de texto**   textbook
la **licencia**   license; **licencia de manejar**   driver's license
el **liceo**   high school
el **líder**   leader
**ligero**   light
**limitar**   to limit
la **limosina**   limousine
**limpiar**   to clean (up)
**limpio**   clean
**lindo**   pretty
la **línea**   line; **en línea**   on line
el **lío**   mess, confusion
la **lista**   list
**listo**   ready; clever; **estar listo**   to be ready; **ser listo**   to be clever; to be quick
**literario**   literary
la **literatura**   literature
el **litro**   liter
la **llamada**   call
**llamar**   to call; **llamar la atención**   to get (one's) attention; **llamarse**   to be called or named; **¿Cómo se llama usted?**   What is your name?
la **llave**   key; **cerrar con llave**   to lock
la **llegada**   arrival
**llegar**   to arrive; **llegar a** + *inf.*   to end up; **llegar a ser**   to become; **llegar a tener fama**   to become famous
**llenar**   to fill, fill out
**lleno (de)**   full; filled (with)

**llevar**   to carry; to take; to wear; **llevar una vida feliz**   to have a happy life; **llevarse bien**   to get along well
**llorar**   to cry
**llover (ue)**   to rain
la **lluvia**   rain
**lo**   *dir. obj.* him, it, you (**Ud.**); the (*neuter*): **lo antes posible**   as soon as possible; **lo cual**   which; **lo máximo**   *coll.* the greatest; **lo mejor**   the best thing; **lo mismo**   the same thing; **lo que**   what, that which; **lo siento**   I'm sorry
**loco**   mad; crazy; **estar loco por**   to be crazy about; **volver loco**   to drive (someone) crazy; **volverse loco**   to go crazy
la **locura**   craziness, madness; weakness
el **locutorio**   *(Spain)* small Internet café that often has telephones, usually less expensive than a **cibercafé**
**lógico**   logical, reasonable
**lograr**   to achieve; to obtain; to manage to; to succeed in
**los**   the ( *m. pl.* ); *dir. obj.* them, you (**Uds.**); **los de**   those of; **los que**   the ones (those) that (who)
la **lucha**   struggle, fight
**luchar (por)**   to fight (for); to struggle
**lucrativo**   lucrative
**luego**   then; afterwards; **luego que**   *conj.* as soon as
el **lugar**   place; **fuera de lugar**   out of place; **tener lugar**   to take place
el **lujo**   luxury; **el hotel de lujo**   luxury hotel
la **luna**   moon
el **lunes**   Monday
la **luz**   light; traffic light

# M

**machista**   (male) chauvinistic
el **macho**   male
la **madera**   wood
la **madre**   mother
**madrileño**   of or from Madrid
la **madrina**   godmother
la **madrugada**   early morning, dawn
**maduro**   ripe; mature

el **maestro** (la **maestra**)  teacher; master

**mágico**  magic, magical

**magnífico**  magnificent

el **mago**  magician; **los (Reyes) Magos**  Three Kings, Wise Men

**mailear**  to e-mail

el **maíz**  corn, maize

**majestuoso**  majestic

**mal**  adv. badly, poorly; **acabar mal**  to have an unhappy ending; **mal educado**  rude, spoiled

el **mal**  evil; **Nunca hizo mal a nadie.**  He never harmed anyone.

**mal, malo**  adj. bad, naughty; sick, in poor health; **estar de mal humor**  to be in a bad mood; **hace mal tiempo**  the weather is bad; **¡Menos mal!**  That's a relief! Just as well!

la **maleta**  suitcase

**malgastar**  to waste

**mandar**  to order; to send; to command; **¿Mande?**  (Mexico) Pardon?, Sorry?

el **mandato**  order, command

**manejar**  to drive; to manage, handle, speak (a language)

la **manera**  way; **de alguna manera**  somehow; **de esta manera**  in this way; **de ninguna manera**  (in) no way; **¡De ninguna manera!**  No way!; **¿De qué manera?**  In what way? How?

la **mano**  hand; **darse la mano**  to shake hands; **en manos de**  in the hands of; **hecho a mano**  handmade

**mantener (ie)**  to maintain; to support; to keep

la **mantequilla**  butter

la **manzana**  apple; (Spain) block

la **mañana**  morning; adv. tomorrow; **de la mañana**  a.m.; **por la mañana**  in the morning

el **mapa**  map

la **máquina**  machine; **a máquina**  by machine

el **mar**  sea; ocean

el **maratón**  marathon

la **maravilla**  wonder, marvel

**maravilloso**  wonderful

la **marca**  brand

**marcado**  noticeable, obvious

la **marcha**  march

**marchar**  to go; **marcharse**  to leave, depart

el **marido**  husband

**marino**  marine, sea

la **mariposa**  butterfly

el **marisco**  shellfish

**marítimo**  maritime; **la costa marítima**  seacoast

el **martes**  Tuesday

**marzo**  March

**más**  adv. more; any more; most; prep. plus; **ahora más que nunca**  now more than ever; **con más razón**  all the more reason; **más adelante**  farther on; **más bien**  rather; **más de**  + number more than...; **más que**  more than; **más o menos**  more or less; okay; **más tarde**  later; **más vale**  it is better; **no tener más remedio**  to have no other recourse; **¡Qué ciudad más bonita!**  What a lovely city!; **¿Qué más da?**  So what?

el **masaje**  massage

la **máscara**  mask

la **mascota**  pet

**masculino**  masculine

**matar**  to kill

las **matemáticas**  mathematics

el, la **matemático**  mathematician

la **materia**  subject, field of study

**materialista**  materialistic

**materno**  maternal; **lengua materna**  native language

la **matrícula**  registration; tuition

**matricularse**  to register

el **matrimonio**  married couple; matrimony; marriage

**máximo: al máximo**  to the maximum; **lo máximo**  coll. the greatest

**maya**  Maya

**mayo**  May

**mayor**  greater; older; **el (la) mayor**  the greatest; the oldest; **la mayor parte de**  most of; **los mayores**  older people, elders

la **mayoría**  majority

**me**  (to, for, from) me; myself

la **mecánica**  mechanics

**mecánico**  mechanical

la **medianoche**  midnight

**mediante**  by means of

las **medias**  stockings

la **medicina**  medicine

el, la **médico**  (also la **médica**)  physician; adj. medical

la **medida**  measure; measurement; size; **¿Cuál es su medida?**  What size are you?

**medio**  half; middle; average; **la clase media**  middle class; **la Edad Media**  Middle Ages; **media mañana**  in the late morning; **el medio ambiente**  environment; **el Medio Oriente**  Middle East

el **medio**  medium; media; mean(s); **por medio de**  by means of

el **mediodía**  noon

**mediterráneo**  adj. Mediterranean

**mejor**  better; best; **lo mejor**  the best part or thing

**mejorar**  to improve; **mejorarse**  to get better

la **memoria**  memory; remembrance; pl. memoirs

**mencionar**  to mention, tell

**menor**  smaller; younger; smallest; youngest

**menos**  less; least; except; **a menos que**  unless; **al menos**  at least; **más o menos**  more or less; okay; **menos de**  less than; **¡Menos mal!**  That's a relief! Just as well!; **por lo menos**  at least

el **mensaje**  message; **mensaje de texto**  text message

la **mente**  mind; **tener en mente**  to keep in mind

**mentir (ie)**  to lie

la **mentira**  lie

el **menudo**  tripe soup

**menudo: a menudo**  often

el **mercado**  market

la **mercancía**  merchandise

**merecer (zc)**  to deserve

el **merenguero** (la **merenguera**)  merengue musician

el **mes**  month; **hace un mes**  a month ago; **el mes pasado**  last month; **por mes**  monthly

la **mesa**  table

el **mesero** (la **mesera**)  (Latin America) waiter (waitress)

el **mestizaje**  mixing, combination

**mestizo**  mestizo, Indian and European

la **meta**  goal, aim

**meter**  to put, place

el **método**  method

el **metro** meter
**mexicano** Mexican
**mexicano-americano** Mexican-American
la **mezcla** mixture
**mezclar(se)** to mix (become mixed)
**mi, mis** my
**mí** *obj. of prep.* me; myself
el **microcuento** very short story
el **miedo** fear; **tener (sentir) miedo** to be afraid
el **miembro** member
**mientras (que)** while; **mientras tanto** in the meantime
el **miércoles** Wednesday
**mil** (one) thousand
**militar** military; *n.* soldier
la **milla** mile
**millón** million
**mínimo** minimum
el **ministerio** ministry
el **ministro (la ministra)** minister
la **minoría** minority
**minoritario** minority
el **minuto** minute
**mío(s), mía(s)** *adj.* my, (of) mine; **el mío (la mía, los míos, las mías)** *pron.* mine; **¡Dios mío!** My goodness!
**mirar** to watch, look (at)
la **misa** mass (religious)
la **miseria** extreme poverty
**mismo** same; very; right; **ahora mismo** right now, immediately; **hoy mismo** this very day; **lo mismo** the same (thing); myself, yourself, himself, herself, itself, ourselves, yourselves, themselves
el **misterio** mystery
**misterioso** mysterious
la **mitad** half
la **mochila** backpack
la **moda** fashion, style; **estar de moda** to be in style
el **modelo** model, style
**moderado** moderate(d)
**moderno** modern
**modificar** to change, modify
el **modismo** idiom
el **modo** style; way; mood *(grammar)*; **de todos modos** anyway; **¡Ni modo!** No way!
el **mole** spicy Mexican sauce
**molestar** to bother, annoy

la **molestia** bother, trouble; **¡Qué molestia!** What a pain!
**molesto** upset
el **molino** mill; **molino de viento** windmill
el **momento** moment
la **moneda** coin
la **monja** nun
el **monje** monk
el **mono** monkey
el **montaje** setting up
la **montaña** mountain
**montar: montar a caballo** to ride horseback, go horseback riding; **montar una farra** *(coll., Spain)* to have a party
**montón: un montón de** a lot *(literally, pile)* of
**moralista** moralistic
**morir (ue)** to die
el **moro (la mora)** Moor (referring to North Africans)
la **mortalidad** mortality
el **mosaico** mosaic
**mostrar (ue)** to show
el **motivo** reason; **por algún motivo** for some reason
la **motocicleta** motorcycle
**mover (ue)** to move
el **móvil** mobile or cell phone
el **movimiento** movement
el **mozo (la moza)** *(Peru, Southern Cone)* waiter (waitress)
la **muchacha** girl
el **muchacho** boy; *pl.* children
**mucho** *adj.* much; a lot; a great deal; very; *pl.* many; *adv.* very much; **muchas gracias** thanks; **muchas veces** many times, often; **Mucho gusto.** Nice to meet you.; **mucho tiempo** a long time
**mudarse** to move
el **mueble** piece of furniture
la **muerte** death
**muerto** dead; deceased
la **muestra** sign; sample
la **mujer** woman
**mundial** *adj.* world; **Segunda Guerra Mundial** Second World War
el **mundo** world; **todo el mundo** everybody
la **muralla** wall
el **músculo** muscle
el **museo** museum

la **música** music
el, la **músico** musician; *adj.* musical
el **musulmán (la musulmana)** Muslim
**mutuo** mutual
**muy** very

# N

**nacer (zc)** to be born
el **nacimiento** birth
**nacional** national
la **nacionalidad** nationality
**nada** nothing; (not) anything; *adv.* not at all; **De nada.** You're welcome. Don't mention it.
**nadar** to swim
**nadie** nobody; no one; (not) anybody
la **naranja** orange
**narrar** to relate; narrate
la **natación** swimming
**natal** of birth, native
la **natalidad** birth; **el control de la natalidad** birth control
**nativo** native
**natural** natural; illegitimate
la **naturaleza** nature
**navegar (por)** to navigate; **navegar por la Red** to surf the Web
la **Navidad** Christmas, Nativity; *pl.* Christmas
**navideño** Christmas
**necesario** necessary
la **necesidad** need; necessity
**necesitar** to need
**negar (ie)** to deny
**negativo** negative
**negociar** to negotiate, do business
el **negocio** business; **poner un negocio** to start a business
la **negrilla** bold type
**negro** black; *n.* black person
**neoyorkino** of or from New York
**nervioso** nervous
**nevar (ie)** to snow
**ni** nor; not even; **¡Ni a la fuerza!** No way!; **¡Ni a palos!** No way!; **¡Ni hablar!** Don't even mention it!; **¡Ni loco(a)!** No way!; **¡Ni modo!** No way!; **ni... ni** neither . . . nor; **¡Ni por todo el dinero del mundo!** Not (even) for all the money in the world!
la **niebla** fog; **haber niebla** to be foggy
la **nieta** granddaughter

el **nieto** grandson; *pl.* grandchildren
la **nieve** snow
**ningún, ninguno** not one; not any; none, no, neither (of them); **de ninguna manera** by no means, (in) no way; **¡De ninguna manera!** No way!
la **niña** girl
la **niñez** childhood
el **niño** boy; *pl.* children; **de niño** as a child
el **nivel** level; **nivel de vida** standard of living
**no** no; not; **¿no?** right?
la **noche** night; evening; **buenas noches** good night, good evening; **de la noche** p.m.; **de noche** at night; **esta noche** tonight; **por la noche** at night; **toda la noche** all night
la **Nochebuena** Christmas Eve
la **Nochevieja** New Year's Eve
**nocturno** nocturnal, night
**nombrar** to name
el **nombre** name
el **norte** north
**norteamericano** North American
**nos** (to, for, from) us, ourselves
**nosotros, nosotras** *subj. pron.* we; *obj. of prep.* us, ourselves
la **nota** note; grade; **sacar buenas (malas) notas** to get good (bad) grades
**notar** to note; to observe
la **noticia** news, notice; *pl.* news; **¡Qué buena noticia!** What good news!
el **noticiero** news program
la **novedad** (piece of) news
la **novela** novel; **novela de misterio** mystery
el, la **novelista** novelist
el **novenario** nine-day period of mourning
**noveno** ninth
la **novia** girlfriend; fiancée; bride
el **noviazgo** engagement
**noviembre** November
el **novio** boyfriend; fiancé; bridegroom
la **nube** cloud
**nublado** cloudy
**nuestro** *adj.* our, of ours; **el nuestro** *pron.* ours

**nuevo** new; **de nuevo** again; **¿Qué hay de nuevo?** What's new?
la **nuez** (*pl.* **nueces**) nut
el **número** number; size (e.g., shoes)
**numeroso** numerous
**nunca** never, (not) ever
**nupcial** nuptial, wedding
**nutrir** to nourish, feed

# O

**o** or; **o... o** either . . . or
**obedecer (zc)** to obey
el **objeto** object
**obligar** to obligate; to compel
**obligatorio** obligatory
la **obra** work
**observar** to observe
el **observatorio** observatory
**obtener** to obtain
**obvio** obvious; evident
la **ocasión** occasion
el **océano** ocean
**octubre** October
**ocupado** busy; occupied
**ocupar** to occupy
**ocurrir** to occur, happen; to take place
**odiar** to hate
el **oeste** west
**ofender (ie)** to offend
**ofensivo** offensive
la **oferta** offer; **en oferta** on sale; **oferta de trabajo** job offer
la **oficina** office, bureau
**ofrecer (zc)** to offer; to present
**oír** to hear; **¡Oiga!** word used to get someone's attention
**Ojalá (que)...** I wish (that) . . ., I hope that . . .; **¡Ojalá que nos veamos pronto!** I hope (that) we see each other soon!
el **ojo** eye; **¡Ojo!** Take notice!
la **ola** wave
**oler** (present: **huelo, hueles, huele...**) to smell
**olvidar(se) (de)** to forget
**omitir** to omit
la **onda** sound wave; **¡Qué onda(s)?** What's up?
la **opción** option; choice
**opinar** to give an opinion; to think or have an opinion
**oponer(se)** to oppose

la **oportunidad** opportunity
**oportunista** opportunistic
el, la **optimista** optimist; *adj.* optimistic
**opuesto** opposite
la **oración** sentence; prayer
el **orden** order; sequence
la **orden** order, command
el **ordenador** *(Spain)* computer
**ordinario** common, ordinary (can be pejorative)
la **oreja** ear
**orgánico** organic
**organizar** to organize
el **orgullo** pride
**orgulloso** proud
el **origen** origin, source
la **originalidad** originality
**originar** to originate
el **oro** gold
la **orquídea** orchid
la **ortografía** spelling
la **oruga** caterpillar
**os** (to, for, from) you, yourselves
**oscuro** obscure; dark
el **oso** bear
el **otoño** autumn; fall
**otro** another; other; **en otras palabras** in other words; **otra vez** again
el **ozono** ozone

# P

la **Pacha Mama** Andean goddess
la **paciencia** patience
el, la **paciente** patient; *adj.* patient
**pacífico** peaceful
**padecer (zc)** to suffer
el **padre** father; *pl.* parents; **¡Qué padre!** *(Mexico)* Great! How terrific!
el **padrino** godfather; *pl.* godparents
la **paella** paella, Spanish dish of saffroned rice, usually with seafood or chicken
**pagano** pagan
**pagar** to pay (for)
la **página** page; **página personal** personal home page; **página principal** home or main page
el **pago** pay
el **país** country
el **pájaro** bird
el **paisaje** landscape

la **palabra** word; **en otras palabras** in other words
el **palacio** palace
el **palo** stick
el **pan** bread
el **panecillo** roll (bread)
el **panfleto** pamphlet
la **pantalla (táctil)** (touch) screen
los **pantalones** pants, trousers
la **papa** potato
el **papá** dad, papa
el **papel** paper; role; **hacer (tener) un papel** to play a role
el **paquete** package
el **par** pair; couple
**para** for; for the purpose of; in order to; by (a certain time); toward, in the direction of; **estar para** to be about to, to be in the mood for; **para mí** as far as I'm concerned; **para que** so that; **¿para qué?** why?; **para siempre** forever
la **parada** stop
el **parador** government-operated hotel in Spain
el **paraguas** umbrella
el **paraíso** paradise
**parar** to stop
**parcial** partial; **tiempo parcial** part time
**parecer (zc)** to appear; to seem, look like; **¿Qué te parece?** What do you think (about it)?
la **pared** wall
la **pareja** couple; one person of a couple
el **paréntesis** parenthesis
el **pariente (la parienta)** relative
la **parodia** parody
el **parque** park
el **párrafo** paragraph
la **parranda** partying; **la noche de parranda** a night of partying
la **parte** part; place; **a todas partes** everywhere; **¿De parte de quién?** On whose behalf? Who is calling?; **en alguna parte** somewhere; **en algunas partes** in some places; **en otra parte** somewhere else; **en/ por todas partes** everywhere; **la mayor parte de** most of; **por otra parte** on the other hand; **la tercera parte** one third
el, la **participante** participant

**participar** to participate
el, la **partícipe** participant
el **participio** participle
**particular** particular, special
la **partida** departure
el **partido** political party; game, match
**partir** to part; to leave, depart
el **pasado** past; last; *adj.* past; **el tiempo pasado** past tense, past
el **pasaje** passage; fare, ticket
el **pasajero (la pasajera)** passenger
el **pasaporte** passport
**pasar** to pass; to pass along; to spend (time); to happen; **pasar a ser** to become; **pasarlo bien** to have a good time
el **pasatiempo** pastime
la **Pascua** Passover; Easter
**pasear** to take a walk; to stroll; to take for a walk (e.g., a dog)
el **paseo** walk, stroll; drive, ride; **paseo a caballo** horseback ride; **dar un paseo** to take a walk, ride
**pasivo** passive
el **paso** step; pace; **dar un paso** to take a step
el **pastel** pastry; pie; cake
la **pata** foot, leg (of animal)
la **patata** (*Spain*) potato
**patinar** to skate; **patinar sobre hielo** to ice skate
la **patria** homeland
el **pavo** turkey
la **paz** peace
el **pedazo** piece
el **pedido** request
**pedir (i)** to ask (someone to do something), ask for, request; to order (in a restaurant)
la **pelea** fight; quarrel
**pelear** to fight
la **película** film; movie; **de película** great, super
el **peligro** danger
**peligroso** dangerous
el **pelo** hair; **no verle el pelo** to not see hide nor hair
la **pena** punishment; penalty; sorrow; embarrassment; **No tenga(s) pena.** (*Mexico, Central America*) No need to be embarrassed.; **¡Qué pena!** What a shame!
el **pendiente** earring

**pensar (ie)** to think; to plan; **pensar en** to think about
la **pensión** small and usually economical hotel that may offer meals; room and board
**peor** worse; worst; **lo peor** the worst thing or part; **Tanto peor.** So much the worse.
**pequeño** small, little
**perder (ie)** to lose; to miss; **perder (el) tiempo** to waste time; **perderse** to get lost; **¡No se puede perder!** You can't miss it!
la **pérdida** loss
el **perdón** pardon; forgiveness; **Perdón.** Pardon.; I'm sorry.
**perdonar** to pardon; to forgive
**perfecto** perfect
el **perfil** profile
el **periódico** newspaper
el, la **periodista** journalist
el **permiso** permission; **Con permiso.** Excuse me.
**permitir** to permit; to allow; **¿Me permite... ?** May I . . . ? Will you permit me to . . . ?
**pero** but
**perpetuar** to perpetuate
el **perro** dog
**perseguir (i)** to pursue; to persecute; to follow
la **persona** person
el **personaje** character (in a film or literary work)
la **personalidad** personality
la **perspectiva** perspective
**pertenecer (zc) a** to belong to
**peruano** Peruvian
**pesado** heavy; tiresome, boring
**pesar** to weigh
**pesar: a pesar de (que)** in spite of (the fact that)
el **pescado** fish
el **pescador (la pescadora)** fisherman (fisherwoman)
**pescar** to fish
la **peseta** peseta (unit of money in Spain before the **euro**)
el, la **pesimista** pessimist
el **peso** weight; peso (unit of money); **bajar de peso** to lose weight
la **pesticida** pesticide
la **petición** petition; request
el **petróleo** oil; petroleum

**petrolero**  *adj.* petroleum, oil

el **pez**  fish

**picante**  highly seasoned, hot, spicy

**picar**  to mince; to nibble, snack

el **pie**  foot; **con el pie izquierdo** with (on) the left foot, left foot first; **ir a pie**  to walk; **ponerse de pie**  to stand up; **tener... pies de altura**  to be . . . feet tall (high)

la **piedra**  rock, stone

la **piel**  skin; fur

la **pierna**  leg

la **pieza**  room; part

la **pila**  battery

la **pimienta**  pepper

el **pingüino**  penguin

**pintar**  to paint

el **pintor** (la **pintora**)  painter

**pintoresco**  picturesque

la **pintura**  painting

la **piñata**  papier-mâché figure filled with candies, fruits, and gifts and hung high to be broken by a blindfolded person with a stick

la **piragua**  *(Puerto Rico)* snow cone

la **pirámide**  pyramid

el **pirata**  pirate

la **piscina**  swimming pool

el **piso**  floor, story

la **pistola**  pistol

la **pizarra**  blackboard, whiteboard

el **placer**  pleasure

**planear**  to plan

el **planeta**  planet

la **planificación**  planning

el **plano**  (city) map

la **planta**  plant

**plantar**  to plant

el **plástico**  plastic

la **plata**  silver; money

la **plataforma**  platform

el **plátano**  banana

la **platería**  silver work

la **plática**  chat

el **plato**  dish; plate; **plato fuerte** main course

la **playa**  beach

la **plaza**  plaza, square; **plaza principal** main square

la **población**  population

**poblano**  of or from Puebla (a central Mexican state)

**pobre**  poor; needy; **¡Pobre de ti!** Poor you!

la **pobreza**  poverty

**poco**  little (in amount); *pl.* few; *adv.* not very; **en poco tiempo**  in a short while; **poco después** shortly afterwards; **un poco** a little (bit)

**poder (ue)**  to be able, can; **Podría ser.** Could be.; **Querer es poder.**  Where there's a will there's a way.

el **poder**  power; authority

**poderoso**  powerful

**podrido**  rotten

el **poema**  poem

la **poesía**  poetry

el, la **poeta**  poet; *also,* la **poetisa**

el **policía**  policeman; *f.* policewoman; police force; police station

**policíaco**  police, detective

la **política**  politics; policy

el, la **político**  politician; *adj.* political; in-law

el **pollo**  chicken

el **polo**  pole; **polo norte (sur)**  North (South) Pole

**poner**  to put, place; **poner la mesa**  to set the table; **poner un negocio**  to start a business; **ponerse**  to put on (clothing); **ponerse de acuerdo**  to come to an agreement, agree; **ponerse + adj.** to become; **ponerse de pie**  to stand up

**poquísimo** (*superlative of* **poco**)  very little; *pl.* very few

**por**  for; because of, on account of; for the sake of; by; per; through; throughout; along; around; in place of; in exchange for; during; in; **darse por vencido**  to give up, surrender; **estar loco por**  to be crazy about; **estar por**  to be in favor of; **por algún motivo**  for some reason; **por ciento**  percent; **por completo** completely; **por el contrario**  on the contrary, however; **por debajo de** underneath; **por desgracia** unfortunately; **por Dios**  for goodness sake; **por ejemplo**  for example; **por eso**  for that reason; **por favor**  please; **por fin**  finally; **por lo general**  generally; **por la mañana (tarde, noche)**  in the morning (afternoon, evening); **por medio de**  through, by means of;

**por lo menos**  at least; **por otra parte** on the other hand; **por primera vez**  for the first time; **¿por qué?** why?; **por si acaso**  just in case; **por suerte**  luckily; **por supuesto**  of course; **por lo tanto**  therefore; **por temor que**  for fear that; **por todas partes (todos lados)**  everywhere; **por lo visto**  evidently

el **porcentaje**  percentage

**pornográfico**  pornographic

**porque**  because

**portarse**  to behave

**portátil**  portable; **la computadora portátil**  laptop

**porteño**  of or from Buenos Aires

**portugués**  Portuguese

**poseer**  to possess

**posesivo**  possessive

la **posibilidad**  possibility

**posible**  possible; **todo lo posible** everything possible

la **posición**  position; status; stance

**positivo**  positive

**postal: el correo postal**  regular mail; **la tarjeta postal**  postcard

el **postre**  dessert

la **práctica**  practice

**practicar**  to practice; to perform

**práctico**  practical

**pragmático**  pragmatic

el **precio**  price; **a precio más bajo**  at a lower price; **a precio reducido (rebajado)**  at a reduced (lower) price, on sale; **precio fijo** fixed price

**precioso**  precious

**preciso**  precise, exact; **es preciso que...** it's necessary (essential) that . . .

**precolombino**  pre-Columbian, before Columbus

la **preferencia**  preference

**preferible**  preferable

**preferido**  favorite

**preferir (ie)**  to prefer

la **pregunta**  question; **hacer una pregunta**  to ask a question

**preguntar**  to ask; **preguntarse**  to wonder

**prehispánico**  pre-Hispanic

el **prejuicio**  prejudice

el **premio**  prize

la **prensa**  press

la **preocupación**  worry

**preocupar** to worry, concern, preoccupy; **preocuparse** to worry, be concerned

**preparar** to prepare

la **presencia** presence

la **presentación** presentation; introduction

**presentar** to present; to introduce; **Déjeme presentarme.** Allow me to introduce myself.; **presentar un examen** to take a test

**presente** present

**preservar** to preserve

el, la **presidente** (la **presidenta**) president

la **presión** pressure

**prestar** to lend, loan; **prestar atención** to pay attention

el **prestigio** prestige

el **presupuesto** budget

el **pretérito** preterit

**prevenir (ie)** to prevent

**primaria: la escuela primaria** elementary school

la **primavera** spring

**primer, primero** first; **lo primero** the first thing

el **primo** (la **prima**) cousin

**principal** main

**principio: a principios de** at the beginning of; **al principio** at the beginning

la **prisa** haste; **darse prisa** to hurry; **tener prisa** to be in a hurry

**privado** private

el **privilegio** privilege

**pro** pro, for

la **probabilidad** probability

**probable** probable, likely; **Es probable que no.** That's probably not so; **Es probable que sí.** That's most likely true.

**probablemente** probably, in all likelihood; **Probablemente no.** Probably not.; **Probablemente sí.** Probably.

**probar (ue)** to try, taste; **probarse** to try on or out

el **problema** problem

**procesar** to process

**proclamar** to proclaim

**producir (zc)** to produce

el **producto** product

el **productor** (la **productora**) producer

la **profesión** profession

**profesional** professional

el **profesor** (la **profesora**) teacher, instructor, professor

**profundo** deep, profound

el **programa** program; *pl.* software; **programa informático** computer program

la **programación** programming

**programar** to program

**progresivo** progressive

el **progreso** progress

**prohibir** to forbid, prohibit

la **promesa** promise

**prometer** to promise

**promocionar** to promote

el **pronombre** pronoun

**pronto** soon; fast; **tan pronto como** as soon as

**pronunciar** to pronounce

la **propina** tip

**propio** own

el **propósito** resolution; **a propósito** by the way; **a propósito de...** regarding ..., talking about

la **prosa** prose

**prosperar** to prosper

el **prosumidor** (la **prosumidora**) prosumer, producer-consumer

**proteger** to protect

**protestar** to protest

**provecho: ¡Buen provecho!** Enjoy your meal!

el **proverbio** proverb

la **provincia** province

**próximo** next, coming

el **proyecto** project

**prudente** prudent, cautious

la **prueba** test, trial; proof

la **psicología** psychology

**publicar** to publish

la **publicidad** publicity, advertising

**publicitario** related to advertising

el **público** public; **un público amplio** wide range of people; *adj.* public

el **pueblo** town; people

la **puerta** door

el **puerto** port

**puertorriqueño** Puerto Rican

**pues** well; because

**puesto** (*p. part. of* **poner**) put, positioned

el **puesto** job, position; stand

la **pulsera** bracelet

el **punto** point; dot; **hasta cierto punto** up to a certain point; **punto de vista** point of view

**puro** pure; total; mere

# Q

**que** *rel. pron.* that, which, who, whom; *adv.* than; **algo que hacer** something to do; **de lo que** than; **del (de la, de los, de las) que** than; **el (la, los, las) que** that, which, who, the one(s) that, he (she, those) who; **lo que** what, that which; *indirect command* may, let, have + *verb;* **no más que** only

**¿qué?** what? which?; **¿para qué?** why? for what purpose?; **¿por qué?** why?; **¿Qué hay?** What's up? What's the matter?; **¿Qué hay de nuevo?** What's new?; **¿Qué importancia tiene?** So what?; **¿Qué más da?** So what?; **¿Qué onda?** *coll.* What's up?; **¿Qué tal?** How's it going?; **¿Qué tal el viaje?** How was the trip?; **¿Y qué?** So what?

**¡Qué... !** What (a) ...! How ...!; **¡Qué barbaridad!** Good grief! How awful!; **¡Qué buena noticia!** What good news!; **¡Qué ciudad más bonita!** What a lovely city!; **¡Qué gusto!** What a pleasure!; **¡Qué va!** Come on now!; **¡Qu'húbole!** (*coll. salutation*) Hi!

**quebrar (ie)** to break

**quedar** to remain, be left; to fit; to go with; **quedar bien (mal)** to fit well (badly); **quedar grande (pequeño)** to be big (small); **quedarse** to stay, remain; to be left (in a state or condition)

la **queja** complaint

**quejarse (de)** to complain (about)

**quemar** to burn; **quemarse** to burn oneself

**querer (ie)** to want, wish; to love; **como quieras** as you like; **querer decir** to mean

**querido** dear; *m.* dear one

el **queso** cheese

**quien, quienes** who, whom; he (she, they) who, the one(s) who, those who

**¿quién? ¿quiénes?** who? whom?; **¿de quién?** whose?

la **química** chemistry

**quinto** fifth

**quitar** to take away; **quitarse** to take off

**quizá, quizás** perhaps, maybe

# R

la **raíz** (*pl.* **raíces**) root

la **rampa** ramp

la **ranchera** kind of Mexican music

el **rancho** ranch

**rápido** quick, fast, rapid

la **raqueta** racket

**raro** rare, strange

el **rato** short time or while; **un buen rato** quite a while; **un largo rato** (for) a long time; **los ratos libres** free time

el **ratón** mouse (computer)

la **raza** race; **el Día de la Raza** Columbus Day

la **razón** reason; **con más razón** all the more reason; **tener razón** to be right

**razonable** reasonable

**reaccionar** to react

**real** real, actual; royal

la **realidad** reality; **en realidad** actually, really, in reality

**realista** realistic

**realizar** to realize, bring about (a plan, project)

la **rebaja** reduction

**rebajar** to lower, reduce; **a precio rebajado** at a lower price, on sale

**rebelde** rebellious

la **recepción** hotel registration desk

el, la **recepcionista** receptionist, desk clerk

la **receta** recipe; prescription

**recibir** to receive, get

el **recibo** receipt

el **reciclaje** recycling

**reciclar** to recycle

**reciente** recent

**recíproco** reciprocal

**recitar** to recite

**recoger** to gather, pick up

la **recolección** gathering

**recomendar (ie)** to recommend

**reconocer (zc)** to recognize

**reconocido** famous

**recordar (ue)** to remember

**recorrer (la Red)** to go through, navigate (the Net)

el **recuerdo** memory; souvenir

el **recurso** resource

la **red** network; **la Red** Net (Internet)

**reducido** reduced; **a precio reducido** on sale

**reducir (zc)** to reduce

**reemplazar** to replace

la **referencia** reference

**referirse (ie) a** to refer to; to relate to, concern

**reflejar** to reflect

**reflexivo** reflexive

el **refrán** proverb

el **refresco** refreshment; drink

el **refugiado (la refugiada)** refugee

**regalar** to give as a gift

el **regalo** gift, present

**regatear** to bargain

el **regateo** bargaining, haggling

**regio** (*Colombia*) great, fantastic

**registrarse** to log in

la **regla** rule

**regresar** to return, come back

**regular** regular; all right

**rehusar** to decline

la **reina** queen

el **reino** kingdom

**reír (i)** to laugh; **reírse de** to laugh at

la **relación** relationship

**relacionado con** related to

**relacionar** to relate

**relajar** to relax; **relajarse** to relax, become relaxed

**relativo** relative

**releer** to reread

**religioso** religious

el **reloj** watch

la **remezcla** mash-up

**remoto** remote

la **renovación** renewal

**renovar (ue)** to renew

**renunciar** to give up

el **repaso** review

**repente: de repente** suddenly

**repetir (i)** to repeat

el **reportaje** report

**reportar** to report

el **reportero (la reportera)** reporter

el, la **representante** representative

**representar** to represent

**reproducir (zc)** to reproduce

el **reproductor** player (music)

la **república** republic

**requerir (ie)** to require

el **requisito** requirement

la **res** head of cattle; **carne de res** beef

**rescatar** to rescue

la **reserva** preserve

**reservar** to reserve

la **residencia** residence; **residencia estudiantil** dorm

el, la **residente** resident

**resolver (ue)** to solve

el **respecto** respect, reference; **con respecto a** with respect (regard) to

**respetar** to respect

el **respeto** respect, esteem

la **respiración: tubo de respiración** snorkle

**responder** to respond, answer

la **responsabilidad** responsibility

**responsable** responsible

la **respuesta** answer

el **restaurante** restaurant

el **resto** rest, remainder

**resuelto** (*p. part of* **resolver**) solved

el **resultado** result

**resultar** to result; to turn out

el **resumen** summary; **en resumen** in summary

**resumir** to summarize

**retirarse de** to retire from

el **reto** challenge

**retornable** returnable

el **retrato** portrait, description

la **reunión** meeting

**reunir** to bring together, unite; **reunirse** to meet

**reventar (ie)** to break, burst

**revisar** to check

la **revista** magazine

**revitalisar** to revitalize

**revolucionar** to revolutionize

el **rey** king; *pl.* king and queen, kings

**rezar** to pray

**rico** rich; delicious

**ridículo** ridiculous

la **rima** rhyme

el **río** river

**rítmico** rhythmic

el **ritmo** rhythm

la **rivalidad**   rivalry
**robar**   to rob, steal
**rogar (ue)**   to beg, plead, entreat; to request
**rojo**   red
**romano**   Roman
**romántico**   romantic
**romper (con)**   to break (up with)
la **ropa**   clothing
la **rosa**   rose
**rosado**   rosé (wine)
**roto**   broken
el **ruido**   noise
la **ruina**   ruin
**ruso**   Russian
la **ruta**   route
la **rutina**   routine, daily grind
**rutinario**   routine

# S

el **sábado**   Saturday
**saber**   to know; **saber** + *inf.*   to know how to; *preterit* to find out; **¿Qué sé yo?**   What do I know?
el **sabor**   taste; flavor
**sabroso**   delicious
**sacar**   to take out; **sacar una A**   to get an A; **sacar buenas (malas) notas**   to get good (bad) grades; **sacar fotos**   to take photos
el **sacrificio**   sacrifice
**sagrado**   holy
la **sal**   salt
la **sala**   living room; large room; **sala de clase**   classroom
**salado**   salty
el **salario**   salary
la **salida**   exit, way out; **salida del sol**   sunrise
**salir**   to go out, leave (a place); to come out or up (as sun, moon, stars); **salir adelante (con)**   to get ahead, make progress; to manage or cope (with); **salir de**   to go out of; **salir del sistema**   to log off; **salir para...**   to leave for . . .
el **salón**   large room, salon; **salón de entrada**   lobby; **salón de té**   tea room
la **salsa**   sauce; salsa music
el **salsero** (la **salsera**)   salsa musician

la **salud**   health; **gozar de buena salud**   to enjoy good health; **¡Salud!**   Cheers!; Gesundheit!
**saludable**   healthful
**saludar**   to greet, say hello
el **saludo**   greeting, salutation; **¡Saludos a la familia!**   Regards to the family!
**salvadoreño**   Salvadoran
el **salvapantallas**   screensaver
**salvar**   to save, rescue
**san** (*apocope of* **santo**)   saint
la **sandalia**   sandal
la **sangre**   blood
**sano**   healthy
la **santería**   Afro-Caribbean religion
el **santo** (la **santa**)   saint; **santo patrón**   patron saint
**sarcástico**   sarcastic
**satírico**   satirical
**se**   *indir. obj.* (to, for, from) him, her, it, you (Ud., Uds.), them; *refl. pron.* (to, for, from) himself, herself, itself, yourself (**Ud.**), themselves, yourselves (**Uds.**), oneself; *recip. refl.* each other, one another
**secar**   to dry
**seco**   dry; unconcerned
el **secretario** (la **secretaria**)   secretary
el **secreto**   secret
**secundario**   secondary; **la escuela secundaria**   high school
la **sed**   thirst; **tener sed**   to be thirsty
**sefardí**   Sephardic
**seguido**   in a row, consecutive; **en seguida**   right away
**seguir (i)**   to follow; to continue, keep on; **seguir adelante, seguir derecho**   to proceed straight ahead; **seguir un curso**   to take a course
**según**   according to; depending on; **según dicen**   as people say; **según su opinión**   in your opinion
el **segundo**   second; second one; *adj.* second
la **seguridad**   security; certainty; **copia de seguridad**   backup file
**seguro**   sure, certain; secure, safe; *n.* insurance
**seleccionar**   to choose
la **selva**   forest, jungle
la **semana**   week; **el fin de semana**   weekend; **la semana que viene**   next week; **Semana Santa**   Holy Week
**semejante**   similar, such (a)

el **semestre**   semester
la **semilla**   seed
**sencillo**   simple, plain; **el cuarto sencillo**   single room
**sentarse (ie)**   to sit down, be seated
el **sentido**   sense; direction
el **sentimiento**   feeling, sentiment
**sentir (ie)**   to feel, sense; to be sorry (for); **¡Cuánto lo siento!**   How sorry I am!, I'm very sorry!; **sentir miedo**   to be afraid; **sentir que**   to be sorry that; **sentirse**   to feel
el **señor** (*abbr.* **Sr.**)   man, gentleman; sir; mister; Mr.; **los señores** (*abbr.* **Sres.**)   Mr. and Mrs.
la **señora** (*abbr.* **Sra.**)   lady, wife; ma'am; Mrs.
**señorial**   stately, majestic
la **señorita** (*abbr.* **Srta.**)   young lady; miss; Miss
**separar**   to separate; **separarse de**   to be separated from
**septiembre**   September
el **ser**   being; **ser humano**   human being
**ser**   to be; **es que**   that's because; **llegar a ser**   to become; **ser de**   to be made of; to be from
la **serie**   series
**serio**   serious; **en serio**   seriously
el **servicio**   service; **¿Está incluido el servicio?**   Is the service/tip included?
la **servilleta**   napkin
**servir (i) (de)**   to serve (as); **servirse**   to help oneself (to something); **¿En qué puedo servirles?**   How can I help you?; **No sirve.**   It's no good.; **¿Para qué sirven?**   What are they good for?; **para servirle**   at your service
el **sexo**   sex
**si**   if; whether; **como si**   as if
**sí**   yes; *reflex. pron.* himself, herself, etc. (*after prep.*)
el **SIDA**   AIDS
**siempre**   always
la **siesta**   midday break, nap; **tomar una siesta**   to take a nap
el **siglo**   century
el **significado**   meaning
**significar**   to mean, signify, indicate
**siguiente**   following; **al día siguiente**   on the following day
la **silla**   chair

el **símbolo**   symbol
la **simpatía**   empathy
**simpático**   nice, likeable
**simultáneamente**   simultaneously
**sin**   with; **sin embargo**   however, nevertheless; **sin igual**   unparalleled; **sin que**   *conj.* without
**sincero**   sincere
**sino**   but, but rather; **sino que** + *clause* but rather
el **sinónimo**   synonym
la **síntesis**   synthesis; **en síntesis**   in short
el **síntoma**   symptom
la **sirena**   siren
**sirio**   Syrian
el **sirviente** (la **sirvienta**)   servant
el **sistema**   system
el **sitio**   place, spot; site, location; **los sitios**   sights; **sitio web**   website
el **SMS**   *(Spain)* text message, *abbrev.* for short message system
**sobre**   about; over; on top of; **sobre todo**   especially
la **sobrepoblación**   overpopulation
la **sobrevivencia**   survival
**sobrevivir**   to survive; to outlive
el **sobrino** (la **sobrina**)   nephew (niece)
la **sociabilidad**   sociability
la **sociedad**   society
la **sociología**   sociology
el **socorro**   help
el **sol**   sun; **al salir el sol**   when the sun rises; **haber sol**   to be sunny; **tomar sol**   to sunbathe
**solamente**   only
el, la **soldado**   soldier
la **soledad**   loneliness; isolation; solitude
**soler (ue)**   to do customarily
**solicitar**   to seek out, ask for
la **solidaridad**   solidarity
el, la **solista**   soloist
**solitario**   solitary; lone
**solo**   alone; lone; single; only; **no solo... sino también**   not only . . . but also
**sólo**   only
**soltero**   unmarried
**solucionar**   to solve
el **sombrero**   hat
la **somnolencia**   drowsiness
el **son**   Cuban musical style, precursor of salsa
**sonar (ue)**   to ring
el **sondeo**   poll

el **sonido**   sound
**sonreír**   to smile
**soñar (ue) (con)**   to dream (about)
la **sopa**   soup
**soportar**   to put up with, stand; to support
**sor**   *(before the name of a nun)* sister
**sorprendente**   surprising
**sorprender**   to surprise
la **sorpresa**   surprise
**sostener**   to support, maintain
**sostenible**   sustainable
**su, sus**   his, her, its, their, your (**Ud., Uds.**)
**suave**   soft; mild
**subir**   to go up, climb; **subir(se) a**   to get in or on; **subir un archivo**   to upload a file
el **subjuntivo**   subjunctive
**subrayado**   underlined
**suceder**   to happen; to follow in order
**sucesivo**   successive
**sucio**   dirty
la **sudadera**   sweatshirt
**Sudamérica**   South America
**sudamericano**   South American
el **sueldo**   salary
el **sueño**   dream; sleep; **¡Es un sueño!**   It's terrific (a dream)!; **tener sueño**   to be sleepy
la **suerte**   fortune, luck; **por suerte**   luckily; **¡Qué suerte!**   What luck!
el **suéter**   sweater
**sufrir (de)**   to suffer (from)
la **sugerencia**   suggestion
**sugerir (ie)**   to suggest
el **suicidio**   suicide
**superlativo**   superlative
el **supermercado**   supermarket
**supersticioso**   superstitious
**suponer**   to suppose, assume
**supuesto**   supposed; **por supuesto**   of course
**sur**   south; **América del Sur**   South America
**sureste**   southeast
**suroeste**   southwest
el **sustantivo**   noun
la **sustitución**   substitution
**suyo(s), suya(s)**   *adj.* (of) his, her, of hers, your, of yours (**Ud., Uds.**), their, of theirs; **el suyo (la suya, los suyos, las suyas)**   *pron.* his, hers, yours (**Ud., Uds.**), theirs

# T

el **tabaco**   tobacco
el **taco**   taco, corn tortilla stuffed with cheese, beans, etc.
**táctil: la pantalla táctil**   touch screen
la **tagua**   kind of tropical nut
**tal**   such (a); **con tal (de) que**   provided that; **¿qué tal?**   How are things?; **¿Qué tal el viaje?**   How was the trip?; **tal como**   such as; **tal vez**   perhaps
**talar**   to fell, cut (trees)
el **talento**   talent
la **talla**   size
el **tallado**   carving
**tallar**   to carve
**también**   too, also
el **tambor**   drum
**tampoco**   neither, (not) either
**tan**   so, such; **tan... como**   as . . . as; **tan pronto como**   as soon as
**tanto(a, os, as)**   *adj. and pron.* so much (many), as much (many); *adv.* as (so) much; **mientras tanto**   in the meantime; **por lo tanto**   however; **tanto como**   as much (many) as; **¡Tanto mejor!**   So much the better!; **¡Tanto peor!**   So much the worse!
la **tapa**   *(Spain)* appetizer
la **tapería**   *(Spain)* small restaurant-bar that serves **tapas**   (appetizers)
la **taquería**   taco restaurant
**tardar en** + *inf.*   to take (+ *time period*) to
la **tarde**   afternoon or early evening; **Buenas tardes.**   *(used from noon until sundown)* Good afternoon.; Good evening.; **de la tarde**   p.m.; **por la tarde**   in the afternoon
**tarde**   *adv.* late
la **tarea**   task; *pl.* homework; **tareas del hogar**   housework
la **tarjeta**   card; **tarjeta de crédito**   credit card; **tarjeta postal**   postcard
la **tasa**   rate; **tasa de cambio**   exchange rate
el **tatuaje**   tattoo
la **taza**   cup
**te**   *obj. pron.* to for from you, yourself *(fam. sing)*
el **té**   tea

teatral   theatrical

el **teatro**   theater

la **técnica**   technique

la **tecnología**   technology

**tejer**   to weave; to knit

el **tejido**   weaving, textile

la **tela**   fabric

**telefónico**   adj. telephone, of the telephone

el **teléfono**   telephone; **número de teléfono**   telephone number; **teléfono inteligente**   smart phone

la **teletutoría**   distance tutoring

el **televisor**   television set

el **tema**   theme, topic, subject; composition; **Cambiando de tema...**   To change the subject . . .

**temer**   to fear

el **temor**   fear

la **temperatura**   temperature

el **templo**   temple

**temporal**   temporary; time (e.g., expression)

**temprano**   early

la **tendencia**   tendency

el **tenedor**   fork

**tener (ie)**   to have; **¿Qué edad tienes?**   How old are you?; **¿Qué importancia tiene?**   So what?; **tener alternativa**   to have a choice; **tener... años**   to be ... years old; **tener buena (mala) suerte**   to have good (bad) luck; **tener calor**   to be hot; **tener celos**   to be jealous; **tener cuidado**   to be careful; **tener la culpa**   to be guilty; **tener derecho a**   to have the right to; **tener dolor de cabeza (estómago)**   to have a headache (stomachache); **tener éxito**   to be successful; **tener frío**   to be cold; **tener ganas de + inf.**   to feel like (doing something); **tener gracia**   to be funny; **tener hambre**   to be hungry; **tener lugar**   to take place; **tener en mente**   to keep in mind; **tener miedo (de) que**   to be afraid that; **tener pena**   (Mexico, Central America) to be embarrassed; **tener prisa**   to be in a hurry; **tener que + inf.**   to have to (do something); **tener razón**   to be right; **tener sed**   to be thirsty;

**tener sueño**   to be sleepy; **tener vergüenza**   to be ashamed

el **tenis**   tennis

el **tentempié**   snack

la **teoría**   theory

la **terapia física**   physical therapy

**tercer, tercero**   third

el **tercio**   third

la **terminación**   ending

**terminar**   to end, finish

el **territorio**   territory

la **tertulia**   regular meeting of people at a fixed place and time, often for conversation about literary or artistic issues

el **tesoro**   treasure

el **texto**   text; **libro de texto**   textbook

la **textura**   texture

**ti**   obj. of prep. you, yourself (fam. sing.)

la **tía**   aunt

el **tiempo**   weather; time; tense (grammatical); **a tiempo**   on time; **al mismo tiempo**   at the same time; **¿Cuánto tiempo hace que... ?**   How long . . . ?; **en poco tiempo**   in a short while; **en tiempos pasados**   in times past; **hace buen (mal) tiempo**   the weather is good (bad); **mucho tiempo**   a long time, a great deal of time; **perder (el) tiempo**   to waste time; **¿Qué tiempo hace?**   What's the weather like?; **tiempo pasado**   past tense, past; **tiempo completo (parcial)**   full (part) time; **todo el tiempo**   all the time

la **tienda**   shop, store

la **tierra**   land; earth, soil

**tímido**   shy

**tinto**   red (wine)

el **tío**   uncle; pl. aunt and uncle, uncles

**típico**   typical

el **tipo**   type, kind; guy

la **tira cómica**   cartoon, comic strip

**tirar**   to throw; to pull

la **tirolesa**   zip line

**titularse**   to be titled

el **título**   title, degree

la **toalla**   towel

**tocar**   to touch; to play (a musical instrument); to knock

**todo**   adj. all, entire, whole; complete;

every; m. n. everything; **después de todo**   in the end; after all; **por todas partes (todos lados)**   everywhere; **sobre todo**   especially; **todo el día**   all day; **todo el mundo**   everyone; pl. all, every; n. everyone; **todos los días**   every day

**tolerante**   tolerant

**tomar**   to take; to drink; **tomar asiento**   to take a seat; **tomar una copa**   to have a drink; **tomar una decisión**   to make a decision; **tomar el desayuno**   to have breakfast; **tomar una ducha**   to take a shower; **tomar sol**   to sunbathe

el **tomate**   tomato

el **tono**   (ring)tone

la **tontería**   foolishness; **¡Qué tontería(s)!**   What nonsense!

**tonto**   silly, foolish

el **tormento**   torment

el **toro**   bull

la **toronja**   grapefruit

la **tortilla**   corn or wheat pancake or flat bread (Mexico); omelette (Spain)

la **tortuga**   turtle

**torturarse**   to torture oneself

**total**   total, complete; **Total (que)...**   So . . .

el **trabajador** (la **trabajadora**)   worker; adj. hard-working

**trabajar**   to work; **¡A trabajar!**   Get to work!

el **trabajo**   work, job; **cambiar de trabajo**   to change jobs; **el Día del Trabajo**   Labor Day; **la oferta de trabajo**   job offer

**tradicional**   traditional

la **traducción**   translation

**traducir (zc)**   to translate

**traer**   to bring; to carry

el, la **traficante**   trafficker

el **tráfico**   traffic

el **traje**   costume; suit; outfit; **traje de baño**   bathing suit

**trampa: hacer trampa**   to cheat

la **tranquilidad**   tranquility

**tranquilo**   quiet

**transformarse en**   to transform, change into

**transmitir**   to transmit

**transportar**   to transport

el **transporte**   transportation
**tratar**   to treat; **tratar de**   to try to, attempt to; to deal with, be concerned with
**través: a través de**   across, through
el **tren**   train; **en tren**   by train
el **trimestre**   quarter (of the academic year)
**triste**   sad
el **trombón**   trombone
la **trompeta**   trumpet
**tropezar (ie)   con**   to bump into
**tu, tus**   your (*fam. sing.*)
**tú**   you (*fam. sing.*)
el **tubo**   tube; **tubo de respiración** snorkle
el **turismo**   tourism
el, la **turista**   tourist
**turístico**   *adj.* tourist
**turnarse**   to take turns
**tuyo(s), tuya(s)**   *adj.* your, of yours; **el tuyo (la tuya, los tuyos, las tuyas)**   *pron.* yours (*fam. sing.*)

## U

**u**   or (*used instead of* **o** *before a word beginning with* **o-** *or* **ho-**)
**ubicarse**   to be located
**Ud., Uds.**   *abbr. for* **usted, ustedes**
**último**   last; most recent; latest
**único**   unique; only
la **unidad**   unit
**unido**   united; close; **Estados Unidos**   United States
**unir**   to unite
la **universidad**   university, college
**universitario**   *adj.* university, college
el **universo**   universe
**uno (un), una**   one; a, an
**unos, unas**   some; a few; several; **unos** + *a number* about; **unos con otros** with each other
**urgente**   urgent
**uruguayo**   Uruguayan
**usar**   to use; to wear
el **uso**   use
**usted (abbr. Ud., Vd.)**   you (*formal*); *pl.* **ustedes** (*abbr.* **Uds., Vds.**) you (*fam. + formal*)
**usualmente**   usually

el **usuario (la usuaria)**   user
**útil**   useful
**utilizar**   to use
la **uva**   grape

## V

la **vaca**   cow; **la carne de vaca**   beef
las **vacaciones**   vacation(s); **estar de vacaciones**   to be on vacation
la **vacilación**   hesitation
**vacío**   empty
**valenciano**   of or from Valencia, Spain
**valer**   to be worth; **más vale**   it is better
**valiente**   brave, valiant
la **valija**   suitcase
**valioso**   valuable
el **valle**   valley
el **valor**   value; courage
**valorar**   to value
el **vals**   waltz
**variado**   varied
**variar**   to vary; **variar según**   to vary with or according to
la **variedad**   variety
**varios**   several; various
**vasco**   Basque
el **vaso**   glass
**¡Vaya!**   Come on now!; **¡Que le vaya bien!**   May all go well with you!
el **vecindario**   neighborhood
el **vecino (la vecina)**   neighbor
el **vegetariano (la vegetariana)** vegetarian
el **vehículo**   vehicle
la **vejez**   old age
la **vela**   candle
la **velocidad**   speed
el **velorio**   wake, vigil
**vencer (z)**   to overcome, triumph, conquer; **darse por vencido**   to give up, surrender
el **vendedor (la vendedora)**   seller, trader, salesperson
**vender**   to sell
**venezolano**   Venezuelan
**venir**   to come; **el año que viene**   next year; **Ven acá.**   Come here.
la **venta**   sale; **a la venta**   for sale; **en venta**   for sale
la **ventaja**   advantage
la **ventana**   window

**ver**   to see; **A ver.**   Let's see; **Bueno, nos vemos.**   Well, see you.; **No veo la hora...**   I can't wait . . .; **Ojalá que nos veamos pronto.**   I hope we see each other soon.; **¡Qué alegría verte!**   How nice to see you!; **Te veo pronto.**   See you soon.; **tener algo que ver con**   to have something to do with
el **verano**   summer
**veras: ¿de veras?**   really?
el **verbo**   verb
la **verdad**   truth; **en verdad**   in fact; **¿verdad?**   right?, isn't that so?
**verdadero**   true, real
**verde**   green; unripe
la **verdura**   vegetable
la **vergüenza**   shame; **tener vergüenza** to be ashamed
**verificar**   to verify
el **verso**   verse
el **vestido**   dress; **estar vestido de**   to be dressed as
**vestir (i)**   to dress; **vestirse**   to get dressed
el **veterinario (la veterinaria)** veterinarian
la **vez**   (*pl.* **veces**)   time, instance, occasion; **a la vez**   at the same time; **a veces**   sometimes; **alguna vez**   ever, at some time; **algunas veces**   sometimes; **de vez en cuando**   from time to time; **en vez de**   instead of; **muchas veces**   often, many times; **otra vez** again, once more; **otra vez más**   one more time; **por primera vez**   for the first time; **tal vez**   perhaps, maybe; **una vez**   once
**viajar**   to travel
el **viaje**   trip; **agente de viajes**   travel agent; **¡Buen viaje!**   Have a good trip!; **hacer un viaje**   to take a trip
el **viajero (la viajera)**   traveler; **el cheque de viajero**   traveler's check
la **víctima**   victim
la **victoria**   victory
la **vida**   life; **el costo de vida**   the cost of living; **gozar de la vida**   to enjoy life; **llevar una vida feliz**   to have a happy life; **el nivel de**

**vida**   standard of living; **la vida familiar**   family life; **la vida nocturna**   night life

el **video** (*also* **vídeo**)   video

la **videocámara**   video camera

el **videojuego**   video game

**viejo**   old, elderly; *n.* old person

el **viento**   wind; **hacer viento**   to be windy

el **viernes**   Friday; **Viernes Santo**   Good Friday

el **vino**   wine

la **violencia**   violence

**violento**   violent

la **visita**   visit; **estar de visita**   to be visiting

**visitar**   to visit

la **vista**   view; eyesight; **el punto de vista**   point of view

el **viudo** (la **viuda**)   widower (widow)

**¡Viva... !**   Hooray for . . . !, Long live . . . !

**vivir (de)**   to live (from)

**vivo**   alive; bright; living

el **vocabulario**   vocabulary

**volar (ue)**   to fly, be in flight

el **volcán**   volcano

el **vólibol**   volleyball

el **volúmen**   volume

la **voluntad**   will

el **voluntario** (la **voluntaria**)   volunteer

**volver (ue)**   to return; **volver a** + *inf.* to do something again; **volverse loco**   to go crazy

**vosotros (vosotras)**   *subj. pron.* you (*fam. pl.*); *obj. of prep.* you, yourselves

la **voz** (*pl.* **voces**)   voice; **en voz alta**   out loud

el **vuelo**   flight

la **vuelta**   trip, tour; **de ida y vuelta**   roundtrip

**vuelto** (*p. part. of* **volver**)   returned; *m.* change (*e.g,. money, from a larger amount*)

**vuestro**   *adj.* your; **el vuestro**   *pron.* your, (of) yours (*fam. pl.*)

# Y

**y**   and; **¿Y qué?**   So what?

**ya**   already; now; **ya no**   no longer; **¡Ya lo creo!**   I believe it!

**yo**   (*subj. pron.*) I

# Z

la **zanahoria**   carrot

la **zapatería**   shoe store

el **zapato**   shoe

la **zona**   zone

# Index

## A

**a (al)**
  + infinitive, 216
  following certain verbs, 296
  personal, 10–11, 165
**acabar**, 216
adjective clauses with
  subjunctive, 165, 207
adjectives
  agreement with nouns, 58
  comparisons of equality, 88
  comparisons of inequality,
    88–89
  demonstrative, 67
  of nationality, 58
  past participles used as, 231–32
  plural of, 58
  position of, 58–59
  possessive, 70
  with **ser** and **estar**, 63–64
  shortened forms of, 59
  superlative of, 93
  used as nouns, 58
admiration, expressing, 55
adverbial conjunctions with
  subjunctive, 168–69, 207
adverbs
  comparisons of equality, 88
  comparisons of inequality,
    88–89
  formation of, with -*mente*, 214
  position of, 214
  superlative of, 93
advice, giving, 204
affirmatives and negatives,
  157–58
agreement, expressing, 154
anger, expressing, 255
apologizing, 275
articles
  definite, 18–19
  gender and number, 17–18
  indefinite, 18–19
  omission of indefinite, 19
asking for something, 229
assistance, offering, 229
**aunque** + indicative or
  subjunctive, 169

## B

bargaining for something, 228
*be* (**ser** and **estar**), 63–64

## C

capitalization, 296
cardinal numbers, 293
  with nouns, 58
commands, 139–41
  indirect, 141
  with *let's*, 141
  with object pronouns, 144
  with reflexive pronouns, 187
  sequence of tenses with, 256
**como si**, 207, 210, 260
comparisons
  of equality, 88
  of inequality, 88–89
  negative after **que**, 89
compound tenses. *See* perfect
  tenses
**con**, following certain verbs, 296
conclusions, drawing, 276
conditional
  formation of, 85–86
  with *if*-clauses, 210
  uses, including conditional of
    probability, 86
conjunctions
  imperfect subjunctive with
    certain adverbial, 207
  indicative vs. subjunctive with
    adverbial, 168–69, 207

**pero** vs. **sino**, 262
  **y** and **e**, **o** and **u**, 262
**conmigo, contigo**, 78
**conocer**
  in preterit, imperfect, 42
  vs. **saber**, 3
contact information,
  exchanging, 7
**cuyo**, 283

## D

days of week and dates, 294–95
**de**
  to express *in* or *of* in
    superlative, 93
  to express *than* in comparisons
    of inequality, 88–89
  to show possession, origin, or
    what something is made of,
    with **ser**, 62
  verbs followed by, 296–97
demonstrative adjectives and
  pronouns, 67
**desde (hace)**, 44
diminutives, 287
directions, asking for and giving, 129
direct object pronouns, 133, 144
disagreement, expressing, 154
disapproval, expressing, 55
disbelief, expressing, 255

## E

**e** for **y**, 262
**el que, el cual**, 283
empathy, expressing, 255
**en**, used after certain verbs, 297
**estar**
  distinction between **ser** and
    **estar**, 62–64
  with past participle, 232, 244

with present participle in
    progressive tenses, 278–79
vs. **ser** with adjectives, 63–64
excusing oneself, 275

# F

**faltar**, 160–61
fractions, 295
future
    formation of, 82–83
    use of present tense to express
        immediate, 9
    uses, including future of
        probability, 83

# G

gender, 17–18
good-bye, saying, 31
gratitude, expressing, 254
greetings, 6
**gustar**, 8, 160–61

# H

**haber**, 235–36, 240–41
**hacer**
    in time expressions, 44–45
    in weather expressions, 211
hesitation, expressing, 275

# I

*if*-clauses, 210, 259–60
imperative. *See* commands
imperfect
    contrast with preterit,
        40–42
    formation, 38
    uses of, 38–39
imperfect subjunctive. *See*
    subjunctive, imperfect

impersonal expressions
    imperfect subjunctive with
        certain, 206–07
    with indicative, 110, 117
    with subjunctive, 109–10
impersonal **se**, 191–93
incomprehension, expressing,
    180–81
indicative
    with adverbial conjunctions,
        168–69
    with *if*-clauses, 210, 260
    vs. subjunctive, 107, 110, 115,
        117, 165, 169, 207, 210,
        256–57, 260
indicative, perfect, 235–36
indirect object pronouns,
    135–37, 144
infinitives
    with adverbial conjunctions,
        168–69
    after conjugated verbs,
        impersonal expressions, 215
    after prepositions, 216
    use with **al**, 216
    use as noun, 216
    use with verbs such as **dejar,
        permitir, prohibir, hacer,
        mandar**, 216
introductions, 7
invitations, making, accepting,
    declining, 80–81
irregular verbs, 302–315
**-ísimo**, 93

# L

**lo**
    with adjective to express
        abstract idea, quality, 284
    as object pronoun, 133, 144
**lo que** (as relative pronoun), 284

# M

months of year, 295

# N

negatives, after **que** in
    comparisons, 89
negatives and affirmatives,
    157–58
nouns
    adjectives used as, 58
    with cardinal numbers, 58
    gender and number, 17–18, 58
numbers, 58, 293–295

# O

**o** changed to **u**, 262
object pronouns
    commands with, 144
    direct, 133
    indirect, 135–36
    position in sentences,
        136–37
    prepositional, 137
**ojalá**, 111
ordinal numbers, 294–95

# P

**para**, 264-66
participles
    past, 231–32
    present, 278–79
passive voice
    compared with active voice,
        243–44
    with **se** (**se** for passive),
        191–93, 244
    with **ser** (true passive),
        243–44
perfect tenses
    indicative, 235–36
    subjunctive, 240–41
permission, asking and
    giving, 105
**pero** vs. **sino**, 262
personal **a**, 10–11, 165

# V

verb index, 302–03
verbs
  irregular, 302–15
  reflexive, 16, 182–84
  regular, 298–301
  spelling (orthographic)
    changing verbs, 302–15

used in third person singlar
  with indirect object,
  160–61
voice, passive. *See* passive voice

# W

word stress, 292

# Y

**y** changed to **e**, 262
*you*, formal vs. familiar, 10